LA ROUTE DE L'ESPOIR

PACIFISME ET COMMUNAUTÉ

la dernière chance de la planète

OUVRAGES PARUS DANS LA COLLECTION
MIEUX-ÊTRE

FIT FOR LIFE II
de Harvey et Marilyn Diamond
LES COMBINAISONS ALIMENTAIRES
de Marilyn Diamond
SURVIVRE À UN AMOUR PERDU
de Colgrove, Bloomfield et McWilliams
OUI ou NON
(LE GUIDE POUR PRENDRE DE BONNES DÉCISIONS)
de Spencer Johnson
À LA RECHERCHE DE L'HOMME PERDU
de Sam Keen

Scott Peck

LA ROUTE DE L'ESPOIR

PACIFISME ET COMMUNAUTÉ

la dernière chance de la planète

traduit de l'anglais
par Marie-Andrée Lamontagne

mieux-être

Données de catalogage avant publication (Canada)

Peck, M. Scott (Morgan Scott), 1936-

La route de l'espoir : pacifisme et communauté
(mieux-être)

Traduction de : The different drum

ISBN 2-89077-099-0

1. Communauté 2. Paix 3. Vie spirituelle
I. Titre II. Collection

HT65.P4414 1993   307   C93-097023-3

Titre original : **The different drum**
                Community making and peace
Publié avec l'autorisation de l'éditeur original, Simon & Schuster, New York

© 1987 by M. Scott Peck, M.D., P.C.
© 1993, les éditions Flammarion ltée
pour la traduction française

ISBN 2-89077-099-0

Dépôt légal : 4ᵉ trimestre 1993

Aux peuples de tous les pays
dans l'espoir
que dans moins d'un siècle
la parade des vétérans
soit chose du passé
mais
comme tout le monde
aime les parades
dans l'espoir aussi
que nous soyons nombreux
à marcher au son d'un autre
tambour.

REMERCIEMENTS

Ce livre est le résultat d'un périple qui aura duré presque toute une vie ; d'abord, j'ai découvert la communauté, puis j'ai pu en faire profondément l'expérience. Je n'arriverai jamais à énumérer les noms de tous les gens formidables qui m'ont guidé et accompagné tout au long de ce voyage. Pourtant, quelques-uns d'entre eux se détachent du groupe et méritent non seulement mes remerciements, mais ma plus profonde reconnaissance. Les voici, par ordre chronologique :
Carol Brandt, le Dr Earle Hunter, Fenno Hoffman, Tiny Drier, Lily Peck, Cynthia et William Weir, Belinda Peck, Julia Peck, Burke Hanschild, Mac Badgeley, le général John M. Finn, le « Groupe Tech » d'Okinawa, Christopher Peck, Stewart Baker, Lindbergh Sata, Maria Dawson, Gene Kadish, Richard Slone, John Hoffman, sœur Ellen Stephen, Mary Ann Schmidt, Gerald McBrayer, John Keith Miller, « les gens de Kleenex », « les gens du Ballon », Vester Hughes, Tom Luce, Jerry Silverman, mes éditeurs Fred Hills et Burton Beals, « L'Adhocratie hyper-disciplinée », Pat Whiter, le « Groupe Discovery », de même que la direction et le personnel de la Fondation pour l'encouragement de la communauté.

TABLE DES MATIÈRES

Prologue 17
Introduction 21

Première partie : Les fondements

Chapitre I
L'expérience de la communauté 29
Friends Seminary, 1952-1954 34
Californie, février 1967 39
Okinawa, 1968-1969 49
Bethel, Maine, juin 1972 54

Chapitre II
Les individus et les illusions
de l'individualisme absolu 63

Chapitre III
La véritable signification de la communauté 71
Ouverture, engagement et consensus 73
Réalisme 77
Contemplation 79
Un endroit sûr 81
Un laboratoire pour le désarmement individuel 83
Un groupe qui sait se battre avec grâce 85
Le groupe de tous les chefs 87
Un esprit 88

Chapitre IV
Naissance de la communauté 93
Crise et communauté 93
La communauté qui naît par hasard 98
La communauté volontaire 100

Chapitre V
Les étapes de la formation d'une communauté 103
La pseudo-communauté 104
Le chaos 108
Le vide 113
La communauté 123

Chapitre VI
Les autres dynamiques de la communauté 129
Modèles de comportements de groupe 130
Intervenir dans le comportement d'un groupe 142
La dimension de la communauté 152
La durée de la communauté 154
L'engagement dans la communauté 155
La communauté en exercice 157

Chapitre VII
Comment faire durer la communauté 165
L'Ordre de saint-Éloi (l'OSE) 167
Le Groupe du sous-sol 182
Durer ou mourir ? 194

Deuxième partie : Le pont

Chapitre VIII
La nature humaine 205
Le problème du pluralisme 206
Les illusions de la nature humaine 208
La faculté de se transformer 216
Réalisme, idéalisme et romantisme 221

Chapitre IX
Modèles de transformation 227
Les étapes de la croissance spirituelle 228
Transcender les cultures 244
Israël 251

Chapitre X
Le vide 255

Chapitre XI
La vulnérabilité 277

Chapitre XII
Intégration et intégrité 287
Que manque-t-il? 289
Paradoxe et hérésie 296
Blasphème et espoir 301

Troisième partie : La solution

Chapitre XIII
Communauté et communication 313

Chapitre XIV
L'ampleur de la course aux armements 319
La course aux armements en tant qu'institution 319
La psychologie de l'impuissance 322
La psychiatrie de la force 327
Le caractère désuet du système de nation-État 331
La course aux armements comme un jeu 337
L'issue tacite 340
Le nationalisme : sain ou malade? 347

Chapitre XV
L'Église chrétienne aux États-Unis 355
Où es-tu, Jésus? 355

La révolution du Jeudi Saint 357
Le pseudo-docétisme : l'hérésie de l'Église 360
L'Église comme champ de bataille 363
Des signes d'espoir 369

Chapitre XVI
Le gouvernement des États-Unis 373
Équilibre du pouvoir ou chaos? 375
L'aspect irréaliste de la présidence américaine 379
Vers une présidence communautaire 384

Chapitre XVII
Le pouvoir d'agir 395
Que faire maintenant? 396

Postface 403

AVIS AU LECTEUR

Nous attirons votre attention sur le fait que, ce livre ayant été publié à l'origine en 1987, certains noms, certains sigles mentionnés ne correspondent plus à la réalité politique actuelle. Par exemple, l'URSS n'existe plus et l'« actuel » président des États-Unis dont parle l'auteur est Ronald Reagan. Le lecteur devra donc se replacer dans le contexte socio-politique de cette époque.

PROLOGUE

Je connais une histoire, il s'agit peut-être d'un mythe. Souvent, en ce qui concerne les histoires à caractère mythique, il existe plusieurs versions de la même histoire. Autre caractéristique de ce genre d'histoire : son origine demeure obscure. Je n'arrive pas à me souvenir si on m'a raconté la version dont je vais vous parler, ou si je l'ai lue, ni où ni quand. De surcroît, je ne sais même pas quelles variantes j'y ai moi-même apportées. Ce qu'il y a de sûr, c'est que la version de cette histoire m'est venue avec un titre. Elle s'appelle « Le cadeau du rabbin » :

Un monastère traversait une période difficile. L'ordre – autrefois congrégation monastique réputée – avait fermé toutes ses maisons à la suite des vagues successives de persécutions religieuses survenues au XVIIe et au XVIIIe siècles, et ses membres avaient été exterminés. Cinq religieux seulement demeuraient encore dans la maison-mère décrépite : le supérieur et quatre moines, tous âgés de plus de soixante-dix ans. Visiblement, la congrégation s'éteignait.

Le monastère était entouré d'une forêt profonde où se trouvait une petite cabane qu'un rabbin de la ville voisine utilisait parfois comme ermitage. Les années de prière et de contemplation avaient rendu les vieux moines vaguement mystiques, et ces derniers pouvaient toujours deviner quand le rabbin se trouvait dans son ermitage. « Le rabbin est dans la forêt, le rabbin est revenu dans la forêt », chuchotaient-ils entre

17

eux. Le supérieur, qui se désolait de la mort prochaine de sa congrégation, eut un jour l'idée de rendre visite au rabbin dans son ermitage pour lui demander si, par un heureux hasard, il n'avait pas quelque conseil à lui donner pour sauver le monastère.

Le rabbin accueillit le supérieur dans sa cabane. Mais quand celui-ci eut expliqué le motif de sa visite, le rabbin ne put que compatir à son sort. « Je sais ce que c'est », s'exclama-t-il. L'Esprit qui a quitté les gens. La même chose se produit dans ma ville. Presque plus personne ne vient à la synagogue. » Et le vieux rabbin et le vieux moine de gémir ensemble. Puis, ils lurent certains passages de la Torah et s'entretinrent paisiblement de choses graves. Vint alors pour le supérieur le moment de prendre congé. Les deux hommes s'embrassèrent. « C'est merveilleux que nous ayons pu nous rencontrer après toutes ces années, dit le supérieur. Hélas, j'ai échoué quant au but de ma visite. N'y a-t-il rien que vous puissiez me dire, ne pouvez-vous pas me donner le moindre petit conseil qui m'aiderait à sauver ma congrégation de la mort ? »

« Non, je suis désolé, répondit le rabbin. Je n'ai pas de conseil à vous donner. Je peux seulement vous dire que le Messie est l'un d'entre vous. »

Au monastère, les moines entourèrent le supérieur et lui demandèrent : « Alors, que vous a dit le rabbin ? »

« Il a été incapable de m'aider », répondit le supérieur. Nous n'avons fait que pleurer et lire ensemble la Torah. Il m'a seulement dit une chose au moment de partir – une chose assez mystérieuse : le Messie serait l'un d'entre nous. J'ignore ce que ça veut dire. »

Au cours des jours, des semaines et des mois qui suivirent, les vieux moines ruminèrent les paroles du rabbin, se demandant s'il était possible de leur donner une signification quelconque. Le Messie est l'un d'entre nous ? A-t-il vraiment voulu dire l'un d'entre nous, ici, au monastère ? Mais alors, lequel d'entre nous ? Songeait-il à notre supérieur ? Oui, bien sûr, s'il pensait à quelqu'un, c'était sûrement au Frère Supérieur. Voilà plus d'une génération qu'il est notre directeur. Par ailleurs, il est possible qu'il ait songé aussi à Frère Thomas. Frère Thomas est très certainement un saint homme. Tout le monde sait que Thomas est un être de lumière. Il n'a certainement pas voulu dire Frère Elred. Elred est parfois si agaçant. Pourtant, à bien y penser, même s'il ennuie les gens, il est vrai qu'Elred finit presque toujours par avoir raison. Et il arrive souvent qu'il ait vraiment raison. Peut-être le rabbin songeait-il vraiment à Frère Elred. En tout cas, certainement pas à Frère Philippe. Philippe est trop passif, il n'est rien du tout. Mais c'est vrai qu'il a le don – un don bien mystérieux – d'être toujours là quand on a besoin de lui. Comme par magie, il apparaît alors. Peut-être Philippe est-il le Messie. Ce qui est sûr, c'est que le rabbin ne parlait pas de moi. Il est impossible que ce soit moi. Je ne suis qu'une personne ordinaire. Mais supposons qu'il ait pensé à moi. Supposons que je sois le Messie. Mon Dieu, pas moi. Je ne peux pas avoir une si grande valeur à Vos yeux, n'est-ce pas ?

Tout en réfléchissant de la sorte, les vieux moines se mirent à faire preuve d'un très grand respect dans leurs rapports mutuels, au cas où l'un d'entre eux serait le Messie. Et puisqu'il existait une chance rarissime pour chacun d'entre eux d'être le Messie, chacun commença à se traiter lui-même avec un infini respect.

Le monastère était situé dans une magnifique forêt. Parfois, des gens s'y rendaient pour pique-niquer sur un minuscule carré de pelouse et se balader dans les sentiers, et, de temps à autre, ils allaient même à la chapelle en ruines pour y méditer. Ce faisant, et sans même être conscients de la chose, ils sentaient confusément qu'une aura d'infini respect entourait désormais les cinq vieux moines. Elle semblait irradier de leur personne et gagner l'esprit des lieux. Le phénomène avait quelque chose d'attirant, voire d'irrésistible. Sans trop savoir pourquoi, les gens se rendirent plus souvent au monastère pour y pique-niquer, pour y jouer, pour y prier. Ils commencèrent à y emmener des amis, histoire de leur montrer un lieu aussi particulier. Et leurs amis emmenèrent leurs amis.

Puis il arriva que quelques jeunes gens en visite au monastère se mirent à parler de plus en plus longuement avec les vieux moines. Après un certain temps, l'un des jeunes gens demanda s'il pouvait se joindre à eux. Puis un autre. Et un autre. C'est ainsi qu'en quelques années le monastère redevint une congrégation florissante, et, grâce au cadeau du rabbin, un lieu vibrant de spiritualité et de lumière dans le royaume.

INTRODUCTION

Le salut de la planète se trouve dans la communauté et passe par elle.

Rien n'est plus important que la communauté. Et pourtant il est presque impossible d'en faire comprendre la portée véritable à qui n'en a jamais fait l'expérience – et la plupart d'entre nous n'avons jamais fait l'expérience de la véritable communauté. C'est un peu comme si on essayait de décrire le goût des artichauts à quelqu'un qui n'en a jamais mangé.

Et pourtant il faut tenter la chose. Tout simplement parce que l'espèce humaine est aujourd'hui sur le point de s'autodétruire.

Dans les jours qui ont suivi l'explosion de Hiroshima et de Nagasaki, on a vu des gens marcher dans les rues sans savoir où ils allaient, traînant derrière eux les lambeaux de leur propre chair. J'ai peur pour ma propre peau. J'ai encore davantage peur pour celle de mes enfants. Et j'ai peur pour la vôtre. Je veux sauver ma peau. J'ai besoin de vous, comme vous avez besoin de moi pour votre salut. Il faut donc développer entre nous le sentiment d'une communauté. Nous avons besoin les uns des autres.

Au départ, j'avais pensé intituler ce livre *Pacifisme et Communauté,* puisque bien peu de gens savent ce qu'est une communauté alors qu'ils sont très nombreux à reconnaître que le pacifisme doit devenir la priorité dans notre civilisation. Mais c'est mettre la charrue devant les bœufs. Je ne vois pas comment les Américains pourraient avoir des rapports vrais avec les Russes (ou avec quelque autre peuple) alors que, le plus souvent, ils n'arrivent même pas à entrer en relations avec leur voisin immédiat, sans parler de celui qui habite de l'autre côté de la voie ferrée. L'échange authentique est lié à la charité, et, comme elle, commence à la maison. Le pacifisme devrait peut-être commencer modestement. Je ne suis pas en train de vous dire qu'il faut renoncer à déployer des efforts pacifiques universels. Il reste que je doute fort que nous puissions un jour former universellement une communauté – ce qui est la seule façon de réaliser la paix dans le monde – si nous n'appliquons pas les principes de base de la communauté dans notre vie personnelle et dans notre propre sphère d'influence.

Quoi qu'il en soit, ce livre commencera modestement. La première partie sera entièrement consacrée à mon expérience personnelle de la communauté, car c'est à partir de là que j'ai découvert la très grande importance de la communauté dans ma propre vie et dans la vie de milliers de mes frères humains, tandis que nous nous efforcions ensemble de communiquer de façon profonde, sans distorsion ni animosité.

La seconde partie de cet ouvrage sera beaucoup plus « théorique ». J'hésite à employer ce mot, parce que plusieurs personnes croient que « théorique » signifie « irréalisable ». Or c'est dans cette partie que j'essaie de jeter un pont entre les concepts fondamentaux chez les individus de la formation d'une communauté et la compréhension interculturelle entre les peuples. La démarche est théorique pour la seule raison que ce pont n'a presque jamais été emprunté. Mais qu'il n'ait pas été emprunté ne signifie pas pour autant que la chose est irréalisable. En fait, notre façon traditionnelle de concevoir les relations internationales est irréaliste. On a cherché à l'appliquer, mais, selon toute évidence, elle s'est constamment révélée insatisfaisante. Ce n'est pas faire preuve d'un manque de sens pratique que d'envisager sérieusement de modifier les règles du jeu à partir du moment où le jeu risque carrément de vous tuer.

Dans la dernière partie, l'aspect théorique trouve des applications plus spécifiques, alors que j'étudie les questions de communauté et de paix du point de vue de trois institutions spécifiques : la course aux armements (devenue, en effet, une véritable institution), l'Église et le gouvernement des États-Unis. Là aussi, je préconiserai un changement des règles du jeu. Et là encore, ceux qui n'arrivent pas à envisager l'avenir autrement que par un prolongement du *statu quo* se diront problablement : « Irréalisable [1] ». Mais il nous faut revenir à cette réalité du *statu quo* meurtrier. Si l'humanité veut survivre, changer les règles du jeu s'impose.

J'ai déjà mentionné le mot « salut » à plusieurs reprises. Dans notre civilisation occidentale, où la tradition fait une distinction entre le corps et l'esprit, le mot a tendance à avoir deux significations. Le salut physique – comme dans l'expression « sauver sa peau » – renvoie à l'action d'échapper à la mort. Mais qu'est-ce que le salut spirituel, surtout lorsqu'on croit à l'immortalité de l'esprit? Le mot prend davantage ici la signification d'une guérison (comme un baume qui guérit la peau). La guérison spirituelle est un processus qui permet d'accéder à la plénitude ou à la sainteté. Plus spécifiquement, je définirais le salut spirituel comme un processus permanent qui fait de l'individu un être de plus en plus conscient. Freud, qui était pourtant athée, disait lui-même que le but de la psychothérapie – guérir l'âme – était de rendre conscient ce qui était inconscient. Et Jung voyait le mal chez l'homme comme

1. Auteur de *What Colour Is Your Parachute?*, Richard Bolles a abordé brièvement la question en rapport avec la course aux armements dans une brochure, *The Land of Seven Tomorrows* (Ten Speed Press, P.O. Box 7123, Berkeley, CA 94797, vendue au prix coûtant d'un dollar). Selon lui, la course aux armements ne peut être résolue que « si le cerveau adopte une nouvelle façon de penser » s'opposant à l'« ancienne façon de penser ». L'ancienne façon de penser se caractérise par une capacité de spéculation limitée, qui fait que le cerveau ne peut envisager que des innovations susceptibles d'évoluer à l'extérieur du système actuel. Le vieux cerveau semble incapable d'envisager un changement radical survenant au sein même du système - c'est-à-dire la possibilité de fonctionner selon des règles différentes.

le refus d'affronter l'Obscur – l'Obscur étant cet aspect de nous-mêmes que nous refusons d'assumer ou de reconnaître et que nous cherchons constamment à dissimuler. Du reste, la meilleure définition du mal que je connaisse est celle qui le décrit comme une « ignorance militante ». Mais quelle que soit la définition donnée aux mots, le résultat le plus spectaculaire de la technologie nucléaire est peut-être d'avoir conduit la race humaine à un moment de son histoire où salut physique et salut spirituel sont désormais indissociables. Il est désormais impossible de sauver sa peau si on ignore les mobiles de ses propres actions et si on reste inconscient de sa propre culture.

Les chapitres suivants aborderont longuement la question de la conscience et de l'inconscience. Mais ce livre est forcément un livre spirituel, puisqu'il est impossible de sauver sa peau sans sauver son âme. Il est impossible de nettoyer le gâchis que nous avons fait de la planète sans passer par une sorte de guérison spirituelle.

Pourtant, cet ouvrage est spirituel sans être spécifiquement chrétien. Andrew Marvell, écrivant à sa « maîtresse qui appartenait au peuple des Gentils », disait qu'il l'aimerait « jusqu'à ce que les Juifs se soient convertis ». Nous ne pouvons attendre aussi longtemps. Toute personne qui croit que la paix dans le monde est impossible tant que ne disparaîtront pas les différences religieuses et culturelles – tous les juifs devenant chrétiens, tous les chrétiens devenant musulmans ou tous les musulmans devenant hindous – ajoute à la difficulté du problème plutôt que d'aider à le résoudre. Nous n'avons tout simplement pas le temps d'attendre ce genre de choses. Et même si nous l'avions – même si l'idée d' « une seule planète » signifiait un melting-pot où toutes choses prendraient la forme d'une purée indistincte plutôt que d'une salade composée de divers éléments de texture différente –, je ne suis pas sûr que le résultat aurait du goût. La solution se trouve dans la voie opposée : il faut apprendre à apprécier – eh oui, à se réjouir! – des différences culturelles et religieuses de chacun et à vivre dans un monde pluraliste sur le mode de la réconciliation.

Après avoir visité la Salle de méditation des Nations-Unies, volontairement inachevée pour n'offenser aucune des grandes religions du monde, Marya Mannes écrivit : « J'étais dans la pièce, et le vide créait chez moi un tel trouble et un tel sentiment d'oppression qu'il se transformait en une sorte de folie et la pièce devenait comme une cellule matelassée. J'avais l'impression de me situer au cœur du plus grand problème de notre temps, que toute cette blancheur, cette absence de forme et cette faiblesse était une leucémie, un refus de l'engagement, en train de miner nos forces. Voilà que nous avions compris, finalement, que seul le néant pouvait plaire à tous... Ce qu'il y avait de terrifiant dans cette pièce, c'est qu'elle ne disait rien du tout [2]. »

Il me faut donc écrire ce livre à partir de ma propre culture de citoyen américain et de ma foi de chrétien. Si certaines personnes ont envie de s'en offusquer, je leur demande de se souvenir qu'il est de notre responsabilité de tenir compte de nos particularités et de notre singularité mutuelles. Et que la communauté, qui intègre toutes les croyances et toutes les cultures, sans chercher à les anéantir, est le remède pour soigner ce qui est « au cœur du plus grand problème de notre temps ».

À vrai dire, dans les prochaines pages, je ne ménagerai pas mes critiques à l'endroit de mon pays et de mon Église, ce qui pourrait même blesser certaines personnes. On aura envie de penser que je ne suis pas un « vrai chrétien » ou un « authentique Américain ». Mais je vous demande de vous souvenir de deux choses. La première est que, si j'insiste davantage sur les erreurs des États-Unis et de l'Église chrétienne que sur celles, par exemple, de la Russie ou de l'islam, c'est que « la seule personne que vous puissiez changer, c'est vous-même », ainsi que l'enseigne sagement le mouvement des Alcooliques Anonymes. La seconde est que j'aime énormément mon pays et mon Église ; j'attends donc beaucoup de ces deux institutions.

---

2. Maria Mannes, « Meditations in an Empty Room », *The Reporter*, 23 février 1956, p. 40.

Toutes deux ont de formidables ressources. Je souhaite donc les voir vivre pleinement en accord avec leurs possibilités et leurs promesses.

Ces promesses concernent la communauté – qui réunit les gens dans la liberté et l'amour. « Liberté » et « amour » sont des mots simples. Leurs actions ne le sont pas. La véritable liberté signifie bien plus et bien autre chose que le règne de l'individualisme et du « moi d'abord ». L'amour véritable oblige constamment à prendre plusieurs décisions très difficiles. La communauté n'est pas donnée naturellement ou ne s'achète pas au rabais. Il faut connaître ses règles exigeantes et s'y soumettre. Et des règles, il y en a bel et bien ! Des règles assez nettes. Des règles liées au salut. Ce livre a pour but d'expliquer ces règles et de vous encourager à les suivre. L'ambition de ce livre est de faire en sorte que nous les mettions d'abord en pratique dans notre vie personnelle, pour les appliquer ensuite à la planète. Car c'est ainsi que la planète sera sauvée.

Scott Peck
Bliss Road
New Preston, Connecticut
06777

PREMIÈRE PARTIE

LES FONDEMENTS

CHAPITRE I

L'EXPÉRIENCE DE LA COMMUNAUTÉ

La communauté n'est pas courante.

Avec le temps, certains mots subissent une distorsion. Si on me demande de me définir sur le plan politique, je dis que je suis conservateur radical. Sauf si la question m'est posée un jeudi : je dis alors que je suis radical modéré. Le mot « radical » vient du latin *radix,* qui signifie « racine » – le même mot a donné notre « radis ». Le vrai radical s'efforce de remonter à la racine des choses, de ne pas se laisser distraire par l'accessoire, de ne pas confondre l'arbre et la forêt. C'est une bonne chose que d'être un radical. Quiconque pense *profondément* en est un. Dans le dictionnaire, le synonyme le plus près de « radical » est « fondamentaliste ». Ce qui est logique. Celui qui remonte aux racines des choses remonte à leurs fondements. Et pourtant, dans la culture nord-américaine, ces mots en sont venus à avoir des significations opposées, comme si un radical était obligatoirement gauchiste ou anarchiste lanceur de bombes, et un fondamentaliste nécessairement penseur primaire de droite.

« Communauté » est un autre mot de la même espèce. Il

nous arrive souvent de parler de notre ville comme d'une communauté. Ou de l'Église de notre ville comme d'une communauté. Une ville, c'est peut-être la réunion géographique d'êtres humains partageant une même infrastructure politique et fiscale, mais c'est à peu près tout ce qui les réunit. Les villes ne sont pas des communautés au sens profond du terme. Et, fort de ma connaissance de plusieurs Églises chrétiennes de ce pays, je puis affirmer sans risque de me tromper qu'il y a fort à parier qu'aucune des Églises de votre ville ne forme vraiment une communauté.

Tout en employant à la légère et de façon banale le mot « communauté », nous sommes nombreux à garder la nostalgie du « bon vieux temps », quand la corvée réunissait les pionniers chez les uns et les autres pour y construire une grange. Nous pleurons la *perte* de la communauté. Je ne sais pas si nos ancêtres savouraient les fruits d'une véritable communauté davantage que nous aujourd'hui, ou si nous n'avons pas simplement la nostalgie d'un « âge d'or » imaginaire, qui n'a jamais existé. Pourtant, certains indices me laissent croire que les humains ont connu un jour une expérience plus profonde de la communauté qu'à l'heure actuelle.

Je trouve ces indices dans un sermon prononcé en 1630, par le premier gouverneur de la colonie de la baie du Massachusetts, John Winthrop. Ce dernier s'adressa en ces termes à ses compagnons de la colonie, peu de temps après qu'ils eurent posé le pied sur la terre ferme : « Nous devons prendre plaisir à être en compagnie des autres, faire nôtre la condition d'autrui, nous réjouir ensemble, pleurer ensemble, travailler et souffrir ensemble, garder toujours à l'esprit que les membres de notre communauté font partie d'un même corps [1]. »

Deux cents ans plus tard, le Français Alexis de Tocqueville sillonna les jeunes États-Unis d'Amérique et, en 1835,

---

1. John Winthrop, « A Model of Christian Charity », *Puritan Political Ideas, 1558-1794*, Edmund S. Morgan (éd.), Indianapolis, Bobbs-Merrill, 1965, p. 92.

publia une étude sur le caractère américain qui fait autorité encore aujourd'hui. Dans *De la Démocratie en Amérique* [2], Tocqueville décrit les « habitudes du cœur », ou les mœurs, qui donnent aux citoyens des États-Unis une culture nouvelle et originale. Ce fut leur *individualisme* qui l'impressionna le plus. Tocqueville admirait beaucoup ce trait de leur caractère. Mais il les mettait clairement en garde contre un tel individualisme qui, à moins d'être constamment et fortement tempéré par d'autres habitudes, pouvait conduire à la fragmentation inévitable de la société américaine et à l'isolement social de ses citoyens.

Tout récemment – cent cinquante années plus tard –, le sociologue réputé, Robert Bellah, et ses collègues publièrent, sous le titre *Habits of the Heart,* un ouvrage remarquable qui poursuit la réflexion de Tocqueville [3]. À plusieurs reprises, les auteurs prétendent que l'individualisme américain n'a pas été tempéré, que les pires prédictions de Tocqueville se sont réalisées et que l'isolement et la fragmentation sont devenus leur lot quotidien.

Personnellement, j'ai connu un isolement et une fragmentation de ce genre. Depuis l'âge de cinq ans jusqu'au moment où j'ai quitté la maison à vingt-trois ans, j'ai vécu avec mes parents dans un immeuble à New York. Chaque étage comptait deux appartements, séparés par un petit vestibule et un ascenseur. Si on comptait les onze étages qui s'élevaient à partir du rez-de-chaussée, l'édifice abritait vingt-deux familles. Je connaissais le nom de famille de nos voisins de l'autre côté du vestibule. Je n'ai jamais su les prénoms de leurs enfants. En dix-sept années, je suis entré une fois dans leur appartement. Je connaissais les noms de deux autres familles dans l'immeu-

2. Alexis de Tocqueville, *De la Démocratie en Amérique*, Paris, GF, 1981, tome I, p. 69.

3. Robert Bellah *et al.*, *Habits of the Heart : Individualism and Commitment in American Life*, Berkeley, CA., University of California Press, 1985.

ble ; je n'aurais jamais su comment m'adresser aux dix-huit autres familles. J'appelais par leur prénom la plupart des garçons d'ascenseur et le portier ; je n'ai jamais su leur nom de famille.

De façon plus subtile mais tout aussi néfaste, l'étrange isolement et la fragmentation de la petite société de l'immeuble se reflétaient dans une sorte d'isolement émotif et de fragmentation à l'intérieur de ma propre famille. Dans l'ensemble, je bénis le foyer de mon enfance. Le confort et la stabilité y régnaient. Mes parents étaient tous deux des êtres responsables et attentifs à mes besoins. La maison débordait de chaleur, d'affection, de rires et de joie. Le seul problème était que mes parents ne pouvaient tolérer l'expression de certaines émotions.

Ils se fâchaient facilement. La chose n'arrivait pas souvent, mais ma mère était parfois tellement triste qu'elle se mettait à pleurer – des pleurs silencieux et brefs, que je mettais sur le compte d'une émotion typiquement féminine. Durant toute mon enfance, je n'ai jamais entendu mes parents dire qu'ils étaient anxieux, inquiets, effrayés, déprimés ou quoi que ce soit qui laisse entendre qu'ils éprouvaient des sentiments autres que celui de pouvoir contrôler parfaitement la situation et leur vie. Mes parents étaient de bons Américains, de « farouches individualistes », et il est évident qu'ils voulaient que je le sois aussi. Mais je n'étais pas libre d'être moi-même. Aussi solide qu'il fût, le foyer de mon enfance n'était pas un endroit où je pouvais en toute sécurité être anxieux, effrayé, déprimé ou dépendant – c'est-à-dire moi-même.

Vers l'âge de quinze ans, je souffris de haute pression. En réalité, j'étais « hyper-tendu ». Étais-je anxieux ? La question posée, je devenais anxieux à l'idée d'être anxieux. Quand je me sentais déprimé, je l'étais bien plus à l'idée d'être déprimé. Ce n'est qu'à l'âge de trente ans, après avoir subi une psychothérapie, que j'ai fini par comprendre que l'anxiété et la dépression étaient des émotions acceptables. C'est uniquement grâce à cette thérapie que j'ai pu comprendre que j'étais d'une certaine manière un être dépendant, qui avait toujours besoin d'un appui aussi bien physique qu'émotif. Ma pression sanguine diminua. Mais il est long le chemin qui mène à la guérison complète. À cinquante ans, j'en suis encore à apprendre à demander de l'aide, à ne pas avoir peur de paraître faible quand je le suis, à me permettre d'être dépendant et peu sûr de moi quand il le faut.

Ma pression sanguine n'était pas le seul aspect en cause. J'avais beau rechercher l'intimité, j'éprouvais moi-même de la difficulté à *être* intime, ce qui n'avait rien d'étonnant. Si quelqu'un avait demandé à mes parents s'ils avaient des amis, ils auraient répondu : « Si nous avons des amis ? Bien sûr que oui. La preuve ? Chaque année, à Noël, nous recevons des centaines de cartes de vœux ! » D'une certaine manière, la réponse aurait été plutôt juste. Mes parents avaient une vie sociale très active ; à juste titre, ils étaient très estimés – voire aimés. Mais je ne suis pas sûr qu'ils aient eu des amis, je veux dire au sens profond du terme. Des relations amicales, au hasard des rencontres, oui, mais aucune amitié véritable et profonde. Du reste ils n'en auraient pas voulu. Ils n'aimaient pas l'intimité et s'en méfiaient. Avec le recul, je constate qu'à cette époque d'individualisme absolu, ils étaient (tout à fait) bien de leur époque et de leur culture.

Pour ma part, je ressentais une insatisfaction sans nom. Il m'arrivait de rêver qu'un jour je rencontrerais une jeune fille, une femme, une compagne, à qui je pourrais ouvrir mon cœur en toute franchise et avec qui j'aurais des rapports qui combleraient tous les aspects de ma personnalité. C'était plutôt romantique de ma part. Mais ce qui relevait d'un romantisme sans espoir était mon désir constant de voir l'avènement d'une société où règneraient l'honnêteté et la franchise. Je n'avais alors aucune raison de croire qu'une telle société existait – qu'elle eût déjà existé ou qu'elle existerait un jour – jusqu'au moment où j'ai eu la chance de rencontrer différentes formes d'authentiques communautés.

FRIENDS SEMINARY, 1952-1954

À l'âge de quinze ans, durant les vacances de Pâques, je refusai catégoriquement, au grand déplaisir de mes parents, de retourner à la pension où je venais de passer quelques malheureuses années, l'Académie Phillips Exeter. À l'époque, l'Académie Exeter était peut-être la meilleure école du pays où envoyer son enfant pour en faire un individualiste absolu. La direction et les professeurs se félicitaient mutuellement de ne pas dorloter les élèves. « La course est réservée aux agiles, auraient-ils pu nous dire, et tant pis pour ceux qui ne seront pas à la hauteur. » Il pouvait arriver que s'esquisse une relation entre un élève et un membre du corps professoral, mais la direction n'encourageait pas ce genre de situations. Comme les pensionnaires d'un pénitencier, les élèves formaient une société à part, aux normes souvent perverses. On sentait une incroyable pression en vue du conformisme social. Quelle que soit l'époque de l'année, au moins la moitié des élèves étaient relégués au rang d'exclus. Pendant les deux premières années que j'ai passées là-bas, presque toute mon énergie fut consacrée à de vaines luttes pour tenter d'obtenir une place dans le groupe des « in ».

Durant la troisième année, je devins « in ». Et dès que je le fus, je compris que je ne voulais pas être là non plus. Tandis que j'apprenais à devenir un WASP parfaitement dressé, j'eus assez de sagesse pour savoir que, très vite, j'étoufferais dans l'air confiné de cette culture-là. Ce n'était sans doute pas la chose à faire à l'époque et dans ce genre de milieu, mais c'était pour moi une question d'oxygène : je partis.

À l'automne 1952, je fus admis en troisième dans un petit établissement quaker de New York, Friends Seminary, à la limite de Greenwich Village. Ni mes parents ni moi ne nous souvenons des circonstances qui ont mené à ce choix. Quoi qu'il en soit, Friends Seminary était à l'opposé de l'Académie Exeter : c'était un externat, alors qu'Exeter était un pensionnat ; l'école était petite, alors qu'Exeter était immense ; elle accueillait les élèves de treize niveaux à partir de la maternelle, alors qu'Exeter comptait seulement quatre niveaux ; elle était mixte, alors qu'à l'époque Exeter n'admettait que les garçons ; elle était « libérale », alors qu'Exeter était résolument traditionnelle ; et on devinait chez elle quelque chose qui ressemblait à une sorte de communauté, ce qui faisait cruellement défaut à Exeter. J'avais le sentiment d'être rentré chez moi.

Entre autres choses, l'adolescence est un mélange mystérieux de conscience aiguë et d'inconscience totale. Durant les deux années passées à Friends Seminary, je fus étonnamment inconscient des qualités du lieu et de l'époque. Après une semaine, je me sentais merveilleusement bien, mais je ne me suis jamais demandé pourquoi. Je commençai à m'épanouir – intellectuellement, sexuellement, physiquement, psychologiquement, spirituellement. Mais cette croissance n'était pas plus consciente que chez une plante à moitié fanée et desséchée qui reçoit la pluie du ciel comme un cadeau. À Exeter, dans le cadre du cours d'histoire des États-Unis, cours obligatoire en troisième, chaque élève devait écrire en fin d'année une dissertation de dix pages, originale, soigneusement tapée à la machine, avec notes en bas de page et bibliographie. Je me souviens à quel point la chose me semblait alors un but impossible à atteindre, un obstacle redoutable, trop haut pour mes jambes de quinze ans. L'année suivante, alors que, âgé de seize ans, j'étais en troisième à Friends Seminary, j'ai dû suivre un autre cours obligatoire d'histoire des États-Unis. Dans le cadre de ce cours, j'ai pondu sans effort quatre dissertations de quarante pages, toutes soigneusement tapées à la machine avec force notes et bibliographie. Neuf mois avaient suffi pour qu'un obstacle redoutable se transforme en agréable instrument d'apprentissage. Bien sûr, je me réjouissais de la différence, mais j'étais à peine conscient du caractère miraculeux du changement.

Tout le temps que je fus à Friends Seminary, je me levais chaque matin avec enthousiasme à l'idée de commencer la journée. J'enfouis rapidement dans les plus profonds replis de ma mémoire le fait qu'à Exeter j'avais peine à me tirer du lit. J'acceptais mes nouvelles conditions d'existence comme une chose parfaitement naturelle. J'ai bien peur d'avoir tenu Friends Seminary pour acquis et de ne m'être jamais arrêté à analyser les conditions de ma bonne fortune. Ce n'est que maintenant – plus de trente ans après –, que je suis assez conscient pour entreprendre ce genre d'analyse. J'aimerais avoir une meilleure mémoire. J'aimerais avoir noté, à l'époque, certains détails sociologiques, maintenant à jamais perdus, qui auraient pu m'aider à expliquer pourquoi et comment Friends Seminary possédait une culture aussi originale. Je ne l'ai pas fait. Je suis incapable de vous dire les tenants et les aboutissants de la situation. Mais tout ce qui me revient en mémoire me permet d'affirmer, en effet, que c'était unique.

Les bancs étaient durs dans la salle de réunion intégrée à l'école, mais je me souviens que les frontières entre les gens n'avaient rien de rigides. Nous n'appelions pas nos professeurs par leurs prénoms, pas plus que nous ne « fraternisions » avec eux. Ils étaient Mlle Ehlers et Dr Hunter. Mais ils nous taquinaient gentiment, et nous, les élèves, les taquinions à notre tour, gentiment, mais joyeusement. Je ne les ai jamais craints. À vrai dire, la majorité d'entre eux étaient capables de se moquer d'eux-mêmes.

Dans ma classe, nous étions environ une vingtaine d'élèves. Quelques garçons portaient la cravate; la plupart n'en portaient pas. Il n'y avait pas de code vestimentaire. (Étrangement, je n'arrive pas à me rappeler l'existence de quelque code – il y en avait sans doute –, et pourtant personne ne semblait avoir de problèmes.) Nous étions vingt adolescents – garçons et filles –, habillés différemment, venant de tous les quartiers de New York et de milieux complètement différents. Nous étions juifs, agnostiques, catholiques, protestants. Je ne me souviens pas qu'il y ait eu des musulmans, mais leur présence n'aurait fait aucune différence. Nos parents étaient physiciens, avocats, ingénieurs, ouvriers, artistes et éditeurs. Certains vivaient dans de splendides appartements; d'autres, entassés dans un immeuble. Voilà ce dont je me souviens le plus : nous étions tous différents.

Sur leur bulletin de notes, certains avaient A comme moyenne, d'autres C⁻. Certains d'entre nous étaient visiblement plus intelligents que d'autres, plus charmants, plus habiles, jouissaient d'une maturité physique plus grande ou étaient plus raffinés. Mais il n'y avait pas de cliques. Il n'y avait pas d'exclus. Chacun était respecté. Des soirées étaient organisées presque tous les week-ends, mais personne n'a jamais dressé une liste de gens à inviter et à ne pas inviter ; il allait de soi que tous étaient les bienvenus. Certains ne venaient pas souvent à ces soirées, mais c'est parce qu'ils habitaient loin, qu'ils travaillaient ou qu'ils avaient mieux à faire. Certains garçons sortaient avec certaines filles. D'autres non. On pouvait se sentir plus près de certaines personnes, mais personne n'a jamais été exclus. D'un point de vue subjectif, la mémoire la plus vivante que j'aie de cette époque est une non-mémoire : je ne me souviens pas d'avoir voulu ou d'avoir essayé d'être quelqu'un d'autre que moi-même. Personne ne semblait vouloir que je sois différent ou ne semblait être différent. Pour la première fois de ma vie, peut-être, j'étais entièrement libre d'être moi-même.

Sans le savoir, je participais au paradoxe qui imprègnera ces pages. À Friends Seminary régnait une atmosphère où l'individualisme pouvait s'épanouir. Et pourtant, malgré les milieux dont nous étions issus et nos croyances religieuses, nous étions tous véritablement des « amis ». Je ne me souviens pas qu'il y ait eu de divisions ; je me souviens d'une très grande cohésion. Certains Quakers originaux se réclamaient de la « religion des Amis ». Si l'on excepte quelques brefs et occasionnels moments de silence, les principes quakers n'étaient même pas enseignés ; il n'était donc pas question qu'on nous les inculque de force. Je ne pense pas me tromper, cependant, si j'en conclus que c'est le caractère quaker de l'école qui a compté pour beaucoup dans l'extraordinaire atmosphère qui régnait alors, même si je suis incapable de dire comment. Ce qu'il y a de sûr, c'est que nous les élèves – tous des individus – étions inconsciemment influencés par cette « religion de l'amitié ».

C'était donc là l'individualisme dans toute sa splendeur, mais il n'avait rien d'« absolu ». Encore une fois, c'est le mot « doux » qui me vient à l'esprit. L'esprit de compétition que l'on associe généralement au caractère farouche était totalement absent. La cohésion de notre groupe, en tant que niveau, était elle-même douce. Il n'y avait pas de rivalité entre les niveaux. Un détail me revient à propos des soirées organisées. Un certain nombre d'entre nous fréquentaient les élèves des niveaux supérieurs ou inférieurs, de même que les élèves diplômés ou ceux qui venaient d'autres établissements. Tous étaient invités à nos soirées, et aussi, assez souvent, les frères et sœurs plus jeunes ou plus âgés. Ce qu'il y a d'étrange, c'est que, contrairement à ma façon de voir les choses à l'origine, je ne me souviens pas d'avoir regardé de haut un camarade plus jeune ni d'avoir admiré un compagnon plus âgé.

En réalité, même en tenant compte des distorsions de la mémoire, j'ai vécu alors mes plus belles années. Pourtant, je mentirais si je disais que tout était parfait. J'étais assailli par toutes les angoisses habituelles que connaissent les adolescents, même si elles étaient considérablement atténuées. Ma sexualité naissante provoquait parfois chez moi une grande confusion. Un des professeurs, pourtant adorable, était un alcoolique invétéré. Un autre, pourtant brillant, était notoirement détesté. Et la liste pourrait s'allonger. Mais, même si je n'étais pas conscient de la chose, même si elle-même dépendait de plusieurs facteurs, même si je n'avais aucune idée de ce qu'il fallait en faire à l'époque, la réalité m'apparaît claire rétrospectivement : durant ces deux années, j'ai connu pour la première fois l'expérience de la véritable communauté. C'est un événement qui ne devait pas se reproduire au cours des douze années suivantes.

CALIFORNIE, FÉVRIER 1967

J'étais à mi-chemin de ma formation en psychiatrie à l'Hôpital général militaire Letterman, à San Francisco, quand Mac Badgely, psychiatre renommé de l'armée, se joignit au corps professoral. Des rumeurs avaient précédé son arrivée. On laissait entendre qu'il était incompétent ou fou, voire les deux. Mais un membre du corps professoral pour qui j'avais beaucoup de respect l'avait qualifié de « plus grand génie de toute l'armée ». J'ai déjà raconté les difficultés que j'ai eues à établir une relation avec cet homme charmant et ce professeur remarquable [4]. J'étais à l'époque sous analyse – notamment, à cause d'un « problème d'autorité » –, et le fait m'a aidé à surmonter la difficulté. Quoi qu'il en soit, au début de l'automne 1966, Mac Badgely était devenu pour moi un véritable mentor.

En décembre de cette année-là, Mac proposa de créer trois groupes marathons pour les trente-six membres du personnel que nous étions – l'un en février, l'autre en mars et le troisième en avril. Nous savions que Mac avait séjourné un moment à l'Institut Tavistock, en Angleterre, où l'on enseignait et défendait les théories du psychiatre britannique Wilfred Bion sur le comportement des groupes. Mac annonça que les groupes seraient formés sur le « modèle de Tavistock ». Chaque groupe serait limité à douze participants. Les groupes se formeraient sur une base volontaire. Jusqu'alors, ma formation et mon expérience en thérapie de groupe pouvaient tout au plus être qualifiées de médiocres. Mais mon estime pour Mac était devenue telle que j'avais envie de participer à tout ce qu'il organisait. Par conséquent, je fus parmi les douze personnes qui s'enrôlèrent dans le premier « groupe expérimental » de février. Douze autres personnes se portèrent volontaires soit pour le groupe de mars, soit pour celui d'avril. Ces douze personnes devaient finalement se réunir en avril. Les douze

---

4. Voir Scott Peck, *Le chemin le moins fréquenté*, trad. de l'américain par Laurence Minard, Paris, Éd. J'ai Lu, 1990.

autres personnes éligibles décidèrent de ne pas profiter de l'occasion.

Pour nous, les douze premiers – tous psychiatres, psychologues ou travailleurs sociaux, de sexe masculin et relativement jeunes –, notre week-end avec Mac débuta un vendredi soir de février, à huit heures et demie, dans les bâtiments désaffectés d'une base aérienne, près de Marin County. Nous avions tous passé la journée à travailler et étions fatigués avant même de commencer. On nous apprit que la séance prendrait fin le dimanche en début d'après-midi. On ne précisa pas le nombre d'heures consacrées au sommeil, ni même si la chose était prévue. On ne précisa pas davantage ce que nous *ferions*. Cependant, au cours du week-end, il se produisit trois événements qui marquèrent profondément le cours même de mon existence. Le premier est la plus importante expérience mystique qu'il m'ait été donné de connaître.

Un jeune psychiatre d'Iowa, fraîchement débarqué de sa faculté, était assis juste à côté de moi. Il ne se gênait pas pour montrer qu'il détestait mes manières de la Côte Est et mes vêtements « décadents ». Je reconnais que je n'étais pas tendre non plus pour ses manières frustes du Midwest et de ses gros cigares qui empestaient. Le samedi, à deux heures du matin, l'homme tomba endormi et se mit à ronfler bruyamment. Au début, la chose m'amusa un peu, mais, après quelques minutes, les sons gutturaux qu'il émettait me répugnèrent profondément. Ils m'empêchaient de me concentrer. Pourquoi cet homme n'est-il pas capable de rester éveillé comme nous ? me demandai-je. Il s'est porté volontaire pour cette expérience, on pourrait donc au moins s'attendre à ce qu'il ait assez de délicatesse et de contrôle de soi pour ne pas tomber endormi et déranger notre travail avec ses horribles ronflements. Je me sentais envahi peu à peu par une colère qui allait grandissant tandis qu'à côté de lui, dans le cendrier, ses quatre mégots sentaient le rassis, avec leurs bouts mâchouillés, encore mouillés de salive. Je bouillais d'une sainte colère, pure et sans rémission.

Mais une chose des plus étranges se produisit alors. Au moment même où, profondément dégoûté, je le regardais, il se tourna vers *moi*. Ou est-ce moi qui me tournai vers lui ? De toute façon, je me suis vu tout à coup assis sur cette chaise, et c'était *ma* tête qui dodelinait, *mes* ronflements qui sortaient de *ma* bouche. Sentant tout à coup le poids de ma propre fatigue, je compris avec la même soudaineté qu'il était la part de moi qui dormait tandis que j'étais la part de lui qui veillait. Il dormait à ma place, et je veillais pour lui. J'éprouvai un immense amour pour lui. En un instant, la colère de dégoût et de haine se transformèrent en affection attentive. Et cela perdura. Après quelques secondes, il m'apparut encore une fois tel qu'il était auparavant, mais rien ne fut plus jamais pareil. Mes sentiments affectueux à son égard demeurèrent après son réveil. Même si nous ne sommes jamais devenus des amis intimes, au cours des six mois suivants et jusqu'à ce que je sois réaffecté ailleurs, nous avons pris un réel plaisir à jouer au tennis ensemble.

J'ignore ce qui est à l'origine de l'expérience mystique. Je sais que la fatigue peut reculer les « frontières de l'ego ». Je sais aussi que je suis maintenant capable de répéter de plein gré ce qui m'arrive de façon involontaire : être capable de voir, chaque fois que je décide de m'en souvenir, que tous mes ennemis me sont proches, et que, dans l'ordre des choses, nous jouons tous un rôle dans la vie des autres. Par la suite, je n'ai jamais connu une expérience mystique aussi importante, et c'est sans doute parce que je n'en avais plus besoin. Mais, il y a dix-huit ans, j'avais besoin de celle-là. Pour moi, c'était la seule façon d'aimer le psychiatre de l'Iowa. Il fallait que je sois symboliquement heurté de plein front pour que mes barrières égocentriques volent en éclats avec une force que je ne pouvais même pas alors soupçonner.

J'ai raconté mon expérience mystique aux autres membres du groupe. Le récit provoqua l'hilarité et, dès lors, une franche camaraderie régna entre nous. À cinq heures du matin, complètement épuisés, nous nous sommes quittés pour goûter deux brèves heures de repos. Cependant, le samedi, vers neuf heures du matin, l'esprit d'équipe semblait avoir quitté notre groupe. Cette perte me déprima plutôt. À l'heure du déjeuner, je confiai mes impressions aux deux autres membres du groupe avec qui je mangeais. C'est alors que survint le second événement mémorable.

« Je ne comprends pas pourquoi tu réagis comme ça, me répondirent-ils tous deux. Le groupe fonctionne à merveille, et nous passons un excellent moment, même si ce n'est pas le cas pour toi. »

J'étais bouleversé de voir les différences entre nos façons de voir les choses. J'en parlai donc au groupe quand il se réunit de nouveau le samedi, à une heure de l'après-midi. L'un après l'autre, tous les membres du groupe parlèrent de leur joie d'être là et de vivre ce que nous vivions. Selon toute évidence, j'étais un type bizarre, en dehors du coup. Ma déprime s'accrut, si bien que les autres membres du groupe se demandèrent ce qui m'empêchait d'avoir autant de plaisir qu'eux. Tous savaient que je suivais alors une psychothérapie ; on se demanda si je n'avais pas quelque problème avec mon analyste, problème que, fort malencontreusement, j'aurais apporté avec moi dans le groupe.

Il était maintenant deux heures de l'après-midi. Au cours de l'heure écoulée, Mac, le chef de notre groupe, et Richard, un individu plutôt distant, réservé et indifférent, étaient les seules personnes à ne pas avoir pris la parole. « Scotty est peut-être la voix collective que prend notre déprime », commenta Richard d'un ton égal.

Aussitôt, le groupe se tourna vers Richard et protesta : « Voilà qui est tout à fait stupide. Ça n'a pas de sens. Comment quelqu'un peut-il être la voix collective de la déprime du groupe ? Quelle étrange façon de parler ! Le groupe n'est pas déprimé. »

Puis, on se tourna vers moi. « Scotty, il est évident que tu as un fichu problème, me dit-on en substance, – à vrai dire, un problème très grave. Ce n'est certainement pas un problème auquel peut faire face un groupe éphémère comme le nôtre. Il est évident que tu dois en parler à ton analyste à la toute première occasion. C'est vraiment une question qui concerne ta thérapie, et tu n'aurais pas dû la soulever ici et la laisser contaminer notre groupe de travail. Tu es probablement trop malade pour vivre une expérience de groupe comme celle-ci. La meilleure chose à faire, pour toi et pour notre groupe, serait sans doute de te retirer immédiatement. Même si on est samedi après-midi, dans le cas d'une urgence comme celle-ci, ton analyste pourra peut-être te recevoir ce soir. »

Il était maintenant trois heures. Je me sentais de plus en plus déprimé – et considéré comme un paria. J'étais sur le point de proposer de quitter le groupe, pour ne pas lui faire porter le poids de ce qui avait tout l'air d'être ma psychopathologie. C'est à ce moment que, pour la première fois ce jour-là, Mac, notre chef, prit la parole. « Il y a une heure, Richard a laissé entendre que Scotty pourrait bien être la voix collective de notre déprime, dit-il, et, en tant que groupe, vous avez choisi d'ignorer cette possibilité. Vous avez peut-être raison d'agir ainsi. Vous êtes peut-être justifiés de penser que la déprime de Scotty n'a rien à voir avec nous. Mais j'aimerais vous faire remarquer une chose. Avant de nous quitter ce matin, à cinq heures, pour aller nous reposer un peu, les éclats de rire fusaient de partout. On peut dire que le ton était à la gaieté. Comme vous le savez, je n'ai rien dit depuis, mais je vous ai observé, et j'aimerais vous faire remarquer que personne n'a ri dans ce groupe depuis neuf heures ce matin. À vrai dire, personne n'a même souri depuis les six dernières heures. »

Pendant plusieurs minutes, médusé, le groupe garda le silence. Puis quelqu'un dit : « Ma femme me manque. »

« Mes enfants me manquent aussi », dit un autre.

« La nourriture est mauvaise, ici », dit un troisième.

« Je ne comprends pas pourquoi nous avons fait tout ce chemin pour venir dans cette base stupide faire des choses stupides, ajouta un autre. Nous aurions pu gagner du temps en restant au

Presidio, ce qui nous aurait permis de rentrer à la maison pour dormir. »

« De plus, Mac, ton leadership n'était pas fameux, renchérit un autre. Comme tu l'as fait remarquer toi-même, tu n'as pas dit un mot depuis six heures. Tu aurais dû faire preuve d'un peu plus de leadership. »

Quand tout le monde eut exprimé son ressentiment, sa colère et sa frustration – composantes de la déprime –, le groupe retrouva la gaieté et le moral. Quant à moi, bien sûr, j'étais passé du rôle de paria à celui de prophète. Les prophètes sont presque toujours porteurs de mauvaises nouvelles. Ils annoncent que quelque chose va mal dans la société, et ainsi avais-je fait dans notre petite société. Mais les gens n'aiment pas entendre de mauvaises nouvelles à leur sujet ; voilà pourquoi les prophètes sont souvent accueillis avec des pierres ou servent de boucs émissaires. En tant que prophète mineur, j'avais expérimenté la sensation d'être un bouc émissaire d'une manière si intense, si évidente et si personnelle que la chose me fut grandement profitable. Dès lors, et toujours depuis, quand je fais bande à part, je ne suis jamais entièrement sûr de ne pas être dans l'erreur. Et chaque fois que j'appartiens à une écrasante majorité, je n'arrive jamais à croire que j'ai absolument raison.

Le troisième événement mémorable qui survint au cours de ce week-end particulièrement fécond fut aussi agréable que le précédent avait été potentiellement méchant [5]. Une fois que le groupe eut cessé de chercher un bouc émissaire et eut admis sa déprime, le samedi soir se passa agréablement, dans une douce quiétude auréolée d'affection. Nous décidâmes que nous méritions une bonne nuit de sommeil. Nous nous séparâmes à dix heures et convînmes de nous retrouver le dimanche, à six

---

5. L'auteur a déjà évoqué brièvement cet incident dans M. Scott Peck, Marilyn von Waldner et Patricia Kay, *What Return Can I Make? : Dimensions of the Christian Experience*, New York, Simon and Schuster, 1985, p. 113-114.

heures du matin. La bonne humeur régnait tandis que nous admirions ensemble le crépuscule californien. En moins d'une heure, cependant, de subtiles notes de discorde surgirent. Sans raison apparente, les gens commencèrent à se critiquer mutuellement. Mais cette fois, il nous était plus facile de prendre conscience de nous-mêmes en tant qu'organisme et, dès lors, d'évaluer la santé de notre corps. Il ne s'écoula donc pas beaucoup de temps avant que l'un d'entre nous fît remarquer : « Eh ! les gars ! on dirait qu'il est parti ! On a perdu l'esprit du groupe. Qu'est-ce qui se passe ? »

« Je ne veux pas parler pour les autres, répondit quelqu'un, mais je suis exaspéré. Je ne suis pas sûr de savoir pourquoi. J'ai juste l'impression qu'on est complètement à côté de la question, et qu'on se perd en bavardages inutiles sur la destinée humaine et l'évolution spirituelle. »

Plusieurs personnes approuvèrent d'un vigoureux signe de tête.

« Je ne vois pas ce qu'il y a d'inutile en ce qui concerne la destinée humaine et l'évolution spirituelle, répliqua un autre. Au contraire, j'ai l'impression qu'il ne peut s'agir que de propos *essentiels*. Nos gestes passent par là. La vie passe par là. Pour l'amour de Dieu, c'est à la base de tout ! »

Plusieurs autres personnes approuvèrent d'un signe de tête tout aussi vigoureux.

« Quand tu dis "Pour l'amour de Dieu", je pense, quant à moi, que tu touches le fond du problème, dit l'un de ceux qui avaient hoché la tête la première fois. Il se trouve que je ne crois pas en Dieu. Voilà pourquoi, les gars, vous êtes à côté de la question. Vous pérorez sur Dieu, la destinée et l'esprit comme si toutes ces choses étaient vraies. Mais on ne peut rien prouver. Toutes ces choses sont éphémères et me laissent froid. La seule chose qui m'intéresse c'est le présent : mon salaire, mes enfants qui ont la rougeole, ma femme qui prend du poids, la découverte d'un remède à la schizophrénie et mon éventuelle mobilisation pour le Viêt-Nam, l'année prochaine. »

« Je pense qu'on peut dire qu'on est divisé en deux

camps », fit observer doucement un membre du groupe entre deux répliques.

Tout à coup, tout le monde éclata de rire devant la sérénité d'une telle interprétation. « Ça, tu peux le dire – oui, en effet, tu peux bien le dire », s'exclama quelqu'un en se tapant sur les cuisses. « On dirait bien que c'est comme ça », dit un autre en pouffant de rire.

C'est ainsi que, tout en riant, nous nous mîmes au travail pour essayer de comprendre la nature de nos divisions. Nous étions à égalité. Le camp auquel j'appartenais identifiait les six autres membres sous la bannière Sears Roebuck. En revanche, eux, les matérialistes, nous réunirent sous la bannière Saint Graal. C'est ainsi qu'on nous surnomma les Graéliens. Mac refusa d'être enrôlé comme arbitre.

Efficaces comme nous l'étions – car nous étions devenus ce que Wilfred Bion appelait, ainsi que Mac nous l'apprit, un « groupe de travail » –, nous avons très vite compris que, dans le peu de temps qui nous était imparti, les Sears Roebuckiens seraient incapables de nous aider, nous les Graéliens, à faire preuve de bon sens et à cesser de courir après des feux follets spirituels. Inversement, nous, les Graéliens, avons compris notre incapacité, en quelques heures seulement, de guérir les Sears Roebuckiens de leur indéracinable matérialisme. Nous avons donc convenu que nous n'étions pas d'accord, avons mis nos différences de côté et repris le travail avec succès.

Travail qui tirait à sa fin. Nous avons assumé notre mort imminente en tant qu'organisme d'une manière qui n'était ni purement matérialiste ni trop ouvertement spirituelle : nous avons eu recours au mythe. À la fois tristes et heureux, nous avons créé notre mythe, chaque membre du groupe ajoutant un nouveau détail. Nous étions comme cette tortue de mer géante qui vient déposer ses œufs sur le rivage et retourne aussitôt à la mer pour y mourir. De tous les œufs que nous avions déposés à l'origine, combien allaient survivre, et devaient-ils jamais survivre ? Répondre à ces questions relevait de la foi.

La façon dont nous avions résolu le conflit entre les Sears

Roebuckiens et les Graéliens était pour moi une première expérience sur la manière de résoudre les conflits de groupe. Jusque-là, j'ignorais que les membres d'un groupe puissent reconnaître leurs différences, en faire abstraction et continuer à s'aimer les uns les autres. Je ne sais pas ce qui serait advenu de ces différences si la chance nous avait été donnée de travailler ensemble plus longuement. Mais, pendant ce laps de temps, j'ai constaté que des êtres humains se sont réjouis de leurs différences et ont su les transcender.

Voilà donc pour les trois événements dont je me souviens particulièrement en ce qui concerne le groupe marathon extraordinaire que Mac Badgely avait mis sur pied en février 1967. Mais ce dont je me souviens encore plus clairement – et qui fut pour moi encore plus important et plus déterminant – n'est pas un événement. C'est la sensation de joie.

Les authentiques communautés sont d'une intensité très variable. Friends Seminary n'était pas une communauté très intense. Une barrière se dressait entre les élèves aussi bien qu'entre les membres du corps professoral. Nous habitions tous dans des endroits différents de la ville et avions une vie hors de l'école, dans notre famille et entre amis. La plupart du temps, et même quand nous étions réunis, nos préoccupations allaient à nos études plutôt qu'à l'état de nos rapports. Comme je l'ai dit, quand j'étais à Friends, chaque matin je me levais avec enthousiasme. C'était un sentiment voisin de la joie, mais de façon beaucoup plus voilée; pour parler plus précisément, je dirais simplement que, pendant toutes ces années, j'ai été remarquablement heureux.

En revanche, le séminaire dirigé par Mac Badgely fut extrêmement intense. Bref, mais intense. Pendant les quarante-deux heures où se réunit notre groupe de treize personnes, nous nous sommes préoccupés de relations interpersonnelles les trois quarts du temps. L'expérience a connu des moments de dépression profonde, de ressentiment, d'irritation, voire d'ennui. Mais ces moments étaient entrecoupés de moments de joie. Le sentiment que j'ai connu à Friends était présent ici sous une forme dix fois plus concentrée, que je ne peux définir par le simple mot « bonheur ». Le seul mot qui peut exprimer ce sentiment est le mot « joie ».

J'avais déjà connu la joie auparavant avec une intensité aussi grande, mais c'était la première fois que je l'éprouvais si souvent et si régulièrement. J'étais incapable de la nommer autrement, puisque c'était la première expérience que j'en avais. Mais je sais maintenant qu'il s'agit de la joie que donne la communauté. Maintenant, je sais aussi que la joie que donne la communauté est un produit dérivé, comme certaines formes moindres de bonheur. Il est peu probable que vous trouviez le bonheur si vous vous contentez de le chercher. Mais si vous cherchez à créer et à aimer, sans vous préoccuper du bonheur, il y a fort à parier que vous serez heureux la plupart du temps. Vouloir trouver la joie dans la joie et pour la joie en soi ne vous la fera pas connaître pour autant. Vous la trouverez si vous travaillez à créer une communauté, même si elle ne vient pas toujours au moment où vous l'aviez prévue. La joie est un effet secondaire de la véritable communauté, un effet insaisissable et pourtant tout à fait prévisible.

Cette anecdote a un épilogue. Les douze personnes qui avaient formé le groupe de Mac Badgely ont toutes admis que le week-end avait été un franc succès. En revanche, j'ai appris que le second groupe marathon dirigé par Mac, au mois d'avril suivant, avait été un échec total. Il semble que le week-end se soit réduit à une succession de conflits non résolus et de frustrations permanentes. Encore maintenant, je m'étonne de ces différences. L'homme de science en moi a déterminé la seule variable dont je pouvais être conscient : ceux du premier groupe étaient apparemment assez sûrs d'eux pour être capables de choisir la première date possible pour mener l'expérience ; il semble que ceux du second groupe avaient des sentiments plutôt ambivalents qui les ont amenés à choisir une date plus éloignée. J'émettrais l'hypothèse que la détermination de notre groupe – et peut-être son ouverture d'esprit – a compté pour beaucoup dans le succès de l'expérience. D'autres facteurs ont joué. À mon avis, il est peu probable que nous aurions pu former une communauté et en assurer brièvement l'existence sans le leadership de Mac, leadership affectueux, extrêmement discipliné – voire brillant –, et du modèle Tavistock (dont je parlerai plus abondamment dans le chapitre VI) qu'il a choisi d'utiliser. Néanmoins, il semble évident que cette forme de leadership et l'utilisation du modèle Tavistock ne suffisent pas à transformer n'importe quel groupe en communauté.

OKINAWA, 1968-1969

Ma prochaine expérience de la communauté est d'un troisième type [6]. Cette communauté-là fut aussi peu intense qu'une communauté puisse l'être sans perdre son nom. Encore une fois, elle réunissait une douzaine d'hommes, mais, dans ce cas-ci, nous nous sommes rencontrés pendant une année, à la fréquence d'une heure par semaine. Ce fut une expérience heureuse et inattendue, dont la joie était visible à nos éclats de rire. Elle présentait aussi d'autres similitudes avec l'expérience communautaire plus intense vécue dans le groupe de Mac Badgely. Je voudrais m'attarder sur une de ces similitudes, celle du mythe. La création de mythes semble être une caractéristique de la véritable communauté. À cet égard, le « Groupe Tech » d'Okinawa devait mettre au point le mythe le plus élaboré et le plus magnifique qu'il m'ait jamais été donné de connaître.

De l'automne 1967 à l'été 1970, on me confia la responsabilité d'à peu près tous les services psychiatriques offerts au personnel militaire de la base d'Okinawa et à leur famille, soit un bassin de plus de cent mille personnes. Notre travail s'effec-

6. J'emploie l'expression « troisième type » dans un sens qui n'a rien à voir avec les visiteurs venus d'autres galaxies ou avec le film magnifique de Steven Spielberg, *Rencontres du troisième type*. Il n'empêche qu'au sens profond du terme l'expérience de la véritable communauté est toujours une sorte de rencontre du troisième type.

tuait surtout auprès des patients venus en consultation à la clinique externe. Notre service manquait sérieusement de personnel. Par conséquent, il me fallait utiliser au maximum les services des jeunes recrues affectées à la clinique externe. J'avais compris qu'avec un peu d'entraînement plusieurs de ces jeunes gens, dont l'âge variait de dix-neuf à vingt-cinq ans, pouvaient devenir des psychothérapeutes remarquablement efficaces.

Pour l'armée, la fonction officielle de ces jeunes gens (ce qu'on appelle leur activité professionnelle militaire, la MOS, *[military occupational speciality]*) était « techniciens en psychologie ». Plus simplement, nous les appelions des « techs ». La plupart d'entre eux en venaient à occuper ce poste dans des circonstances similaires. À l'époque, alors que nous étions en pleine escalade de la guerre du Viêt-Nam, le contingent était actif. Les étudiants de collège pouvaient reporter leur service militaire à la fin de leurs études tant que leurs notes se maintenaient au-dessus d'une certaine moyenne. Trois choix se présentaient à l'étudiant qui n'arrivait pas à maintenir cette performance. Le premier était de s'enfuir au Canada. Le deuxième était d'attendre, sans espoir, l'appel de l'armée, auquel cas l'étudiant se voyait affecté à une tâche choisie par l'armée – y compris à l'infanterie. Le troisième choix, peut-être le plus sage dans les circonstances, était de devancer l'appel. À titre de recrue volontaire, l'étudiant pouvait alors choisir un des emplois disponibles sur la liste – celui qui correspondait à ses intérêts – et, en général, le moins susceptible de le conduire au front. La plupart des techs avaient suivi cette filière, qui les avait conduits à Okinawa.

Ils étaient donc assez intelligents et assez mûrs pour avoir été admis au collège, et suffisamment intéressés par la psychologie (même si ce n'était souvent que vaguement) pour avoir choisi l'emploi de technicien en psychologie. À partir de ce moment, avant d'être envoyés à Okinawa, ils recevaient une formation de base et une formation supplémentaire de deux mois en psychologie. Peu à peu, j'ai aussi compris qu'ils avaient d'autres choses en commun. Leur situation était pour eux une source de désespoir. Certes, ils avaient été capables de faire certains choix, mais la mécanique du contingent et une guerre à laquelle ils ne croyaient pas leur en avaient dicté d'autres. Par ailleurs, ils avaient échoué en tout. D'abord, ils n'avaient pas obtenu au collège les notes qui leur auraient évité l'enrôlement. Cet échec n'était pas imputable à un manque d'intelligence. Certains avaient passé trop de temps à faire la fête. D'autres s'étaient perdus dans les flirts et la drogue. D'autres encore, pour toutes sortes de raisons, n'avaient tout simplement pas assez de discipline personnelle pour se consacrer aux études. Quoi qu'il en soit, ils avaient échoué en tout, et cet échec jouait un rôle important dans leur identité à l'époque.

Mon expérience du groupe marathon de Mac Badgely avait aiguisé mon appétit pour le travail de groupe. Afin de poursuivre cette expérience tout en aidant les techs à s'adapter à leur nouveau travail, je demandai à ces jeunes gens s'ils étaient intéressés à me rencontrer en groupe, une heure par semaine. Ils l'étaient. Le Groupe Tech commença ses activités vers le milieu du mois de mai 1968.

Deux semaines plus tard, au début de juin, je reçus un coup de fil de mon supérieur, le colonel Cox. « Scââtt, commença-t-il à me dire avec l'accent charmant du Sud, mais sur un ton qui n'admettait pas de réplique, j'aimerains vous d'mander une favâr. »

« Certainement, monsieur, répondis-je. Dites-moi laquelle. »

« J'ains un bon ami qui vit sur l'île, colonel lui aussi, et son fils arrive du collège. C'est un bôn garçon. Aux États-Unis, il prépare un diplôme en psychologie. Il n'y retournera pas avant Noël. Il se saing un peu perdu en ce moment et voudraint bieng faire quelque chose dans son domaine. Je me demandains si vous n'aviez pas dans votre clinique un petit travail bénévole à lui cônfier pendaint un teimps. »

« Pas de problème, monsieur, répondis-je prudemment. Je serai heureux de vous rendre ce service. Envoyez-le-moi quand vous voulez. »

Henry se présenta à la clinique une heure plus tard. J'étais atterré. Henry souffrait d'une grave paralysie cérébrale. Tout ce qu'il pouvait faire, c'était arpenter les corridors de la clinique d'un pas saccadé et traînant. La moitié de son visage était affaissée, et sa prononciation était si mauvaise qu'il fallait d'abord s'y habituer avant de pouvoir comprendre un seul mot. Il bavait presque tout le temps. Je maudis intérieurement le colonel Cox de m'avoir collé cette monstruosité, à moi et à ma clinique publique. Du coup, je maudis Dieu d'avoir créé cette espèce d'ogre. Mais j'étais coincé. Dégoûté, je l'installai à la réception et, comme il faisait momentanément partie de l'équipe et s'intéressait à la psychologie, je l'invitai à se joindre au Groupe Tech.

Une fois Henry intégré au groupe, je ne mis pas beaucoup de temps à comprendre qu'il était l'être humain le plus intelligent, le plus sensible et le plus merveilleux qui soit. En l'espace de quelques séances – et en grande partie grâce à l'aide d'Henry –, notre groupe hebdomadaire devint une communauté. Le mythe d'« Albert » prit forme peu de temps après.

Albert était le fils illégitime du maire de Fresno. Il était handicapé. Il était si contrefait qu'il n'avait qu'une seule main qui avait pris racine sur son front. Voilà pourquoi, conclut le groupe, Albert était l'une des rares personnes au monde à pouvoir entendre « le son d'une main qui applaudit [7] ». Sans doute en raison de cette unique faculté, ou peut-être à cause de l'influence paternelle, Albert devint un remarquable organisateur syndical. En raison de ses succès, le gouvernement lui demanda de s'installer à Okinawa, le temps d'y former le local 89 du Syndicat des pêcheurs de crevettes homosexuels. (À l'époque, les homosexuels étaient expulsés de l'armée en vertu de l'article 89 du règlement.) Épisode après épisode, le mythe gagnait en importance, et chaque semaine le groupe ajoutait un

7. Allusion à la célèbre énigme zen : « Quel son fait entendre une main qui applaudit? »

nouveau chapitre aux aventures hilarantes d'Albert.

C'était une chose belle à voir que cette communauté hebdomadaire, où chacun s'acceptait et acceptait l'autre, et où un Henry handicapé, des recrues handicapées (rappelez-vous que tous avaient échoué au collège) et moi-même, handicapé, pouvaient unir leurs efforts dans la création d'un mythe magnifique. On excusera le psychiatre en moi qui ne pouvait s'empêcher de remarquer comment ce mythe ne servait pas seulement à faciliter l'acceptation de nos propres handicaps, mais aussi nous aidait à calmer nos angoisses quant à nos origines familiales, à composer avec notre obligation d'être à la base d'Okinawa, à surmonter notre dégoût quant à la manière dont l'armée traitait les homosexuels et à assumer notre propre sexualité.

Quand Noël arriva, les aventures d'Albert auraient pu remplir un livre. Je dois admettre avec tristesse que nous ne l'avons jamais écrit. En janvier 1969, Henry retourna aux États-Unis, ainsi que plusieurs techs qui étaient démobilisés. Entre-temps, la clinique s'installa dans un tout nouveau complexe médical, dont je devins l'officier reponsable. Tous ces facteurs, ajoutés à d'autres responsabilités, firent en sorte que nous prîmes la décision de dissoudre le Groupe Tech. Mais je me souviendrai toujours de la camaraderie et de la créativité qui y régnaient. Bien plus, quand je traîne à la maison le poids de mes propres limites, quand mes problèmes me semblent infinis et que j'ai grand besoin de gaieté, mon sentiment d'accablement n'empêche pas que j'entends encore un rire ou deux fuser au souvenir des dernières prouesses d'Albert.

La question du mythe refera surface. La raison en est que les mythes parlent de la condition humaine avec plus d'éloquence et de vérité que toute autre forme de prose. Je n'ai jamais expérimenté une forme de communauté aussi déterminante que celle du groupe de Mac Badgely. Le « mythe de notre groupe s'identifiant à une tortue de mer géante qui, enceinte, vient enfouir ses œufs sur le rivage » exprimait donc de façon poignante la réalité de ce temps aussi fécond que bref que nous avions passé ensemble. Albert, notre héros handicapé, parlait d'une réalité qui veut que plusieurs des plus forts et des plus faibles d'entre nous soient, dans les faits, des héros handicapés. Que la communauté crée son propre mythe n'est pas une condition *sine qua non,* mais la plupart d'entre elles le font, et le fait trahit un génie créateur collectif qui est souvent une caractéristique de la communauté authentique.

BETHEL, MAINE, JUIN 1972

J'ai déjà raconté comment, enfant, on m'avait inculqué les préceptes d'un individualisme farouche. Je n'étais pas censé exprimer les sentiments d'anxiété, de dépression et de désespoir. « Les grands garçons ne pleurent pas. » Il allait donc de soi de ne pas encourager, chez moi, les pleurs d'un garçon. Un soir, je devais avoir à peu près six ans, mes parents sortirent en ville. Ils allèrent se promener dans Broadway, au-delà du quartier des théâtres, dans un secteur rempli de boutiques de farces et attrapes, où, en quelques secondes, on pouvait imprimer un exemplaire d'un journal bidon à la une fantaisiste, du genre « Harry et Phillis arrivent en ville ». Le lendemain matin, on me tendit un journal « cadeau » de la sorte, dont les titres disaient : « Scott Peck, le plus grand bébé braillard au monde, est engagé au cirque. »

La leçon, même maladroite, fut comprise. Je ne peux pas dire que je n'ai plus jamais pleuré par la suite. J'ai toujours raffolé des films à l'eau de rose dont la fin est larmoyante. Mais je prenais toujours bien garde d'essuyer soigneusement les quelques larmes que je m'autorisais à verser avant que les lumières ne se rallument dans la salle. À ce sujet, j'ai vécu à dix-neuf ans le pire moment, quand j'ai dû rompre avec une jeune fille que j'avais fréquentée pendant trois ans. Elle tenait beaucoup à moi et, de surcroît, m'avait fait connaître un tout autre monde. Mon visage était inondé de larmes. Mais la rue où nous nous sommes dit adieu était sombre, et mes larmes, tout à fait silencieuses. Je n'ai plus *vraiment* pleuré avant l'âge de trente-six ans.

Sans jamais me permettre de pleurer vraiment, je suis donc passé à travers Exeter, Friends Seminary, le Collège Middlebury, Harvard, Columbia, la Faculté de médecine, ma première année d'internat à Hawaï, mes dernières années d'internat à San Francisco, la base d'Okinawa, pour me retrouver enfin à Washington, D.C. Je m'opposais à la guerre du Viêt-Nam, mais j'avais décidé de rester dans l'armée et d'aller à Washington pour y continuer la « lutte de l'intérieur ». Au commencement, la lutte m'emballa. Puis elle commença à me peser. À me peser davantage. Je n'avais pas remporté de grandes victoires et j'avais perdu la plupart des petites batailles, ce qui annula rapidement l'effet de mes maigres victoires, quand ce n'étaient pas les contre-ordres capricieux des autorités ou les aléas hérités d'histoires aussi vieilles que le déluge. Deux années s'écoulèrent ainsi, à la suite desquelles je fus affecté au quartier-général des National Training Laboratories (NTL), à Bethel, dans l'État du Maine, en juin 1972. Je devais faire partie d'un « groupe de sensibilité » de douze jours, afin d'évaluer la possibilité d'un contrat entre les NTL et l'armée.

Notre laboratoire comptait environ soixante stagiaires, répartis en un nombre à peu près égal d'hommes et de femmes. Le tiers de notre emploi du temps était consacré à divers exercices psychologiques qui nous réunissaient soit au complet, soit en groupes de deux, soit en petits groupes. Les exercices étaient intéressants, le plus souvent assez utiles ou éducatifs. Mais le clou de la rencontre était les fameux « groupes T », où nous passions la majeure partie du temps. Le laboratoire se divisait en quatre groupes T, qui réunissaient environ quinze stagiaires chacun, sous la direction d'un chef. Le nôtre était un psychiatre d'expérience, qui s'appelait Lindy.

Notre groupe de seize personnes réunissait des gens de nature très différente. Une lutte intense mobilisa les trois premiers jours de la rencontre. Mais c'était une lutte souvent anxieuse et désagréable, où s'exprimait, de manière parfois sournoise, beaucoup de ressentiment. Le quatrième jour, se produisit un fait qui apporta un changement soudain, je me le rappelle très bien. Tout d'un coup, nous sommes devenus attentifs les uns aux autres. Peu de temps après, quelqu'un se mit à pleurer, et certaines personnes essuyèrent une larme. Quant à moi, j'étais souvent au bord des larmes, même si je n'en montrais rien. En ce qui me concerne, c'étaient souvent des larmes de joie, puisque je pouvais mesurer les progrès accomplis vers la guérison. Par la suite, nous devions connaître encore des moments de lutte, mais elle n'était plus sournoise. Au sein du groupe T, je me sentais vraiment en sécurité. C'était un endroit où je n'avais aucune peine à être parfaitement moi-même. Une fois de plus, j'avais l'impression d'être chez moi. J'éprouvais toute une gamme de sentiments, mais je savais que, pendant une période limitée, nous nous aimions tous, et la joie était le sentiment dominant.

Le dixième jour, dans l'après-midi, je commençai à me sentir déprimé. J'ai d'abord voulu combattre ce sentiment par une bonne sieste, sachant à quel point notre travail avait été éprouvant et intense. Mais bientôt je devins incapable de nier que c'était l'approche imminente de la fin de notre expérience qui me troublait profondément. J'étais si bien ici, dans le Maine, entouré d'amour, et voilà que, dans moins de deux jours, il me faudrait retrouver Washington et le poids de mon travail. Je ne voulais pas partir. J'en étais là dans mes réflexions, lorsque, vers la fin de l'après-midi, je reçus une note me demandant de téléphoner à mon bureau. Le motif était sans importance. Au cours de la conversation avec mon supérieur, j'appris qu'on avait choisi les candidats promus au rang d'officier général. J'avais grandement souhaité la promotion du colonel du corps médical au rang de brigadier général, car l'homme était un visionnaire qui avait un peu joué pour moi le rôle de mentor. Mais il n'avait pas été choisi, et je savais que sa carrière tirait à sa fin. À sa place, on avait choisi le physicien en qui j'avais le moins confiance dans toute la bureaucratie médicale. Cette nouvelle accrut mon sentiment de déprime.

Ce soir-là, je fus le premier à prendre la parole au sein

du Groupe T. Je confiai au groupe que je me sentais déprimé et expliquai pourquoi : le choix des personnes promues m'avait bouleversé, et j'étais triste à l'idée que le groupe allait bientôt se séparer et que je rentrerais à Washington. Quand j'eus fini de parler, un membre du groupe commenta : « Tes mains tremblent, Scotty. »

« Mes mains tremblent souvent, répondis-je. Elles tremblent depuis que je suis adolescent. »

« On dirait que tes bras sont tendus comme pour un combat, dit un autre. Es-tu en colère ? »

« Non, je ne suis pas fâché », répliquai-je.

Lindy, notre entraîneur, se leva, saisit son coussin, s'approcha et s'assit en face de moi, son coussin entre nous. « Scotty, tu es psychiatre », dit-il. « Tu sais très bien que la dépression est souvent liée à la colère. J'ai vraiment l'impression que tu es en colère. »

« Mais je ne suis pas en colère », répliquai-je, paralysé.

« J'aimerais que tu fasses quelque chose pour moi », dit doucement Lindy, fidèle à sa manière. « Tu ne voudras probablement pas le faire, mais j'aimerais que tu le fasses quand même. Il nous arrive d'avoir parfois recours à un exercice qui s'appelle « taper sur l'oreiller ». J'aimerais que tu tapes sur ce coussin. J'aimerais que tu imagines que ce coussin est l'armée, et que tu tapes dessus à coups de poing, aussi fort que tu le peux. Veux-tu faire cela pour moi ? »

« Cela me semble stupide, Lindy, répondis-je. Mais, je t'aime bien ; je vais donc essayer. »

Avec mon poing, je frappai mollement le coussin une ou deux fois. « Je me sens vraiment gêné. »

« Frappe plus fort », ordonna Lindy.

Je frappai un peu plus fort, mais on aurait dit que cet effort mobilisait toutes mes réserves d'énergie.

« Plus fort, ordonna Lindy. Le coussin, c'est l'armée. Tu es en colère contre l'armée. Frappe-la. »

« Je ne suis pas en colère », affirmai-je tristement, tout en frappant faiblement le coussin.

« Oui, tu *es* en colère, dit Lindy. Frappe maintenant. Frappe vraiment. Tu es en colère contre l'armée. »

Docile, je frappai le coussin avec un peu plus de vigueur, tout en disant : « Je ne suis pas vraiment en colère contre l'armée. Je suis peut-être fâché contre le système, mais pas contre l'armée. L'armée n'est qu'une toute petite partie du système. »

« Tu es en colère contre l'armée, cria Lindy. Frappe maintenant. Tu es fâché. »

Ma voix protesta. « Je ne suis *pas* en colère. Ce que je ressens, c'est de la tristesse et non de la colère. »

Alors la chose se produisit. Tandis que, doucement et méthodiquement, je frappais le coussin, je continuai de répéter comme dans une transe : « Je suis fatigué. Je ne suis pas fâché. Croyez-moi, je suis fatigué. Je suis terriblement fatigué. »

« Continue de frapper », dit Lindy.

« C'est à cause du système, ai-je gémi. Je ne déteste pas l'armée. Je ne suis plus capable de lutter contre le système. Je suis si fatigué. Il y a si longtemps que je suis fatigué. Je suis fatigué depuis si longtemps. »

Je me sentis envahi par les vagues d'une immense fatigue. Je me mis à sangloter. Je savais que j'étais en train de le faire. Je voulus m'arrêter. Je ne voulais pas me couvrir de ridicule. Mais la fatigue fut la plus forte. Je n'avais pas la force d'arrêter. Les sanglots s'échappèrent de ma gorge, d'abord en râlements et en hoquets. Les vagues devinrent plus fortes. Toutes les batailles perdues, toute l'énergie gaspillée, toutes les luttes vaines. Je me laissai aller. Je sanglotai et sanglotai. « Mais je ne peux pas laisser tomber, m'écriai-je. Il faut que quelqu'un reste à Washington. Comment aider si je reste dehors ? Il faut que quelqu'un accepte de travailler à l'intérieur du système. Je suis si fatigué. Je ne peux pas me défiler. »

Mon visage était mouillé de larmes. La morve coulait de mon nez, mais cela m'était égal. Lindy me tenait dans ses bras, alors que j'étais effondré sur le coussin. Les autres s'étaient approchés et me tendaient aussi leurs bras. À travers mes larmes, j'apercevais la masse confuse de leurs visages. Cela m'était égal de savoir qui ils étaient. Je savais seulement que j'étais aimé, tout morveux que je fusse. Je m'abandonnai entièrement aux vagues. Les premières venaient de Washington, de la boîte à correspondance d'un mètre de haut, des causeries rédigées tard dans la nuit, des mensonges dits devant moi, du mélange d'indifférence, d'égoïsme et d'insensibilité auquel je me heurtais. Mais à mesure que je laissais affluer ces vagues de fatigue, d'autres, plus anciennes, faisaient surface, des vagues de lutte pour préserver un mariage, de nuits quasi interminables passées dans les salles d'urgence, de quarts de travail d'une durée de trente-deux heures à l'époque de l'internat et de la Faculté de médecine, tandis que je traversais des corridors envahis de bébés souffrant de colique – vague après vague.

Je sanglotai pendant une demi-heure. Dans le groupe, une femme s'effraya : « Je n'ai jamais vu quelqu'un sangloter de la sorte, dit-elle. C'est incroyable ce que notre société impose aux hommes. »

Je lui adressai un faible sourire, les yeux encore mouillés de larmes, mais je ne pleurais plus ; à vrai dire, je me sentais léger comme une plume. « Je vous prie de ne pas oublier que j'encaissais depuis trente ans. »

Lindy avait maintenant regagné sa place, au fond de la pièce. « Je vais faire quelque chose que je n'ai pas l'habitude de faire dans ce genre de groupes, dit-il. Scott, je veux te dire une ou deux choses. La première est que toi et moi sommes assez semblables. Je ne veux pas te dire ce que tu dois faire. Mais ce que je veux te dire, c'est que j'ai travaillé trois années dans un ghetto en ville. À la suite de quoi, j'ai dû partir. J'ai ressenti ce que tu ressens maintenant. J'avais le sentiment que je devais à la société de rester dans ce ghetto, que quelqu'un se devait d'être là, que je ne serais qu'un tire-au-flanc si je m'en allais. Mais, tu sais, il fallait que je parte ; ce travail était en train de me tuer. Je veux que tu saches, Scotty, que je n'ai pas eu la force de m'accrocher plus longtemps. »

Je me remis à pleurer doucement de reconnaissance pour

la permission que m'accordait Lindy. Ce que je déciderais de faire avec cette permission, je n'en savais rien.

Je ne fus pas long à me décider.

Moins d'un mois plus tard, ma femme Lily et moi étions à la recherche d'une maison dans un quartier où je pourrais ouvrir un cabinet privé. À la fête du Travail, nous avions trouvé notre maison et je remettais ma démission. Le 4 novembre, nous quittions Washington, quatre mois et demi après cette fameuse nuit où j'avais pleuré pour la première fois.

Une fois de plus, je faisais l'expérience de la communauté; l'expérience avait changé le cours de ma vie et allait bien au-delà de la joie ressentie et de la liberté d'être moi-même. Pour la première fois, je pris conscience du pouvoir de guérison de la véritable communauté. Beaucoup de gens sont conscients de ce pouvoir. Dans des situations de ce genre, plusieurs personnes ont atteint le « sommet » ; mais, comme il faut toujours redescendre dans la vallée, on peut se demander si ce genre de guérison va durer. Souvent, elle ne dure pas. Mais je peux vous dire qu'à partir de cette nuit-là je n'ai plus jamais eu honte de pleurer. Bien plus, je peux maintenant pleurer – voire sangloter de nouveau –, chaque fois que c'est nécessaire. D'une certaine façon, mes parents avaient raison. Je suis le « plus grand bébé braillard au monde ».

La plupart des groupes n'ont pas de pouvoir de guérison particulier, comme la très grande majorité d'entre eux ne sont pas d'authentiques communautés. L'expérience que j'avais vécue dans le groupe T s'inscrivait dans une « vague de groupes de sensibilité » qui balaya le pays dans les années soixante et au début des années soixante-dix. Aujourd'hui, la vague s'est presque complètement retirée. Une des raisons à cela est que bon nombre de gens trouvaient extrêmement déplaisantes les expériences vécues au sein de groupes de sensibilité. Au nom de la « sensibilité », la confrontation était préférée à l'amour. Il arrivait souvent que cette confrontation fût sournoise. Il ne fait pas de doute pour moi que les dirigeants de ces mouvements luttaient contre la communauté, sans que le mot ne soit jamais défini et les règles bien établies. La communauté était donc un événement fortuit. Parfois, elle existait ; parfois, non. Comme le second groupe de Mac Badgely qui avait été un échec, j'appris par la suite que les trois groupes T avaient été beaucoup moins réussis que le nôtre. Je n'ai aucune idée de ce qui avait fait la différence. Je suis persuadé que le leadership subtil et efficace de Lindy a joué un rôle prépondérant. Faute de quoi, il faudrait mettre la chose sur le compte du simple hasard.

À la fin du mois de juin 1972, même si je ne savais ni comment ni pourquoi, j'en savais assez pour comprendre que j'avais fait l'expérience de la communauté. Sans que je puisse formuler ainsi les choses, je savais qu'un même fil conducteur reliait Friends Seminary, le groupe de Mac Badgely, le Groupe Tech d'Okinawa et le groupe T de Lindy, à Bethel. À quatre reprises, il m'est arrivé de faire partie d'un groupe formé de gens différents, qui ont fait preuve d'un amour mutuel profond. Peut-être cela ne m'arrivera-t-il plus. Mais j'ai envie de penser que le phénomène peut se reproduire. Et depuis que je sais qu'un groupe formé de gens différents, qui font preuve d'un amour profond des autres, est un phénomène qui peut éventuellement se répéter, je n'arrive pas à désespérer complètement de la condition humaine.

CHAPITRE II

LES INDIVIDUS ET LES ILLUSIONS
DE L'INDIVIDUALISME ABSOLU

Je suis seul.

Jusqu'à un certain point, ma solitude – et la vôtre – est inévitable. Comme vous, je suis un individu. Et cela signifie que je suis unique. Dans tout le vaste univers, il n'y a personne comme moi. Cette « entité-je » qui est moi est différente de chaque autre « entité-je » existante. Comme les empreintes digitales, notre *identité* singulière fait de chacun d'entre nous un individu unique.

C'est ainsi que les choses doivent être. Le code génétique même est tel que (si l'on excepte les rares jumeaux identiques) chacun de nous est non seulement sensiblement différent de tout être humain ayant jamais existé, biologiquement parlant mais est aussi dissemblable en substance. Et cela dès le moment de la conception. De plus, chacun de nous naît dans un milieu qui lui est spécifique et, à partir d'un modèle unique, se développe à sa manière propre tout au long de son existence.

À vrai dire, plusieurs personnes croient que ce n'est pas seulement ainsi que sont les choses, mais qu'elles *doivent* être. La plupart des chrétiens croient que Dieu l'a voulu ainsi ; Il a créé chaque âme unique. Les théologiens chrétiens en sont venus à une conclusion quasi générale : Dieu aime la variété. De la variété, Il se réjouit. Et nulle part ailleurs que dans l'espèce humaine la variété n'est aussi apparente et inévitable.

Les psychologues peuvent être d'accord ou non avec la notion de création divine, mais la plupart s'entendent avec les théologiens pour dire que le caractère unique de notre individualité est une nécessité. Que chacun puisse se réaliser pleinement devient ainsi le but du développement de l'être humain. À cet égard, les théologiens parlent parfois de l'appel de la « liberté » - la liberté d'être pleinement ce pour quoi Dieu nous a créés. Le psychiatre Carl Jung croit que le but du développement de l'être humain est ce qu'il appelle l'« individuation ». Le processus du développement de l'être humain consiste donc à devenir pleinement un individu.

La plupart d'entre nous ne terminent jamais complètement ce processus et certains peuvent même ne pas aller très loin. La plupart, à des degrés variables, n'arrivent pas à s'individualiser - à se séparer - de leur famille, de leur tribu ou de leur caste. Même si nous avons atteint un âge avancé, nous demeurons symboliquement pendus aux jupes de notre mère et attachés à la culture que nous avons reçue. Nous sommes toujours gouvernés par les valeurs et les attentes de nos pères et mères. Nous allons toujours dans le sens des vents dominants et nous nous inclinons devant l'arbitraire de la société. Nous allons où va la foule. Par paresse ou par crainte - crainte de la solitude, crainte des responsabilités et autres craintes sans nom -, nous n'apprenons jamais à penser véritablement par nous-mêmes ou n'osons jamais nous opposer aux stéréotypes. Mais, à la lumière de tout ce que nous comprenons, notre incapacité de nous individualiser est un échec quant à notre croissance et à notre complet épanouissement d'être humain. Cela parce que nous sommes nés pour être des individus. Nous sommes nés pour être uniques et différents.

Nous sommes nés aussi pour le pouvoir. Au cours de ce processus d'individualisation, nous devons apprendre comment assumer la responsabilité de nous-mêmes. Nous avons besoin d'accroître notre sens de l'autonomie et de l'autodétermination. Nous devons nous efforcer, autant que faire se peut, d'être le capitaine de notre propre navire, sinon le maître absolu de notre destinée.

De surcroît, nous sommes nés pour la plénitude. Nous devons utiliser les dons et les talents qui nous ont été donnés afin de nous développer au maximum. En tant que femmes, nous avons besoin d'accroître notre côté masculin ; en tant qu'hommes, notre côté féminin. Si nous sommes en pleine croissance, nous devons améliorer les points faibles qui la ralentissent. Nous nous sentons attirés par l'autosuffisance et la plénitude qu'exigent l'indépendance d'esprit et d'action.

Mais ce n'est là qu'un aspect de la situation.

Il est vrai que nous sommes nés pour la plénitude. Mais en réalité, nous ne pouvons jamais trouver la plénitude en nous-mêmes ou par nous-mêmes. Nous ne pouvons être toutes choses pour nous-mêmes et pour les autres. Nous ne pouvons être parfaits. Nous ne pouvons être à la fois docteurs, avocats, courtiers, fermiers, politiciens, maçons et théologiens. Il est vrai que nous sommes nés pour le pouvoir. Et pourtant, il y a un point au-delà duquel notre sentiment d'autodétermination devient non seulement inadéquat et prétentieux, mais au-delà duquel il peut également se retourner contre nous. Il est vrai que nous avons été créés pour être des individus uniques. Et pourtant, nous sommes inévitablement des êtres sociaux qui avons désespérément besoin les uns des autres, pas seulement pour assurer notre subsistance, pas seulement pour rompre la solitude, mais aussi pour donner la moindre signification à notre existence. Voilà la semence paradoxale à partir de laquelle la communauté peut se développer.

Qu'on me permette de raconter une expérience que plusieurs d'entre nous auront déjà vécue. Pendant des années, Lily et moi avons lutté pour faire de notre mariage une sorte de communauté à deux. Au début de notre mariage, Lily était une personne pour le moins désorganisée. Il lui arrivait souvent d'oublier un rendez-vous ou de négliger d'écrire une lettre parce que le soin de ses fleurs exigeait toute son attention. Pour ma part, j'ai été très tôt ce qu'on appelle « quelqu'un qui sait où il va », pour dire les choses gentiment. Je n'avais jamais le temps de sentir une fleur, à moins que sa floraison ne coïncide avec mon emploi du temps, lequel avait prévu qu'elle se produirait chaque troisième jeudi du mois, entre 14 h et 14 h 30, sauf en cas de pluie. J'avais l'habitude de reprocher à Lily ce que j'estimais être un manque de ponctualité de même que son ignorance du plus bel instrument de la civilisation : la montre. Elle-même n'était pas tendre envers ma ponctualité tatillonne et mon insistance aussi lourde que pédante à écrire en paragraphes commençant par « premièrement », « deuxièmement », ou « en guise de conclusion ». Lily croyait que sa psychologie était la meilleure ; je défendais l'excellence de la mienne.

Puis Lily commença à s'occuper de nos enfants et je commençai à écrire des livres. N'allez pas croire que je n'étais pas du tout concerné par les enfants, mais je ne peux pas dire que j'étais un bon père. J'étais spécialement maladroit quand venait le temps de jouer avec eux. Avez-vous déjà essayé de bien jouer avec des enfants en respectant un horaire ? Ou quand vous êtes débordé et que vous êtes obsédé par le chapitre sur l'extase religieuse que vous avez promis d'écrire ? En revanche, Lily jouait avec nos enfants avec une grâce infinie, leur donnant ainsi des bases que je n'aurais jamais pu leur donner. N'allez pas croire non plus que Lily n'a contribué en rien à la rédaction de mes livres. Comme je l'ai écrit au début de mon premier livre [1], « elle s'est montrée si généreuse qu'il est impossible de séparer ses propos des miens ». Mais Lily aurait été incapable de planifier son emploi du temps pour écrire (et récrire) phrases, paragraphes, chapitres, semaine après semaine, mois après mois.

1. *Le chemin le moins fréquenté*, trad. de l'américain par Laurence Minard, Paris, Éd. J'ai Lu, 1990.

Cependant, peu à peu, Lily et moi avons appris à voir des vertus dans ce qui nous était apparu comme des vices, des bénédictions dans les malédictions, des dons dans les handicaps. Lily avait le don de composer avec les choses ; j'avais celui de les organiser. Je ne sais toujours pas comment composer avec les enfants, et Lily ne sera jamais quelqu'un de complètement organisé. Mais, parce nous avons appris à apprécier mutuellement des dons très différents, nous avons peu à peu commencé à les intégrer à notre personnalité – avec parcimonie, cela va sans dire. Par conséquent, elle et moi sommes devenus progressivement des individus plus complets. Mais la chose n'aurait jamais été possible si nous n'avions pas d'abord pris conscience de nos limites personnelles et reconnu notre interdépendance. À vrai dire, il est peu probable que notre mariage eût survécu sans cette reconnaissance.

Nous sommes donc nés pour la plénitude, et en même temps pour reconnaître notre incomplétude ; nous sommes nés pour le pouvoir *et* pour reconnaître notre faiblesse ; nous sommes nés à la fois pour l'individualisation *et* pour l'interdépendance. Le problème – en réalité, l'échec total – de l'individualisme absolu est qu'il ne considère qu'un aspect du paradoxe et ne s'adresse qu'à une moitié de notre nature humaine. L'individualisme absolu reconnaît que nous sommes nés pour l'individualisation, le pouvoir et la plénitude. Mais il nie tout à fait les autres composantes de l'histoire de l'homme : l'impossibilité de notre complétude et la singularité qui fait obligatoirement de nous des êtres faibles et imparfaits, qui ont besoin les uns des autres.

Seule la prétention permet de nier ce fait. Parce que nous n'arrivons pas à être des personnes entièrement efficaces, autonomes et indépendantes, l'idéal de l'individualisme absolu nous invite à donner le change. Il nous invite à dissimuler notre faiblesse et nos manques. Il nous enseigne la honte de nos limites. Il nous pousse à essayer d'être superwoman et superman non seulement aux yeux des autres, mais à nos propres yeux. Jour après jour, il nous pousse à donner l'impression que

« tout marche à merveille », comme si nous étions dépourvus de besoins et contrôlions parfaitement notre existence. Il exige que nous arrivions constamment à sauver les apparences. De surcroît, il nous isole impitoyablement les uns des autres. Et empêche la création de la véritable communauté.

Partout où j'ai donné des conférences –, je n'ai observé qu'une constante : l'absence – et la soif – de communauté. Ce manque et cette soif sont particulièrement poignants dans les lieux où l'on s'attendrait le plus à trouver la communauté : dans les Églises. Quand je m'adresse au public, je dis souvent : « Je vous en prie, ne venez pas me poser des questions durant la pause. J'ai besoin de ce moment pour remettre mes idées en place. De plus, j'ai souvent constaté que les questions que vous me posez individuellement sont très intéressantes et qu'il vaut mieux que tout le groupe puisse en profiter. » Or, plus souvent qu'autrement, quelqu'un arrive durant la pause avec une question. Quand je lui dis : « Il me semble vous avoir demandé de ne pas le faire », la réponse habituelle est la suivante : « Oui, Dr Peck, mais la question est très importante pour moi et je ne peux pas la poser devant le groupe parce que certaines personnes que je rencontre à l'église sont présentes. » J'aimerais pouvoir dire qu'il s'agit là d'une exception. Les exceptions existent, bien sûr, comme il existe des communautés ecclésiastiques exceptionnelles. Mais des remarques de ce genre en disent long sur le degré habituel de confiance, d'intimité et de vulnérabilité qui règne dans nos Églises et dans nos soi-disant « communautés ».

C'est vrai, je suis seul. Puisque je suis un individu tout à fait singulier, personne ne peut vraiment me comprendre et savoir exactement ce que signifie être à ma place. Je dois franchir seul certaines étapes de mon voyage – la même chose se produit dans le voyage de chacun. Certains défis ne se relèvent que dans la solitude. Mais je me sens infiniment moins seul qu'à l'époque où j'ignorais que l'anxiété, la dépression et le désespoir sont des sentiments humains, et qu'il peut y avoir des lieux où montrer ces sentiments sans crainte ou sans remords, tout en étant ainsi davantage apprécié des autres ; moins seul qu'à l'époque où j'ignorais que je pouvais être fort dans ma faiblesse et faible dans ma force, alors que je n'avais pas connu l'expérience de la véritable communauté et que j'ignorais comment la trouver ou la créer.

Empêtrés dans notre tradition d'individualisme absolu, nous sommes des gens incroyablement solitaires. À vrai dire, nous sommes si seuls que plusieurs personnes ne veulent même pas admettre leur solitude à leurs propres yeux, c'est vous dire aux yeux des autres ! Regardez tous ces visages tristes et figés autour de vous, vous y chercherez en vain l'âme qui se cache derrière le masque de l'assurance, de l'arrogance, du sang-froid. Il n'est pas nécessaire qu'il en soit ainsi. Et pourtant, plusieurs – la plupart – ne connaissent pas d'autre façon de se comporter. Nous avons désespérément besoin d'une nouvelle éthique qui définisse un « individualisme doux », pour inclure un individualisme où on saura que l'on n'est jamais vraiment soi-même que le jour où l'on a appris à partager à cœur ouvert ces choses que nous avons en commun : notre faiblesse, notre incomplétude, notre imperfection, notre inefficacité, nos erreurs, notre manque de plénitude et d'autonomie. Cela, les Alcooliques Anonymes l'ont bien compris, quand ils disent : « Je ne suis pas OK et tu n'es pas OK, mais c'est OK. » C'est cette sorte de douceur qui fait en sorte que les frontières ou les barrières rigides deviennent des membranes souples, qui laissent filtrer une part de nous à l'extérieur et permettent à une part des autres de s'infiltrer en nous. Cette sorte d'individualisme reconnaît notre interdépendance, pas seulement dans les slogans intellectuels à la mode, mais au plus profond de notre cœur. C'est cette sorte d'individualisme qui rend possible l'existence d'une véritable communauté.

CHAPITRE III

LA VÉRITABLE SIGNIFICATION
DE LA COMMUNAUTÉ

Dans notre culture où règne l'individualisme absolu – où nous n'osons pas, en général, être honnête envers nous-mêmes, ou tout au moins envers la personne assise à côté de nous à l'église –, nous répétons à l'envi le mot « communauté ». Nous qualifions ainsi à peu près n'importe quel regroupement – ville, église, synagogue, fraternité quelconque, immeuble, association professionnelle –, en oubliant la piètre communication qui s'y établit. C'est là un mauvais usage du mot.

Si nous voulons utiliser le mot à bon escient, nous devons le restreindre à un groupe d'individus qui ont honnêtement appris à communiquer entre eux. Ils ont développé des relations allant au-delà d'une maîtrise de soi apparente et ainsi qu'un profond désir de « se réjouir ensemble, de souffrir ensemble », de « prendre plaisir à la compagnie des autres et de faire leur la condition d'autrui ». Mais, à quoi peut donc ressembler un groupe aussi rare? Quel est son mode de fonctionnement? Quelle est la véritable définition de la communauté?

Il est difficile de définir ou d'expliquer les choses plus

petites que nous. Par exemple, j'ai dans mon bureau une minuscule chaufferette d'appoint qui fonctionne à l'électricité. Si
j'étais électricien, je pourrais la démonter et vous expliquer
exactement le fonctionnement de l'appareil. À une chose près :
de quelle façon le fil et la fiche sont-ils branchés à l'électricité.
Bien que ses lois physiques soient connues, il y a certaines
questions concernant l'électricité auxquelles l'électricien le plus
compétent ne peut lui-même répondre. Cela, parce que l'électricité est une chose qui nous dépasse.

Il existe plusieurs phénomènes du même genre : par
exemple, Dieu, le bien, l'amour, le mal, la mort, la conscience. Ce sont de vastes notions, qui ont plusieurs facettes.
Le mieux que nous puissions faire est de décrire ou de définir
une seule facette à la fois. Même alors, nous avons le sentiment de ne jamais pouvoir sonder ces questions en profondeur.
Tôt ou tard, nous atteignons inévitablement le cœur du mystère.

La communauté est un autre de ces phénomènes. Comme
l'électricité, elle obéit à des lois très strictes. Et pourtant,
intrinsèquement, quelque chose de mystérieux, de miraculeux,
d'insondable demeure en elle. Voilà pourquoi il est impossible
de définir la véritable communauté par une seule phrase qui lui
rende justice. La communauté est quelque chose de plus que la
somme de ses parties, de ses membres individuels. Qu'est-ce
que ce « quelque chose de plus » ? Ne serait-ce que pour répondre à cette question, nous entrons dans un domaine quasiment
mystique. Un domaine où les mots ne sont jamais tout à fait
adéquats et où le langage lui-même est impuissant.

La comparaison avec le diamant vient naturellement à
l'esprit. La communauté est contenue en germe dans l'espèce
humaine – essentiellement sociale –, de la même manière que
le diamant se trouve à l'origine dans le sol. Mais à ce stade il
n'est pas encore un diamant, il n'est qu'une possibilité de
diamant. Voilà pourquoi les géologues parlent du diamant brut
comme d'un simple caillou. Un groupe devient une communauté un peu comme le caillou devient un diamant – en le

taillant et en le polissant. Une fois taillé et poli, c'est une chose magnifique. Mais le mieux que nous puissions faire pour décrire sa beauté, c'est d'en décrire les facettes. Comme le diamant, la communauté a plusieurs facettes, et chaque facette n'est qu'un aspect d'un tout qui défie toute description.

Autre mise en garde : le diamant de la communauté est d'une beauté tellement sublime qu'il peut paraître aussi irréel qu'un rêve d'enfant, d'une beauté qui semblera inaccessible. Comme l'ont fait remarquer Bellah et ses collaborateurs [1], la notion de communauté « peut sembler une utopie : la volonté de créer une société parfaite. Mais nous parlons d'une transformation à la fois nécessaire et modeste. Sans elle, l'avenir semble bien peu envisageable ». Le problème est que l'absence de communauté est une réalité si commune dans notre société que quiconque n'en a pas fait l'expérience peut avoir envie de raisonner ainsi : comment y arriver en partant d'où nous sommes ? La chose *est* possible ; nous *pouvons* y arriver en partant d'où nous sommes. N'oubliez pas que le profane croira qu'il est impossible de transformer un caillou en diamant.

Les facettes de la communauté sont profondément liées entre elles. Aucune ne peut exister sans l'autre. Elles se créent l'une et l'autre, rendent possible leur existence mutuelle. Il en résulte un seul modèle pour isoler et nommer les caractéristiques les plus importantes de la véritable communauté.

OUVERTURE, ENGAGEMENT ET CONSENSUS

La communauté fait et doit faire preuve d'ouverture.

La pire ennemie de la communauté est l'exclusion. Les groupes qui excluent des gens parce qu'ils sont pauvres, sceptiques, divorcés, pécheurs, d'une race ou d'une nationalité différentes, ne sont pas des communautés ; ce sont des cliques – en réalité, des bastions qui s'opposent à la communauté.

1. Robert Bellah *et al.*, *Habits of the Heart*, Berkeley, Ca, University of California Press, 1985, p. 286.

L'ouverture n'est jamais totale. Les communautés à long terme luttent inévitablement pour déterminer leur degré d'ouverture. Il arrive parfois que les communautés à court terme doivent elles-mêmes prendre ce genre de décisions difficiles. Mais, pour la plupart des groupes, il est plus facile d'exclure que d'inclure. Les clubs et les sociétés commerciales se préoccupent fort peu de faire preuve d'ouverture, à moins que la loi ne les y oblige. En revanche, les véritables communautés chercheront toujours à prendre de l'expansion si elles veulent demeurer telles. Le fardeau de la preuve revient toujours à l'exclusion. Les communautés ne se demandent pas : « Sommes-nous justifiées d'admettre cette personne ? » Au contraire, elle se pose la question suivante : « Est-il vraiment justifié de garder cette personne hors de nos rangs ? » Si on les compare à d'autres regroupements dont les dimensions et les buts sont similaires, les communautés font preuve en général d'une plus grande ouverture.

À Friends Seminary, lors de ma première expérience de la communauté, les frontières entre les niveaux, entre les élèves et les professeurs, entre les jeunes et les vieux, étaient parfaitement « souples ». Aucun groupe n'était tenu à l'écart, personne n'était exclus. Tous étaient les bienvenus dans les soirées. Aucune pression n'était faite en vue de se conformer à un modèle. Ainsi le caractère ouvert d'une communauté s'étend-il à tous ses paramètres. Il y a un « globalisme » propre à la communauté. Il ne s'agit pas seulement d'inclure des races, des sexes et des croyances différentes. La communauté inclut également toute la gamme des émotions humaines. Les larmes sont aussi bien accueillies que les rires, la crainte que la confiance. De même pour les styles différents : les faucons comme les colombes, les homosexuels comme les hétérosexuels, les Graéliens comme les Sears Roebuckiens, les volubiles comme les silencieux. La communauté laisse place à toutes les différences humaines. Chaque individualisme « doux » y trouve son compte.

Comment est-ce possible ? Comment peut-on absorber de

telles différences, comment des gens aussi différents peuvent-ils coexister ? L'engagement – le désir de coexister – est fondamental. Tôt ou tard, à un moment donné (et tôt de préférence), les membres d'un groupe doivent s'engager envers les autres membres et annoncer s'ils veulent former une communauté ou y demeurer. L'exclusion, la pire ennemie de la communauté, apparaît sous deux formes : l'exclusion de l'autre et l'exclusion de soi. Ainsi quand vous vous dites à voix basse : « ce groupe n'est tout simplement pas fait pour moi – il y a trop de ceci ou trop de cela –, je n'ai qu'à reprendre mes billes et à rentrer chez moi. » Cette façon de voir peut se révéler aussi destructrice que si vous en veniez à vous dire de votre mariage : « l'herbe m'a l'air plus verte de l'autre côté de la clôture, et je vais tout simplement m'installer à côté. » Comme dans un mariage, la communauté exige qu'on tienne bon quand les choses deviennent un peu difficiles. Elle exige un certain degré d'engagement. Ce n'est pas par hasard que l'ouvrage de Bellah *et al.* est sous-titré : *Individualisme et engagement dans la vie américaine*. L'engagement doit être le contrepoids à l'individualisme.

En général, si nous tenons bon, nous découvrons après un certain temps que « les moments difficiles le sont moins ». Un de mes amis a fort justement défini la communauté comme un « groupe qui a appris à transcender ses différences individuelles ». Mais c'est là un apprentissage qui demande du temps que seul l'engagement peut apporter. « Transcender » ne veut pas dire « annuler » ou « détruire ». Littéralement, le terme signifie « passer par-dessus ». On peut comparer la formation d'une communauté à l'escalade d'une montagne, une fois le sommet atteint.

Le principal moyen d'en arriver à cette transcendance réside sans doute dans l'appréciation des différences. Au lieu de vouloir ignorer, nier, cacher ou changer les différences entre les humains, la communauté s'en réjouit comme d'un don. Rappelez-vous comment j'ai appris à apprécier chez Lily le don de « composer avec les choses », de même qu'elle a appris à apprécier chez moi le don de les « organiser ». Il va de soi que le mariage est une communauté à long terme qui réunit deux personnes. Cependant, j'ai compris que la dynamique était la même dans les communautés à court terme composées de cinquante ou soixante personnes, où la durée et la profondeur sont inversement proportionnelles. La transformation de nos comportements, qui est réciproque et qui nous a permis, à Lily et à moi, de transcender nos différences, s'est accomplie en vingt ans. Mais il est courant de voir le même effet transcendant se développer en huit heures dans un groupe en train de se constituer en communauté. Dans chaque cas, l'aliénation se transforme en appréciation et en réconciliation. Et, dans chaque cas, la transcendance doit beaucoup à l'amour.

Nous sommes si peu familiers avec la véritable communauté que nous n'avons jamais mis au point le vocabulaire permettant de voir comment fonctionne cette transcendance. Quand nous réfléchissons à la manière dont peuvent s'accommoder les différences, le premier mécanisme que nous évoquons (sans doute parce qu'il rappelle tout naturellement l'enfance) est celui de la forte personnalité d'un meneur. Comme des disputes entre frères et sœurs, nous croyons pouvoir résoudre nos différends par l'intervention de maman ou de papa – d'un dictateur plein de bonnes intentions. Mais la communauté, qui encourage les expressions de l'individualisme, ne peut jamais être totalitaire. Nous nous jetons alors sur une façon moins puérile de rallier nos différences individuelles, que nous appelons démocratie. Nous votons, et la majorité choisit quelle différence l'emportera. La règle est celle de la majorité. Cependant, le procédé ne tient pas compte des aspirations de la minorité. Comment pouvons-nous transcender nos différences de façon à inclure les aspirations de la minorité? Cela tient de l'énigme. Comment surpasser la démocratie et où cela nous mènera-t-il?

Dans les véritables communautés dont j'ai fait partie, nous avons pris des centaines de décisions collectives et, pourtant, je n'ai jamais assisté à un vote. Je ne veux pas dire que nous avons tout simplement mis au rancart l'appareil démocratique, ni que nous devrions le faire, pas plus que nous ne devrions en abolir les structures. Ce que je veux démontrer c'est que la communauté qui transcende les différences individuelles va régulièrement au-delà même de la démocratie. Pour décrire cette transcendance, notre vocabulaire n'a pour le moment qu'un mot : « consensus ». Au sein d'une véritable communauté, les décisions se prennent par consensus comme dans une communauté de jurés.

Encore une fois, comment est-il possible qu'un groupe où l'individualisme est encouragé et où s'épanouissent les différences individuelles en arrive périodiquement à un consensus? Même si nous en venons un jour à mettre au point un langage plus raffiné pour décrire les actions de la communauté, je doute fort que nous ayons jamais une formule qui décrive le procédé à l'œuvre dans le consensus. En soi, c'est une aventure. Un élément quasi mythique ou magique est inhérent au procédé. Mais cela fonctionne. Ce sont les autres facettes de la communauté qui nous éclaireront sur son mode de fonctionnement.

RÉALISME

Une deuxième caractéristique de la communauté est son réalisme. Ainsi, au sein de la communauté du mariage, quand Lily et moi abordons une question, par exemple la façon d'agir avec l'un de nos enfants, nous avons plus de chances d'en venir à une solution réaliste si nous en discutons ensemble. Cela pour une seule raison : il est extrêmement difficile pour un seul parent de prendre les décisions appropriées au sujet de ses enfants. Même si, au mieux, Lily et moi étions capables d'en arriver seulement à deux opinions différentes, celles-ci étaient tempérées l'une par l'autre. Dans les communautés plus importantes, le procédé est encore plus évident. Une communauté de soixante personnes en vient généralement à adopter une douzaine de points de vue différents. L'espèce de salade composée qui en résulte à titre de consensus est d'habitude beaucoup plus créatrice que ne pourrait l'être n'importe quel mets à deux ingrédients.

Nous sommes habitués de voir dans les comportements collectifs des comportements souvent primitifs. D'ailleurs j'ai moi-même écrit sur la facilité avec laquelle des groupes peuvent devenir néfastes[2]. « Psychologie de masse » est à proprement parler une expression vernaculaire. Mais les groupes, quelle que soit leur nature, sont rarement de véritables communautés. Entre un groupe ordinaire et une communauté, il y a en effet plus qu'une différence de quantité ; ce sont des phénomènes complètement différents. Par définition, la véritable communauté est immunisée contre la psychologie de masse, parce qu'elle encourage l'individualisme et fait place à un éventail de points de vue. Que de fois ai-je vu une communauté sur le point de prendre une décision ou de fixer une certaine norme, et l'un de ses membres s'exclamer : « Un moment, je ne suis pas sûr d'être capable d'accepter cela. » Un phénomène de psychologie de masse ne peut avoir lieu dans un environnement où les individus sont libres de dire ce qu'ils pensent et de nager à contre-courant. La communauté appartient à ce genre d'environnement.

La communauté est davantage capable d'envisager l'aspect global d'une situation que ne le ferait un individu, un couple ou un groupe ordinaire, parce que la communauté a admis des membres qui défendaient plusieurs points de vue différents, avec la liberté de les faire entendre. Ses conclusions, qui font place à la nuit comme à la lumière, au sacré comme au profane, au chagrin comme à la joie, à la gloire comme à la vilénie, sont bien étayées. Rien ne peut être oublié. Forte d'analyses aussi variées, la communauté cerne la réalité de plus en plus près. Par conséquent, des décisions réalistes sont plus susceptibles d'être prises dans une communauté que dans tout autre environnement humain.

2. M. Scott Peck, *People of the Lie : The Hope of Healing Human Evil*, New York, Simon and Schuster, 1983.

Il faut souligner un aspect important du réalisme de la communauté : l'humilité. Alors que l'individualisme absolu prédispose à l'arrogance, l'individualisme « doux » de la communauté conduit à l'humilité. Appréciez les talents de chacun, et vous serez capable d'apprécier vos propres limites. Assistez à l'effondrement des autres, et vous serez capable d'accepter votre propre incompétence et votre propre imperfection. Soyez parfaitement conscient de la variété de l'espèce humaine, et vous serez prêts à admettre l'interdépendance des êtres humains. Quand un groupe d'individus fait toutes ces choses – à mesure que se forme la communauté –, il devient de plus en plus humble et par conséquent plus réaliste. Selon vous, quelle sorte de groupe est le plus susceptible de prendre une décision sage et réaliste : un groupe arrogant ou un groupe humble ?

CONTEMPLATION

Une communauté est humble, donc réaliste, notamment parce qu'elle est contemplative. Elle s'auto-examine. Elle a conscience de soi. Elle se connaît. Le « Connais-toi toi-même » est la vraie règle de l'humilité. Voici un extrait d'un ouvrage classique du XIVe siècle sur la contemplation, *The Cloud of Unknowing* : « L'humilité n'est en soi rien d'autre que la connaissance et la perception qu'un homme a de lui tel qu'il est en vérité. En effet, tout homme qui se connaît et se perçoit tel qu'il est est obligatoirement un homme humble [3]. »

Le mot « contemplatif » a plusieurs connotations. La plupart s'attachent à la conscience. Le but principal de la contemplation est d'accroître la conscience du monde à l'extérieur de soi, du monde à l'intérieur de soi, et des liens entre les deux. L'homme qui se contente d'une conscience de soi limitée ne peut être appelé un contemplatif. On peut aussi se demander s'il possède suffisamment de maturité psychologique

---

3. New York, Julian Press, 1969, p. 92; traduction anglaise de Ira Progoff.

ou s'il est sain sur le plan émotif. L'auto-examen est la clé qui mène à la perspicacité, qui est elle-même la clé de la sagesse. Platon l'a dit sans ambages : « Une vie sans examen ne vaut pas la peine d'être vécue [4]. »

Dès le départ, le processus de création d'une communauté fait appel à l'auto-examen. À mesure que les membres du groupe apprennent à réfléchir pleinement sur eux-mêmes, ils apprennent également à réfléchir sur le groupe. « Comment allons-*nous* ? », vont-ils se demander de plus en plus fréquemment. « Suivons-*nous* la trajectoire prévue ? Formons-*nous* un groupe sain ? Avons-*nous* perdu l'esprit ? »

L'esprit de la communauté ne règne pas en permanence. Il est impossible de le mettre en bouteille ou de le conserver en gelée. On le perd régulièrement. Rappelez-vous comment, dans les derniers moments vécus par le groupe Tavistock de Mac Badgely, en 1967, nous avons recommencé à nous quereller après avoir vécu ensemble des moments de profonde camaraderie. Mais rappelez-vous aussi que, très vite, nous avons été capables d'admettre le fait, parce que nous étions devenus conscients de nous-mêmes en tant que groupe. Et, parce que nous avons pu rapidement trouver la cause du problème – le clivage entre Graéliens et Sears Robuckiens –, nous avons été capables de surmonter rapidement nos divisions pour retrouver l'esprit de la communauté.

Aucune communauté ne peut espérer se maintenir toujours en parfaite santé. Cependant, la véritable communauté, qui est un corps contemplatif, reconnaît les atteintes à sa santé quand elles se produisent et prend aussitôt des mesures pour se soigner. Du reste, plus longue est la maladie, plus saine et plus efficace devient la communauté tout au long du traitement. À l'inverse, les groupes qui n'ont jamais appris à être d'abord contemplatifs, ou bien ne forment jamais une communauté, ou bien se séparent pour toujours.

---

4. Platon, *Apologie de Socrate*, trad. du grec par Émile Chambry, Paris, Garnier-Flammarion, 1965, p. 51.

UN ENDROIT SÛR

Ce n'est pas par hasard que j'ai pu réapprendre « l'art perdu des larmes » à l'âge de trente-six ans, à un moment où je faisais partie d'une véritable communauté. Malgré ce réapprentissage, l'éducation que j'avais reçue enfant reposant sur l'individualisme absolu fut suffisamment efficace pour qu'aujourd'hui encore je ne m'autorise à pleurer en public que si je me sens dans un endroit sûr. Chaque fois que je réintègre une communauté, un de mes plaisirs est de retrouver « le don des larmes ». Je ne suis pas le seul. Quand un groupe a réussi à former une communauté, une phrase revient fréquemment chez les membres : « Ici, je me sens en sécurité. »

C'est un sentiment rare. La plupart d'entre nous ont passé presque toute leur vie à se sentir à demi rassurés seulement, voire pas du tout. Ils sont rares, les moments, si jamais ils existent, où nous avons senti que nous pouvions être tout à fait nous-mêmes. Ils sont rares, les moments, si jamais ils existent, où, dans un groupe quelconque, nous nous sommes sentis acceptés ou susceptibles de l'être. Aussi chacun, ou presque, est-il sur ses gardes quand il se joint à un nouveau groupe. C'est une méfiance spontanée. Même si l'on s'efforce consciemment de se montrer ouvert et vulnérable, les mécanismes de défense inconscients trouvent le moyen de demeurer très actifs. De surcroît, reconnaître d'emblée sa vulnérabilité ne suscite trop souvent que de la crainte, de l'hostilité ou des efforts maladroits de guérison ou de conversion. Seuls les plus courageux ne choisiront pas de réintégrer leur forteresse.

Dans des circonstances normales, rien ne remplace la communauté instantanée. Un groupe d'étrangers doit déployer beaucoup d'efforts pour en venir à former une communauté vraie et sûre. Mais, quand ils réussissent, c'est comme si les digues étaient ouvertes. Dès l'instant où l'on a le sentiment de pouvoir parler avec son cœur, dès l'instant où la plupart des membres du groupe ont compris qu'on les écoutera et qu'ils seront acceptés pour ce qu'ils sont, des flots de frustrations, de chagrin, de remords et de douleurs refoulés pendant des années et des années se déversent enfin avec une violence inouïe. La vulnérabilité est un peu la boule de neige de la communauté. Ayant appris à montrer leur vulnérabilité, les membres découvrent qu'ils sont estimés et appréciés et dès lors deviennent de plus en plus vulnérables. Les barrières s'effondrent. Tandis qu'elles s'effondrent et qu'augmentent l'amour et la tolérance, tandis que croît l'intimité entre les êtres, la guérison et la conversion véritable peuvent commencer. Chacun soigne de vieilles blessures, pardonne de vieilles rancunes et surmonte de vieilles résistances. L'espoir remplace la crainte.

Une autre caractéristique de la communauté est donc qu'elle guérit et convertit. Mais je n'ai pas voulu inclure cette caractéristique dans ma liste, de crainte que la subtilité de cette caractéristique soit mal comprise. Cela parce que la plupart de nos efforts pour guérir et convertir ne font qu'entraver la formation de la communauté. Les êtres humains aspirent et croient naturellement à la santé, à la plénitude et à la sainteté (les trois mots ont la même racine). Cependant, la plupart du temps, cette confiance, cette énergie, sont entravées par la peur et neutralisées par les défenses et les résistances. Mais il suffit que l'être humain se trouve dans un lieu où il se sent entièrement en sécurité, où ses défenses et ses résistances n'ont plus de raison d'être, pour que se manifeste aussitôt son désir de santé. Quand nous nous sentons en sécurité, nous avons naturellement envie de guérir et de nous convertir.

En général, les psychothérapeutes expérimentés admettent le fait. Les débutants, eux, croient que leur but est de guérir le patient et souvent ils croient y avoir réussi. Avec l'expérience, ils découvrent cependant qu'ils n'ont pas le pouvoir de guérir. Toutefois ils apprennent que ce pouvoir se trouve dans leur capacité d'écouter, d'accepter le patient et d'établir avec lui ou avec elle une « relation thérapeutique ». Ils se préoccupent donc moins de guérir que de faire de leur relation un lieu sûr où le patient est le plus susceptible de se guérir lui-même.

Paradoxalement, un groupe d'êtres humains ne commence

donc à se guérir et à se convertir que lorsqu'il a compris qu'il doit cesser tout effort de guérison et de conversion. La communauté est un endroit sûr, précisément parce que personne ne veut vous guérir ou vous convertir, vous définir ou vous transformer. Au contraire, les membres vous acceptent tel que vous êtes. Vous êtes libre d'être vous-même. Et, parce que vous êtes libre à ce point, vous êtes libre de laisser tomber vos défenses, vos masques, vos déguisements ; libre de trouver la santé psychologique et spirituelle qui est la vôtre ; libre de devenir pleinement et sainement vous-même.

UN LABORATOIRE
POUR LE DÉSARMEMENT INDIVIDUEL

En 1984, alors que prenait fin une expérience de vie en communauté de deux jours, une femme d'âge mûr annonça au groupe : « Je sais que Scotty a dit que nous n'étions pas censés abandonner le groupe, cependant, hier soir, quand nous sommes rentrés, mon mari et moi, nous songions sérieusement à le faire. Je n'ai pas bien dormi la nuit dernière, et j'étais sur le point de ne pas me présenter ce matin. Mais il est arrivé quelque chose de très étrange. Hier, je vous regardais tous avec des yeux très sévères. Aujourd'hui, pourtant, pour une raison que j'ignore, je suis plus indulgente, et je me sens en pleine forme. »

Cette transformation – qui survient régulièrement dans une communauté – est du même ordre que celle vécue dans l'histoire du cadeau du rabbin. Le monastère en ruines et le groupe moribond accèdent à la vie (et à la communauté) une fois que ses membres ont commencé à se regarder mutuellement avec indulgence, à se voir à travers la lorgnette du respect. Dans notre culture dominée par l'individualisme absolu, il peut sembler étrange que cette transformation se produise au moment même où nous commençons « à craquer ». Tant que nous nous regardons les uns les autres à travers le masque que nous avons décidé de porter, nous nous regardons avec sévérité. Mais dès que les masques tombent et que nous voyons la souffrance, le courage, les blessures et la plus grande dignité qu'il y a derrière, nous commençons réellement à nous respecter mutuellement en tant qu'êtres humains.

Un jour que je parlais de la communauté aux dirigeants d'une communauté ecclésiastique, l'un d'entre eux fit sagement remarquer : « Ce que je comprends, c'est que la communauté passe par la confession des blessures. » Il avait raison, bien sûr. Mais n'est-ce pas étonnant que, dans notre culture, il faille « confesser » ses blessures ? Nous voyons la confession comme un geste secret, à faire dans la pénombre du confessionnal, sous la garantie d'un ecclésiastique de profession ou sous le sceau de la confidentialité d'un psychiatre. La réalité est que tout être humain est blessé et vulnérable. N'est-ce pas étrange que nous ayons le réflexe de cacher nos blessures quand nous sommes blessés ?

La vulnérabilité existe dans les deux sens. La communauté, c'est d'abord pouvoir montrer ses blessures et ses faiblesses à ses semblables. C'est ensuite la faculté de se sentir atteint par les blessures des autres, d'être blessé par leurs blessures. Voilà ce que la dame dont je parlais entendait par « indulgence ». Ses yeux n'étaient plus des barrières, et elle se sentait, effectivement, merveilleusement bien. Nos blessures recèlent une part de douleur. Mais, chose plus importante encore, chaque fois que, nous partageons mutuellement nos blessures, une part d'amour s'en dégage. Cependant, il est impossible de nier la part de risque que comporte un tel partage au sein de notre culture – le risque de violer la norme de la prétendue invulnérabilité. Pour la plupart d'entre nous, c'est là une nouvelle forme de comportement – et il semble qu'elle soit potentiellement dangereuse.

Cela peut sembler bizarre de parler de la communauté comme d'un *laboratoire*. Le mot évoque un endroit aseptisé, rempli d'instruments plutôt qu'un endroit de douceur. Cependant, il existe une meilleure définition du mot *laboratoire* : un endroit sûr pour procéder à des expériences. Nous avons besoin de ce genre de lieux, car, lorsque nous procédons à des expériences, nous essayons – nous testons – de nouvelles façons de faire les choses. La communauté ne procède pas autrement : elle est un endroit sûr pour expérimenter de nouveaux types de comportement. Quand on leur donne la possibilité de vivre dans ce genre d'endroits, la plupart des gens, forts de l'amour et de la confiance qu'ils ressentent, font en général des expériences avec une intensité plus grande que jamais. Ils abandonnent leurs défenses et leurs positions offensives, ils laissent tomber les barrières de la méfiance, de la peur, du ressentiment et des préjugés. Ils font l'expérience de la vulnérabilité. Ils font l'expérience de la paix – de la paix avec eux-mêmes et avec le groupe. Et ils découvrent que l'expérience peut réussir.

Le propre de l'expérimentation est de nous procurer une nouvelle *expérience* dont nous pourrons tirer une sagesse nouvelle. En faisant l'expérience de la vulnérabilité, les membres d'une véritable communauté découvrent *par expérimentation* les règles et les vertus du pacifisme. C'est une expérience personnelle si puissante qu'elle peut être le moteur d'une quête de la paix à l'échelle mondiale.

UN GROUPE QUI SAIT SE BATTRE AVEC GRÂCE

À première vue, il peut sembler paradoxal que la communauté, ce lieu sûr et ce laboratoire de désarmement, soit aussi un lieu de conflits. Une anecdote aidera peut-être à le comprendre. Un jour, un maître soufi se promenait dans la rue avec ses disciples. Sur la grand-place, le groupe tomba sur les troupes gouvernementales et les forces rebelles qui s'affrontaient avec acharnement. Effrayés par tout le sang versé, les disciples implorèrent : « Vite, Maître, dites-nous de quel côté nous devons nous ranger. »

« Des deux côtés », répondit le Maître.

Les disciples étaient confus. « Les deux ? demandèrent-ils. Pourquoi devrions-nous venir en aide aux deux camps ? »

« Nous devons aider les autorités pour qu'elles apprennent à entendre les aspirations du peuple, répondit le Maître. Et nous devons aider les rebelles pour qu'ils apprennent à ne pas rejeter l'autorité en bloc. »

Il n'y a pas de camp au sein d'une véritable communauté. Ce n'est pas toujours facile, mais, à partir du moment où ils forment une communauté, les membres ont appris à ignorer les cliques et les chapelles. Ils ont appris à s'écouter entre eux et à ne pas se repousser. Il arrive parfois, presque miraculeusement, que la communauté en vienne très vite à un consensus. Mais parfois le consensus n'est atteint qu'après une longue lutte. Ce n'est pas parce que la communauté est un endroit sûr qu'elle est un endroit sans conflits. En revanche, elle est un endroit où l'on peut résoudre les conflits sans violence physique ou morale, avec sagesse aussi bien qu'avec grâce. La communauté est un groupe qui sait se battre avec grâce.

Ce n'est pas par hasard qu'il en est ainsi. Pour la simple raison que la communauté est une arène où les gladiateurs ont laissé tomber leurs armes et leurs armures, où ils ont appris à écouter et à comprendre, où ils respectent les talents des uns et des autres et acceptent leurs limites, où ils se réjouissent de leurs différences et pansent mutuellement leurs blessures, où ils s'efforcent de faire front pour la lutte au lieu de se battre entre eux. Il s'agit, à vrai dire, du champ de bataille le plus inusité qui soit. C'est précisément à cause de cela qu'il est un endroit étrange et efficace pour résoudre les conflits.

Le monde est rempli de conflits réels, dont les plus violents ne semblent jamais devoir se terminer. Mais, à l'étranger, les ressortissants de ces pays se répètent une histoire. En gros, elle se réduit à ceci : « Si nous sommes capables de résoudre nos conflits, un jour alors nous serons capables de vivre ensemble au sein d'une communauté. » Mais se pourrait-il qu'il faille voir les choses complètement à l'opposé ? Et que le véritable rêve s'énonce ainsi : « Nous pourrons résoudre un jour nos conflits si nous pouvons vivre au sein d'une communauté »?

LE GROUPE DE TOUS LES CHEFS

En tant que chef d'un groupe, j'ai découvert que ma fonction est terminée dès que le groupe forme une communauté. Je peux alors m'asseoir, me détendre et n'être qu'une personne parmi d'autres, pour la simple raison qu'une autre des caractéristiques de la communauté est le caractère entièrement décentralisé de l'autorité. Rappelons-nous que la communauté est par essence antitotalitaire. Ses décisions s'obtiennent par consensus. On dit souvent que les communautés sont des groupes sans chef. Mais il est plus précis de dire que la communauté est le groupe de tous les chefs.

Dans la communauté, qui est un endroit sûr, les leaders-nés se sentent libres – souvent pour la première fois de leur vie – de ne *pas* mener. Et ceux qui sont habituellement timides ou réservés se sentent libres de mettre de l'avant leurs qualités de leadership jusque-là tenues en veilleuse. Il en résulte que la communauté est le corps décisionnel idéal. L'expression « le chameau est un cheval créé par un comité » ne signifie pas que les décisions collectives sont obligatoirement peu pratiques et imparfaites ; elle signifie simplement que les comités ne sont presque jamais des communautés.

C'est ainsi que les choses se sont passées, en 1983, quand j'ai dû prendre la décision la plus difficile de ma vie – si difficile que je savais que mon intelligence limitée ne me permettait pas de la prendre tout seul, même en faisant appel à un expert. J'ai demandé de l'aide, et vingt-huit hommes et femmes sont accourus à mon secours, en provenance de partout à travers le pays. Comme je m'y attendais, 80 p. cent des trois jours passés ensemble ont servi à nous constituer en communauté. Ce n'est qu'à la toute fin, au cours des dernières heures, que nous nous sommes enfin penchés sur la décision à prendre. Nous l'avons prise avec la fulgurance et la brillance de l'éclair.

L'une des plus merveilleuses caractéristiques de la communauté est ce que j'appelle « le flux de leadership ». C'est à cause de ce flux qu'en 1983 notre communauté a pu en venir à une décision aussi rapide et aussi efficace. Parce que les membres se sentaient libres d'exprimer leurs pensées, tout au long du processus de prise de décision, tout se passa comme si les talents de chacun se manifestaient exactement au bon moment. Ainsi un membre proposait une partie de la solution. Chacun reconnaissant la sagesse de la proposition, tous s'inclinaient de telle sorte qu'aussitôt, de façon presque magique, un deuxième membre pouvait enchaîner avec une autre partie de la solution. Et le mouvement se poursuivit ainsi à travers tout le groupe.

Au sein de la communauté, le flux de leadership est chose commune. Le phénomène a des implications profondes pour quiconque cherche à améliorer le processus de prise de décision, que ce soit dans l'entreprise, au sein du gouvernement ou ailleurs. Mais il ne s'agit pas d'un tour de passe-passe, pas plus que d'une chose établie une fois pour toutes. Il faut d'abord former une communauté. Il faut mettre de côté, du moins temporairement, les modèles hiérarchiques traditionnels. Il faut abandonner certaines formes de contrôle. Cela parce qu'il s'agit d'une situation où c'est l'esprit même de la communauté qui dirige et non quelque individu.

UN ESPRIT

La communauté *est* un esprit – mais non au sens où l'expression « l'esprit de la communauté » le laisse entendre habituellement. Pour la plupart d'entre nous, l'expression suppose un esprit de compétition, une sorte d'émulation chauvine, comme chez les partisans d'une équipe gagnante de football ou chez les citoyens particulièrement fiers de leur ville. « Notre ville est meilleure que la vôtre » peut être une expression typique de l'esprit de la communauté.

Mais cette façon de comprendre l'esprit de la communauté est absolument fausse, tout en étant aussi tout à fait superficielle. Elle n'est juste que sur un aspect. Les membres d'un groupe qui ont réussi à former une communauté authentique prennent beaucoup de plaisir – et même de la joie – à se retrouver ensemble en tant que collectivité. Ils savent qu'ils ont gagné quelque chose ensemble, qu'ils ont découvert collectivement une chose de très grande valeur, qu'ils ont « atteint quelque chose ». La similitude s'arrête là. Ainsi l'esprit de la véritable communauté n'a rien de compétitif. Tout au contraire, le groupe animé d'un esprit de compétition n'est pas, par définition, une communauté. La compétiton est toujours à caractère exclusif; la véritable communauté est une ouverture d'esprit. Une communauté qui a des ennemis a perdu l'esprit de la communauté – à supposer qu'elle ne l'ait jamais possédé.

L'esprit de la véritable communauté est l'esprit de la paix. Au tout début des ateliers qui servent à former une communauté, les gens demandent souvent : « Quand saurons-nous que nous formons une communauté? » La question est superflue. Quand un groupe accède à la communauté, il se produit un changement d'esprit radical. Et l'esprit nouveau est presque palpable. On ne peut se tromper. Quiconque l'a senti ne demandera plus jamais : « Quand saurons-nous que nous formons une communauté? ».

Personne ne songera davantage à contester le fait que l'esprit dominant d'un groupe qui accède à la communauté est un esprit de paix. Une quiétude tout à fait nouvelle descend sur le groupe. On a l'impression que les gens parlent plus doucement; et pourtant, étrangement, on entend mieux leurs voix dans la pièce. Il y a des périodes de silence, mais ce silence n'est jamais lourd. En réalité, les gens souhaitent le silence. Ils se sentent calmes. Il n'y a plus rien de frénétique dans l'air. Le chaos est terminé. Comme si la musique avait succédé au bruit. Les gens écoutent et peuvent entendre. Tout n'est que paix.

Mais l'esprit est capricieux. Il ne se laisse pas enfermer dans une définition, comme on peut le faire pour un objet matériel. Voilà pourquoi un groupe qui forme une communauté ne connaît pas toujours la paix au sens habituel du mot. Il peut arriver parfois que ses membres s'affrontent, et avec force. La lutte peut devenir féroce et bruyante et laisser bien peu de place, peut-être aucune, au silence. Mais c'est une lutte productive et non destructrice. Elle conduit toujours à un consensus, parce qu'il s'agit toujours d'une lutte où l'amour a sa place. C'est une lutte qui repose sur l'amour. L'esprit de la communauté est obligatoirement un esprit de paix et d'amour.

L'« atmosphère » de paix et d'amour est une atmosphère si palpable que presque chaque membre de la communauté ressent sa présence comme s'il s'agissait d'un esprit. Voilà pourquoi même les membres athées ou agnostiques d'une communauté parleront des ateliers de formation de la communauté comme d'une expérience spirituelle. La façon d'interpréter cette expérience est cependant très variable. Les individus pourvus d'une conscience séculière ont tendance à dire que l'esprit de la communauté n'est rien d'autre qu'une émanation du groupe lui-même; et si belle que soit la chose, ils s'en tiendront à cette interprétation. En revanche, la plupart des chrétiens ont tendance à adopter une interprétation plus complexe des faits.

L'esprit de la communauté ne se conçoit pas comme un esprit purement humain ou émanant uniquement du groupe. Il est perçu comme extérieur et indépendant du groupe. On se le représente ainsi, comme s'il descendait sur le groupe, de la même manière que l'Esprit-Saint est descendu sur Jésus au moment de son baptême sous forme d'une colombe. Mais cela ne veut pas dire pour autant que la présence de l'esprit est accidentelle ou imprévisible. L'esprit ne peut descendre et prendre racine que dans une terre fertile et bien préparée. Les personnes d'obédience chrétienne voient donc le travail d'élaboration de la communauté comme une préparation à la venue de l'Esprit-Saint. L'esprit de la communauté est une manifestation de l'Esprit-Saint.

Cela ne signifie pas que la communauté est un phénomène essentiellement chrétien. J'ai vu se développer des communautés avec chrétiens et juifs, avec chrétiens et athées, avec juifs et musulmans, avec musulmans et hindous. Les gens de toutes confessions religieuses ou sans religion aucune peuvent former une communauté. Cela ne veut pas dire pour autant que la foi chrétienne garantit la formation d'une communauté. Certaines personnes, qui avaient vu les disciples chasser le démon en invoquant le nom de Jésus, ont cru qu'il s'agissait d'une formule magique. Sans réfléchir davantage, elles se sont donc approchées de certains possédés en criant : « Jésus! Jésus! Jésus! », jusqu'à être à bout de souffle sans que rien ne se produise. Ces personnes n'iront pas plus loin dans la communauté. Par ailleurs, quiconque se réunit avec d'autres personnes (quelle que soit leur confession religieuse, ou même si le nom de Jésus n'est jamais mentionné), désireuses de mettre en pratique les préceptes d'amour, de discipline et de sacrifice qu'exige l'esprit de la communauté, préceptes que Jésus a prônés et mis lui-même en pratique, ces personnes, donc, seront réunies en Son nom, et Il sera présent parmi elles.

Ma grille d'analyse est chrétienne. Par conséquent, l'esprit de la communauté, qui est l'esprit de paix et d'amour, est aussi, pour moi, l'esprit de Jésus. Mais la conception chrétienne de la communauté va encore plus loin. Le dogme de la Trinité – des trois personnes en Dieu – soutient que Jésus, Dieu et l'Esprit-Saint demeurent en quelque sorte unis tout en étant séparés. Si je dis que Jésus est présent dans la communauté, je parle donc également de la présence de Dieu et de l'Esprit-Saint.

Dans la pensée chrétienne, l'Esprit-Saint est particulièrement associé à la sagesse. La sagesse est elle-même perçue comme une sorte de révélation. Pour l'esprit profane, l'homme arrive à la sagesse par la réflexion, par l'étude et par l'expérience. C'est une réussite qui n'appartient qu'aux humains. Parfois nous la méritons. Tout en reconnaissant les mérites de la réflexion, de l'étude et de l'expérience, les penseurs chrétiens croient que la sagesse naît de quelque chose d'autre. En clair, ils croient que la sagesse est un don de Dieu et de l'Esprit-Saint.

La sagesse d'une communauté semble souvent chose miraculeuse. Elle peut toutefois s'expliquer en termes purement profanes : elle résulte de la liberté d'expression jointe à la multiplicité des talents et aux décisions prises par consensus dans une communauté. Mais il y a des moments où cette sagesse apparaît davantage à mon esprit religieux comme une question d'esprit divin et de possible intervention divine. C'est une des raisons pour lesquelles la sensation de joie est si fréquemment liée à l'esprit de la communauté. Temporairement – ou du moins partiellement –, ses membres ont le sentiment d'être transportés hors de la trivialité des préoccupations ordinaires. Pendant un instant, c'est comme si la terre et le ciel s'étaient rejoints.

CHAPITRE IV

NAISSANCE DE LA COMMUNAUTÉ

CRISE ET COMMUNAUTÉ

Les communautés authentiques naissent souvent à la suite d'une crise. Réunis dans la salle d'attente d'une unité des soins intensifs, des étrangers en viennent à partager les espoirs et les craintes, les joies et les peines des uns et des autres, alors qu'à l'autre extrémité de la salle les noms d'êtres chers s'alignent sur la « liste critique ».

Sur une plus grande échelle, en l'espace d'une minute, un tremblement de terre lointain engendre l'effondrement des édifices et la mort de milliers de personnes dans la ville de Mexico. Du coup, nuit et jour, riches et pauvres unissent leurs efforts afin de venir en aide aux blessés et à ceux qui n'ont plus de toit. Pendant ce temps, prenant conscience d'appartenir à la même espèce humaine, des hommes et des femmes de tous les pays ouvrent leurs bourses et leur cœur à des gens qu'ils n'ont jamais vus, qu'ils ne connaîtront même jamais.

Toutefois, une fois la crise passée, la communauté suit – presque toujours – le même chemin. L'esprit de la communauté disparaît dès que les gens retournent chacun à leur vie ordinaire, et il n'y a plus de communauté. Mais la communauté est une chose si magnifique qu'il arrive souvent qu'on regrette les moments de crise qui ont permis son existence. Plusieurs Russes parlent avec émotion des jours extrêmement difficiles qu'ils ont vécus lors du siège de Leningrad, alors que tout le monde se serrait les coudes. Les vétérans américains se souviennent encore des terriers boueux de la Seconde Guerre mondiale, où l'esprit de camaraderie et la signification de l'existence devaient atteindre une profondeur jamais égalée par la suite. Aux États-Unis – et vraisemblablement dans le monde entier –, la communauté qui connaît le plus grand succès se nomme Les Alcooliques Anonymes, la fraternité des A.A. Bill W. mit sur pied le premier groupe des A.A. en juin 1935, à Akron, en Ohio. De nos jours, presque deux générations plus tard, il existe des groupes A.A. – et des groupes Alanon, des groupes Alateen, des groupes Boulimiques Anonymes, des groupes Émotifs Anonymes et d'autres groupes du même genre – dans chaque petit village du pays. Grâce à la communauté des A.A. et aux différentes fraternités qui s'inspirent du même modèle, des millions de gens ont reçu de l'aide, des millions de gens ont donné un sens à leur vie. Tout cela, presque sans organisation, car les fondateurs des A.A. avaient eu la brillante intuition que trop d'organisation pouvait tuer la communauté. Pas de cotisations, pas de budgets, pas d'immeubles. Et pourtant aucun autre phénomène n'a eu d'effet aussi positif sur la nation.

Comme cela se produit avec les victimes d'une catastrophe naturelle, le mouvement A.A. entre en scène quand les gens vivent une crise. Des hommes et des femmes y adhèrent quand ils n'en peuvent plus. Ils s'adressent à lui parce qu'ils réalisent qu'ils ne « contrôlent plus la situation », qu'ils ont besoin d'aide, qu'ils ne peuvent plus s'en sortir tout seuls. Mais on aurait tort de considérer les alcooliques comme une espèce complètement à part. La communauté véritable étant un lieu où hommes et femmes peuvent se montrer tels qu'ils sont en toute confiance, quiconque fait partie d'une communauté, tôt ou tard, avouera ses faiblesses. Nous sommes tous blessés.

Aucun d'entre nous ne contrôle véritablement la situation. Aucun d'entre nous ne peut vraiment s'en sortir tout seul. Nous avons tous besoin d'aide, nous vivons tous des moments de crise, même si la plupart d'entre nous en sommes encore à nous dissimuler, à nous et aux autres, la réalité de nos faiblesses. Les hommes et les femmes des A.A. ne peuvent plus cacher leur alcoolisme ; ils doivent avouer leur faiblesse. La crise est une condition préalable à la communauté A.A., et, d'une certaine manière, l'alcoolisme peut se révéler une bénédiction.

De bonne grâce et avec beaucoup de sagesse, les hommes et les femmes de la Fraternité des A.A. ont choisi d'accroître la portée de cette bénédiction. Dès le début, en effet, ils ont pris l'habitude de ne pas parler d'eux-mêmes comme d'« anciens alcooliques » ou comme d'« alcooliques guéris », mais toujours comme d'« alcooliques en voie de guérison ». Par ce terme, ils laissent entendre que la crise est omniprésente. La guérison n'est jamais totale. Le danger d'une rechute est toujours présent. Comme sont toujours présents le besoin de la communauté et la possibilité d'une croissance psychospirituelle. Une partie du génie des A.A. consiste à reconnaître que l'alcoolisme est une crise permanente.

Le succès remarquable des A.A. laisse entendre que la communauté peut devenir une réalité de tous les jours dès que nous intégrons la crise comme un événement quotidien de notre vie. Il peut sembler étrange de vouloir faire de sa vie une crise quotidienne. Mais je me souviens que la langue chinoise se sert de deux caractères pour désigner le mot crise : l'un signifie « danger » et l'autre « possibilité inconnue ». Il va de soi que nous aimerions que nos vies soient chaque jour des vies remplies de possiblités. De plus, la santé psychologique est une réalité profonde, même si elle n'est que fort peu comprise. Contrairement à ce qu'on pourrait penser, une vie saine n'est pas vraiment une vie caractérisée par une absence de crises. En réalité, la santé psychologique d'un individu se mesure à la *rapidité* avec laquelle il est en mesure d'affronter la crise.

De nos jours, il est courant d'employer le mot crise quand il est question de la « crise du mi-temps de la vie ». Mais bien avant l'apparition de ce terme, très souvent, on pouvait observer le phénomène chez la femme, au moment de la ménopause. Même s'il arrive souvent à certaines femmes d'être déprimées durant la ménopause, la chose n'est pas tout à fait inévitable. Pour citer un exemple volontairement simplifié, je dirais qu'il arrive la chose suivante à une femme en bonne santé psychologique : elle est au milieu de la vingtaine, elle se regarde un jour dans le miroir, voit les pattes d'oie qui commencent à se former au coin des yeux et se dit : « J'ai l'impression que le beau moniteur scout ne viendra pas ce soir. » Dans la trentaine, la même femme, dont le dernier-né entre à la maternelle, se met à réfléchir : « Je devrais peut-être songer à orienter ma vie en fonction d'autre chose que l'univers des enfants. » Elle entreprend alors la tâche ardue de mener une seconde carrière. Puis, dans la cinquantaine, une fois ses règles interrompues, et en faisant abstraction des bouffées de chaleur (qui peuvent être assez désagréables), elle est en mesure de traverser facilement et joyeusement la ménopause parce qu'elle a résolu la crise vingt ans plus tôt.

Cependant, la femme qui tente d'ignorer la crise, qui espère toujours que le beau moniteur scout viendra ce soir et qui n'a développé aucun autre intérêt important dans la vie en dehors de ses enfants, cette femme-là risque de se trouver aux prises avec de sérieuses difficultés. Faut-il s'étonner, qu'elle s'effondre au moment où cessent ses règles (et qui coïncide avec le temps où le maquillage est impuissant à cacher les rides et où les enfants ont quitté la maison, la laissant seule dans un nid vide avec une existence tout aussi vide) ?

Si j'ai évoqué cet exemple, ce n'est pas pour réduire à un stéréotype les femmes ou les problèmes de l'âge mûr. Les hommes vivront différemment ces problèmes, mais avec autant d'acuité et autant de chances de les résoudre de manière positive ou négative. Ce ne sont pas des problèmes faciles. Mais ils sont la preuve que la santé psychologique consiste à affronter et à dénouer les crises aussi rapidement que possible, de manière à pouvoir passer à la suivante. Singulièrement, la meilleure façon de mesurer la santé psychospirituelle d'une personne est de faire le compte des crises traversées au cours d'une vie.

Il existe une forme redoutable de troubles psychologiques qui amènent les victimes à se détruire en se mettant dans la peau d'un autre. Mais pour nous, êtres humains, le malheur de loin le plus répandu consiste à ne pas vivre notre vie avec ce qu'il faut de sens théâtral. Les gens qui mènent une vie religieuse active ont ici un autre avantage. Les gens à l'esprit séculier connaissent des hauts et des bas dans leur vie, tandis que ceux, qui ont un esprit religieux, connaissent des « crises spirituelles ». Il est bien plus digne, ou du moins il semble qu'il en soit ainsi, de connaître une crise spirituelle que de traverser une dépression. C'est souvent aussi la meilleure façon de voir les choses. Mais, en réalité, on peut penser que tous les problèmes psychologiques sont une crise vécue par l'esprit humain. Au cours de ma pratique de psychothérapeute, je dois souvent peiner dur si je veux amener mes patients à prendre conscience de leur propre importance et de la portée dramatique de leur vie.

Dans notre vie, nous n'avons pas besoin de fabriquer des crises ; il n'y a qu'à reconnaître leur existence. Il nous faut admettre en effet que nous vivons à une époque où le besoin de communauté a atteint un seuil critique. Mais nous avons le choix. Nous pouvons continuer à prétendre qu'il n'en est rien. Nous pouvons continuer à refuser d'affronter la crise jusqu'au jour où, sur le plan individuel et collectif, nous nous détruirons nous-mêmes et détruirons la planète. Jusqu'à la fin, nous pouvons garder nos distances avec la communauté. Nous pouvons aussi prendre conscience du drame de notre vie et adopter les mesures qui s'imposent pour la sauver.

LA COMMUNAUTÉ QUI NAÎT PAR HASARD

Nos besoins – notre désir inconscient – et l'immense attrait de la communauté font en sorte qu'il nous arrive souvent par hasard de faire l'expérience de la communauté, même en l'absence de crise apparente. C'est ce qui nous est arrivé, à moi et à d'autres, dans le groupe Mac Badgely, dans le Groupe Tech à Okinawa et dans le groupe T de Lindy à Bethel, dans le Maine. Mais c'était chaque fois pile ou face. Rappelez-vous que les autres groupes de Mac et que les autres groupes T n'ont pas réussi à former une communauté. Parfois, la chose se produit ; parfois non.

C'est un hasard de cette sorte qui devait raviver mon intérêt pour la question de la communauté. En 1981, l'Université George-Washington me demanda de diriger un atelier sur la « croissance spirituelle ». N'ayant jamais été un professeur ou un véritable chercheur, je n'étais pas très sûr de posséder les qualifications nécessaires. Cependant, par le plus heureux des hasards, j'avais eu l'occasion de lire, quelques mois auparavant, un article paru dans une revue universitaire réputée et qui avait quelque rapport avec le sujet. Le titre de l'article était : « Education as Transformation : Becoming a Healer Among the Kung and Fijians ». Son auteur était un anthropologue, Richard Katz, qui racontait l'itinéraire spirituel de ces personnes que deux sociétés « primitives », situées à l'autre bout du monde, appelaient des guérisseurs [1]. Ces deux cultures avaient des théologies tout à fait différentes. Mais j'ai été frappé par le fait que l'itinéraire spirituel des deux guérisseurs avait suivi une dynamique semblable. Qui plus est, leur itinéraire ressemblait à l'itinéraire spirituel de bon nombre de moines, de religieuses et d'autres personnes de notre propre culture. Je compris que cet article n'était pas seulement perti-

---

1. Richard Katz, « Education and Transformation: Becoming a Healer Among the Kung and Fijians », *Harvard Educationnal Review*, vol. 51, n° 1, 1981.

nent en ce qui concernait l'atelier que je devais diriger, mais qu'il ferait aussi en sorte que mon érudition impressionne grandement la soixantaine de participants attendus. Je commandai soixante copies de l'article et les emportai avec moi.

Au début de l'atelier, je donnai une copie de l'article à chaque participant et leur laissai une demi-heure pour le lire. Puis je leur demandai d'y réfléchir en silence pendant dix minutes. Enfin, comme nous étions assis en cercle, je les priai de commencer à discuter entre eux de l'article et leur dis que je choisirais des thèmes parmi les sujets abordés dans leur discussion.

Je croyais que c'était là la démarche prudente d'un intellectuel.

Dès le début de la discussion, les membres du groupe remarquèrent la similitude entre la dynamique des itinéraires spirituels des Kung, des Fijians et les leurs. Mais là n'était pas la question, cela les intéressait à peine. Cependant, la discussion permit de percevoir très vite qu'ils enviaient profondément les guérisseurs de ces sociétés « primitives ».

Le hasard avait fait que presque tous les participants à cet atelier étaient des professeurs, des infirmières, des thérapeutes ou des ministres du culte : eux-mêmes guérisseurs professionnels. Ils vivaient et travaillaient au cœur de Washington ou dans ses « banlieues-dortoirs », et se sentaient profondément isolés de leur propre société et de ceux auxquels ils devaient venir en aide. L'article expliquait que les guérisseurs des Kung et des Fijians vivaient avec leurs patients dans de petits groupes intégrés au monde rural. Les participants parlaient des Kung et des Fijians avec beaucoup d'envie. Le sujet principal de l'atelier devint très vite leur propre solitude, qui était à faire hurler.

Ce n'était pas un débat très intellectuel.

Par contre, le débat avait quelque chose de puissant, de bouleversant, d'apaisant et de profondément satisfaisant. Notre ardent désir de communauté avait fait en sorte que nous étions tombés, sous prétexte de travaux intellectuels, sur ce que nos cœurs assoiffés réclamaient le plus. Nous sommes *devenus* une communauté, et même si ce ne fut qu'au cours de trop brèves et merveilleuses heures, notre sentiment de solitude connut un répit.

À vrai dire, tous les ateliers de réflexion intellectuelle que j'avais pu diriger auparavant perdirent en signification, en puissance et en portée éducative à côté de celui-ci, où, par hasard – presque miraculeusement –, nous avions formé une communauté. Dès lors, je dus relever un défi : serais-je capable par la suite de diriger des ateliers de façon à ce que le miracle de la communauté se produise de nouveau ? Les groupes peuvent-ils devenir des communautés non à la suite de crises, non par hasard, mais par volonté manifeste ?

LA COMMUNAUTÉ VOLONTAIRE

La réponse est oui.

J'ai dit de la communauté qu'elle était un miracle. Presque par définition, nous avons envie de penser que les miracles ne sont ni prévisibles ni contrôlables. Ils sont plutôt une intrusion de l'extraordinaire dans l'ordinaire. Dans notre société, l'existence d'une communauté est toujours un événement rare – un événement extraordinaire, en effet, dans le cours ordinaire des choses. Un miracle se définit aussi comme un phénomène qui ne s'explique pas par une loi naturelle. Mais cela ne veut pas dire que le miracle n'obéit pas à des lois. Les miracles obéissent peut-être simplement à des lois que nous humains, en général, ne pouvons comprendre sur le coup.

L'existence d'une communauté peut être ou non un miracle. Ce dimanche-là, après l'atelier de Washington, j'ai pris la résolution de chercher à recréer l'événement chaque fois que j'en aurais l'occasion. Je commençai à diriger régulièrement des « ateliers de formation de communauté ». Même si une bonne partie de ce que j'ai réalisé à cet égard s'est fait par erreurs et par tâtonnements (et j'apprends encore), j'ai été en mesure d'en venir à un certain nombre de conclusions avec un degré de certitude qui me donne envie de les considérer comme des faits.

Parmi les plus élémentaires, il y a les faits suivants :

1. Le procédé par lequel un groupe d'êtres humains devient une communauté est un procédé éminemment réglé. Un groupe qui se conforme à un certain nombre de lois et de règles bien établies formera obligatoirement une véritable communauté.

2. Même si l'un est un verbe et l'autre un nom, les mots « communiquer » et « communauté » ont la même racine. Les principes d'une communication réussie sont les principes fondamentaux de la formation d'une communauté. Et parce que les humains ne savent pas communiquer naturellement, parce qu'ils n'ont pas appris à se parler entre eux, ils demeurent ignorants des lois et des règles de la véritable communauté.

3. Dans certaines circonstances, les gens peuvent être en mesure de dégager inconsciemment les règles de la communication ou de la communauté. C'est ce qui s'est produit dans les communautés dont j'ai déjà parlé. Mais comme il s'agit d'un processus inconscient, les gens ne mémorisent pas consciemment ces règles, de sorte qu'ils oublient aussitôt la manière de les mettre en pratique.

4. Les règles de la communication et de la formation d'une communauté peuvent s'enseigner et s'apprendre simplement et assez facilement. Cet apprentissage conscient permet aux gens de se souvenir des règles et de les mettre en pratique par la suite.

5. L'apprentissage peut être passif ou expérimental. L'apprentissage expérimental est plus exigeant, mais il est infiniment plus efficace. Comme dans d'autres domaines, les règles de la communication et de la communauté s'apprennent mieux par expérience.

6. La très grande majorité des gens sont capables d'apprendre les règles de la communication et de la formation d'une communauté et veulent s'y conformer. En d'autres mots, presque n'importe quel groupe de personnes peut former une véritable communauté dès qu'il sait ce qu'il fait.

J'ai pu élever ces conclusions au rang de faits, parce que j'ai dirigé des quantités d'ateliers de formation de la communauté depuis mon expérience à l'Université George-Washington, en 1981. Presque tous ces ateliers ont traversé des moments difficiles. Mais, ultimement, chacun fut un succès ; chaque groupe, quel qu'il soit, a réussi à former une véritable communauté – contrairement à l'époque des groupes de sensibilité, où la formation d'une communauté semblait relever du hasard. Ma personnalité n'a que peu ou rien à voir avec ce succès. Il est vrai que ce n'est pas tout le monde qui peut réussir à être un bon dirigeant en formation de la communauté, mais d'autres femmes et d'autres hommes que j'ai choisis et formés selon les principes de la communauté ont connu un succès semblable et sont eux-mêmes, de surcroît, occupés à former d'autres personnes.

Quels sont ces principes, ces lois et ces règles ? Il est plus facile de dégager les règles de base en décrivant les différentes étapes du processus de formation de la communauté. Arrêtons-nous donc maintenant à ces étapes. Mais attention ! Il arrive souvent – et peut-être trop facilement – que les gens se plaignent : « De toute ma vie, je n'ai jamais fait l'expérience de la communauté. » On peut comprendre ce genre de plaintes quand l'existence de la communauté est le fait du hasard. Mais à partir du moment où les règles sont connues – et si exigeantes qu'elles soient –, il est difficile d'excuser ceux qui déplorent l'absence de la communauté et ne font rien pour remédier à la situation.

CHAPITRE V

LES ÉTAPES
DE LA FORMATION D'UNE COMMUNAUTÉ

Comme chaque individu, chaque communauté est unique. Et pourtant la condition humaine est notre lot commun. On peut donc en conclure que les groupes qui se réunissent dans le but avoué de former une communauté passent obligatoirement par différentes étapes tout au long du processus. Dans l'ordre, ces étapes sont les suivantes :

- la pseudo-communauté
- le chaos
- le vide
- la communauté.

Tous les groupes qui forment une communauté ne suivent pas rigoureusement ce schéma. Les communautés qui se forment temporairement à partir d'une crise peuvent ignorer une ou plusieurs étapes dans leur développement. Le développement d'une communauté ne se résume pas nécessairement à une formule. Par contre, dans le processus volontaire de la formation d'une communauté, c'est le cours naturel et ordinaire des choses [1].

LA PSEUDO-COMMUNAUTÉ

La première réaction d'un groupe qui cherche à former une communauté est presque toujours de vouloir y ressembler. Les membres du groupe tenteront de former une communauté instantanée en étant très aimable les uns envers les autres et en évitant toute forme de discorde. Cette tentative – ce semblant de communauté – est ce que j'appelle la « pseudo-communauté ». Ça ne marche jamais.

La première fois que j'ai été mis en présence d'une pseudo-communauté, je fus plutôt déconcerté – à plus forte raison parce que cette pseudo-communauté était la création de spécialistes. Cela se passait lors d'un atelier organisé à Greenwich Village, dans la partie basse de Manhattan, et où tous les participants, à l'exception d'une personne, étaient des Newyorkais hyper-raffinés, obsédés par la réussite. Plusieurs d'entre eux avaient déjà connu des séances prolongées avec un analyste et tous avaient l'habitude de se trouver en situation de « vulnérabilité non spontanée ». Quelques minutes suffisaient pour qu'on les retrouve en train de raconter des détails profondément intimes de leur vie. À la première pause, ils étaient déjà en train de s'embrasser. Paf! – une communauté instantanée!

Mais il manquait quelque chose. Au début, j'étais ravi et je pensais : « Bon sang, ça va être du gâteau! Je n'aurai pas besoin de m'inquiéter de quoi que ce soit. » Mais vers le milieu de la journée, je commençai à me sentir mal à l'aise

---

1. Certaines personnes ayant beaucoup travaillé avec des groupes qui ont formé des communautés ont distingué plusieurs étapes dans le processus de développement. Les leaders de ces groupes ont même mis au point une formule mnémotechnique concernant ces différentes étapes : « Formation, Perturbation, Normalisation et Réalisation ». Mais cette formule toute simple, même si elle n'est pas sans utilité, est pour le moins incomplète.

sans que je puisse mettre le doigt sur le problème. Je n'éprouvais pas ce merveilleux sentiment de joie et d'excitation que j'avais déjà éprouvé dans une communauté. À vrai dire, je m'ennuyais un peu. Pourtant, du point de vue des intentions et des objectifs, le groupe semblait se comporter tout à fait comme une véritable communauté. Je ne savais pas quoi faire. Je ne savais même pas s'il fallait faire quelque chose. J'ai donc laissé les choses suivre leur cours durant le reste de la journée.

Cette nuit-là, je n'ai pas bien dormi. Un peu avant l'aube, même si je n'étais pas sûr que c'était la meilleure chose à faire, je décidai que j'avais la responsabilité de partager mon malaise avec le groupe. Le matin, juste avant de commencer la réunion, mes premières paroles furent celles-ci : « Vous êtes tous des gens exceptionnellement raffinés. Je pense que c'est pourquoi, hier matin, nous avons eu aussi rapidement et facilement l'impression de former une communauté. C'était peut-être trop rapide et trop facile. J'ai l'impression bizarre qu'il manque quelque chose, que nous ne formons pas encore une communauté. Observons maintenant un moment de silence et voyons comment nous pouvons réagir à cela. »

Des réactions, il y en eut ! Moins de cinq minutes après la fin de la période de silence, tous ces gens apparemment gentils et affectueux se disputaient ! Des vexations ressenties lors de la première journée refaisaient surface. Très vite, les membres du groupe commencèrent à discuter furieusement des idéologies et des croyances de chacun. Quel formidable chaos ! Nous pouvions enfin commencer à travailler à la formation d'une véritable communauté. D'ailleurs nous avons réussi à la former à la fin de l'atelier. Mais avant d'en venir au chaos, tout le raffinement du groupe n'avait fait que retarder le processus d'une journée.

Il y a deux morales à cette histoire. La première est la suivante : méfiez-vous des communautés instantanées. La formation d'une communauté exige temps, efforts et sacrifices. La communauté ne s'achète pas à rabais. La seconde est qu'il est au moins aussi facile de former une communauté entre gens simples qu'entre gens raffinés. Par exemple, le processus de formation d'une communauté se déroula plus rapidement et plus efficacement que je ne l'avais observé au sein d'un groupe de dirigeants municipaux, dans une petite ville du Midwest, lesquels n'ont aucune formation en psychologie. En revanche, les gens raffinés peuvent simuler plus facilement.

Dans une pseudo-communauté, le groupe s'efforce d'acquérir la communauté à rabais, en faisant semblant. Ce ne sont pas des mensonges gros et méchants, faits en toute conscience. Il s'agit plutôt d'un processus inconscient et sympathique, en vertu duquel les gens, qui veulent être affectueux, s'efforcent de l'être par de petits mensonges, en taisant une partie de la vérité à leur sujet et au sujet de ce qu'ils pensent, afin d'éviter les conflits. C'est encore faire semblant. Le raccourci est tentant, mais il n'est pas justifié et ne mène nulle part.

La dynamique fondamentale de la pseudo-communauté est d'éviter les conflits. En soi, l'absence de conflits au sein d'un groupe n'est pas un diagnostic. Les communautés authentiques peuvent vivre d'agréables et parfois de longues périodes exemptes de conflits. C'est qu'elles ont appris à composer avec les conflits plutôt qu'à les éviter. La pseudo-communauté évite les conflits ; la véritable communauté les résout.

Une pseudo-communauté se reconnaît à la volonté de minimiser, d'escamoter ou d'ignorer les différences individuelles. Les gens sympathiques sont si habitués aux bonnes manières qu'ils sont capables d'en avoir sans même penser à ce qu'ils font. Au sein d'une pseudo-communauté, les choses se passent comme si chaque individu agissait selon les mêmes règles de l'étiquette. Ces règles sont les suivantes : ne faites rien ou ne dites rien qui pourrait offenser quelqu'un ; si quelqu'un fait ou dit quelque chose qui vous offense, vous ennuie ou vous agace, faites comme si rien ne s'était passé et, finalement, faites comme si la chose ne vous avait pas dérangé ; et si certains désaccords ont envie d'apparaître, changez de sujet aussi rapidement et aussi doucement que possible – ainsi que vous le dira toute bonne hôtesse. Ces règles donneront un groupe qui fonctionne en douceur. Mais les mêmes règles empêchent aussi toute expression d'individualisme, d'intimité et de franchise, et, sur une longue période, elles finissent par être ennuyeuses.

Le postulat de base de la pseudo-communauté est le déni des différences individuelles. Ses membres croient – ils font semblant de croire – qu'ils partagent tous la même foi en Jésus-Christ, la même opinion sur les Soviétiques, voire qu'ils ont la même histoire personnelle. Une des caractéristiques de la pseudo-communauté est que les gens s'y expriment en termes de généralités. « Le divorce est une triste expérience », diront-ils. Ou : « Il faut écouter son instinct. » Ou : « Nous devons accepter le fait que nos parents ont fait ce qu'ils ont pu. » Ou : « Quand on a rencontré Dieu, on ne ressent plus la peur. » Ou : « Jésus a racheté nos péchés. »

Une autre caractéristique de la pseudo-communauté est que ses membres se servent de ces affirmations pour créer entre eux une distance. Chacun se dira : « J'ai rencontré Dieu il y a vingt ans et j'en porte encore la blessure, mais pourquoi le dire au groupe ? » Pour éviter les risques de conflit, chacun garde pour lui ce qu'il pense et ira même jusqu'à approuver de la tête, comme si son interlocuteur venait de proférer quelque vérité universelle. En réalité, la pression dans le groupe pour éviter toute forme de désaccord peut être si forte que même les communicateurs expérimentés – qui savent pertinemment que les généralités peuvent détruire la véritable communication – s'interdiront de lutter contre ce qu'ils savent être néfaste. Les effets de cette inhibition sont tels qu'un Martien, après avoir observé une pseudo-communauté, pourrait en conclure que, si les humains ont l'air différent en apparence, en réalité ils sont tous pareils. Cet observateur pourrait aussi en conclure que les êtres humains sont ennuyeux.

Si j'en juge par mon expérience, la plupart des groupes qui prétendent être une « communauté » sont en réalité des pseudo-communautés. On n'a qu'à penser, par exemple, à la façon dont les communautés chrétiennes ordinaires encouragent ou non l'expression des différences individuelles. Ce conformisme, que je considère comme étant la première étape dans la formation d'une communauté, est-il la norme ou une exception dans notre société? Se pourrait-il qu'il y ait des gens qui ne se doutent même pas qu'il puisse exister autre chose après la pseudo-communauté?

Depuis l'atelier de Greenwich Village, j'ai appris qu'il était aussi facile de débusquer la pseudo-communauté que de la tuer dans l'œuf. Il suffit de combattre la platitude des généralités. Quand Marie affirme : « Le divorce est une triste réalité », la plupart du temps, je réponds : « Marie, tu viens de dire une généralité. J'espère que tu ne m'en voudras pas de citer ton cas en exemple, mais, pour bien communiquer, les gens ont besoin d'apprendre à parler en leur nom personnel – à utiliser "je" dans "leurs" affirmations. Je me demande si tu pourrais reformuler ta phrase en disant : "Mon divorce a été une chose terrible pour moi." » « Très bien, accepte Marie. Mon divorce a été une chose terrible pour moi. »
Et Thérèse dira peut-être : « Je suis contente que tu dises cela, parce que mon divorce à moi a été la meilleure chose qui me soit arrivée dans les vingt dernières années. »

Une fois que l'on permet aux différences individuelles de se manifester de la sorte, et même qu'on les encourage à le faire, le groupe aborde presque aussitôt la deuxième étape dans le développement d'une communauté : le chaos.

LE CHAOS

Le chaos naît d'efforts de guérison et de conversion méritoires mais maladroits. Permettez-moi d'en donner un exemple. Après un moment de lourd silence, un membre du groupe dira : « Bon, j'ai décidé de participer à cet atelier parce que j'ai tel ou tel problème et j'ai pensé que je pourrais trouver ici la solution. »

Un autre membre rétorquera : « J'ai déjà eu le même problème. J'ai fait ceci et cela, et je suis venu à bout de la difficulté. »

« Mais j'ai essayé cela, répondra le premier membre, et ça n'a pas marché. »

Alors un troisième membre interviendra : « Le jour où j'ai admis que Jésus était mon Maître et mon Sauveur, mon problème a été résolu, ainsi que tous les autres survenus par la suite. »

« Désolé, dira le premier membre, mais cette histoire de Jésus-mon-Sauveur-et-mon-Maître, ça ne me dit rien du tout. Ce n'est pas mon genre. »

Et un quatrième : « Non. À vrai dire, ça me fait vomir. »

« Mais, c'est la *vérité* », affirmera un cinquième.

Et ainsi de suite.

En règle générale, les gens résistent au changement. Les guérisseurs et les convertis essaient donc de plus belle de guérir et de convertir jusqu'à ce que leurs victimes se relèvent et commencent à vouloir guérir les guérisseurs et à convertir les convertis. C'est, proprement, le chaos.

Le chaos n'est pas seulement un état, il est un moment essentiel dans le processus de développement d'une communauté. Par conséquent, et contrairement à ce qui se produit dans une pseudo-communauté, le chaos ne disparaît pas dès que le groupe prend conscience de son existence. Après une période de chaos, quand je fais remarquer : « Il me semble que notre communauté ne se porte pas très bien, n'est-ce pas ? », quelqu'un fera remarquer : « Non, et c'est à cause de ceci. »

« Non, c'est à cause de cela », fera remarquer quelqu'un d'autre. Et c'est reparti...

À l'étape du chaos, et contrairement à ce qui se produit dans la pseudo-communauté, les différences individuelles apparaissent dès le départ. Le groupe cherche alors à les faire disparaître plutôt qu'à les cacher ou à les ignorer. Derrière les efforts de guérison et de conversion se cache moins une volonté d'amour que la volonté de rendre tout le monde *normal* – et la volonté de gagner, puisque les membres luttent pour savoir quelle norme prévaudra.

Le désir de conversion ne se préoccupe pas nécessairement de questions théologiques. Au sein du groupe de dirigeants municipaux dont j'ai déjà parlé, l'étape du chaos s'est cristallisée autour des différents projets que les membres proposaient pour le bénéfice de leur ville. L'une croyait que son projet d'habitation pour les sans-abri était la solution. L'autre estimait que la mise sur pied d'un comité des relations de travail était prioritaire. Un autre croyait qu'un programme pour venir en aide aux enfants maltraités était essentiel. Ces hommes et ces femmes bien intentionnés se disputaient donc au nom de leur projet respectif; chacun et chacune voulant que son projet l'emporte et devienne une priorité, et chacun et chacune s'efforçant de gagner les autres à sa cause.

L'étape du chaos est un moment de heurts et de lutte. Toutefois elle n'est pas fondamentale. Les communautés en pleine maturité verront souvent leurs membres lutter et s'affronter. Mais ils auront appris à le faire efficacement. Durant le chaos, la lutte est chaotique. Elle n'est pas seulement bruyante, elle est vaine et n'a aucun effet constructif. Dans une communauté véritable, les désaccords qui surviennent de temps à autre n'empêchent pas l'amour, le respect, et ils sont en général étonnamment peu bruyants – voire pacifiques –, puisque les membres cherchent constamment à être à l'écoute les uns des autres. Il reste que la discussion peut parfois être vive au sein d'une communauté qui a atteint sa pleine maturité. Mais même alors, la discussion est stimulante et tout le monde est emballé à l'idée du consensus qui en résultera. Les choses se passent autrement dans le chaos. À vrai dire, le chaos, comme la pseudo-communauté, a quelque chose d'ennuyeux : chacun tape sur l'autre, avec peu ou pas d'effet. Le chaos n'a ni grâce ni rythme. En réalité, il est probable que celui qui observe un groupe à l'étape chaotique de son développement éprouvera un sentiment de désespoir. La lutte ne mène nulle part, elle n'accomplit rien. Elle n'a rien de drôle.

Comme le chaos est une chose désagréable, il arrive souvent, à cette étape, que les membres du groupe ne se contentent pas d'attaques entre eux mais qu'ils s'en prennent aussi à leur chef. Ils diront : « On n'en serait pas à se quereller de la sorte s'il y avait un véritable chef. Scotty, nous avons besoin d'une direction plus ferme que celle dont tu as fait preuve jusqu'à maintenant. » D'une certaine façon, ils ont raison ; leur chaos est une réponse naturelle à une absence relative de direction. Un chef autoritaire – un dictateur – pourrait aisément venir à bout du chaos en lui assignant des buts et des objectifs spécifiques. Le seul problème est qu'un groupe mené par un dictateur n'est, et ne sera jamais, une communauté. La communauté et le totalitarisme sont incompatibles.

En guise de réponse à l'absence de leadership perçue à l'étape chaotique du développement de la communauté, il arrive souvent qu'un ou plusieurs membres du groupe veuillent remplacer le chef officiellement désigné. Il ou elle (en général, c'est il) dira : « Écoutez, nous n'allons nulle part. Je propose que chacun prenne la parole à tour de rôle, et parle de lui. » Ou : « Nous pourrions former des petits groupes de six ou huit personnes. Ainsi nous aurions le sentiment d'aller quelque part. » Ou : « Nous pourrions former un sous-comité chargé de donner une définition de la communauté. Nous saurons ainsi où nous allons. »

L'inconvénient, avec l'émergence de ces « leaders de seconde main », ce n'est pas leur émergence, mais les solutions qu'ils proposent. D'une façon ou d'une autre, ce qu'ils proposent est toujours une « fuite dans l'organisation ». Il est vrai que l'organisation est une façon de résoudre le chaos. C'est en réalité sa première raison d'être : minimiser le chaos. Mais le problème est que l'organisation et la communauté sont également incompatibles. Les comités et les porte-parole ne donneront jamais des communautés. Je ne dis pas que les structures d'une entreprise, d'une Église ou d'un organisme quelconque empêchent de faire l'expérience d'une certaine forme de communauté. Je ne suis pas un anarchiste, mais j'affirme qu'un organisme ne pourra tolérer un certain degré de communauté dans ses structures qu'à partir du moment où il est prêt à accepter le risque d'un manque relatif de structure. Tant que l'objectif sera de former une communauté, répondre au chaos par l'organisation demeurera une solution inacceptable.

La durée de l'étape chaotique dans le développement d'une communauté varie en fonction de la personnalité du groupe et de celle de son chef. Certains groupes traverseront cette étape presque aussitôt après que j'aurai indiqué le moyen d'en sortir. Mais même si le chaos est une chose désagréable, certains groupes lutteront contre sa véritable résolution pendant de nombreuses et pénibles heures. À l'époque des groupes de sensibilité, bon nombre de groupes ont croupi dans un chaos stérile pendant toute leur existence.

La véritable résolution du chaos n'est pas chose facile. Le chaos étant à la fois stérile et désagréable, on peut penser que le groupe a *dégénéré* en passant de la pseudo-communauté au chaos. Toutefois, le chaos n'est pas nécessairement le pire état pour un groupe. Il y a plusieurs années, j'ai eu l'occasion d'agir comme conseiller auprès d'une Église importante qui traversait une période chaotique. Quelques années auparavant, la congrégation avait choisi comme dirigeant un nouveau et dynamique ministre. Celui-ci en était venu à pratiquer une forme de leadership encore plus ferme que celle attendue. Quand je rendis visite à la congrégation, plus d'un tiers du groupe était profondément choqué par cette forme de leadership, mais la majorité en était ravie. Le désaccord demeurait plutôt verbal, et le recrutement des membres était durement affecté par le schisme. Il n'empêche que je devinais une énorme vitalité dans le franc-parler de ces gens, dans leur façon d'afficher leur souffrance et leur volonté de s'accrocher tout en poursuivant leurs luttes intestines. Dans l'immédiat, j'étais bien incapable de suggérer quelle que solution que ce soit. Mais j'étais capable de les consoler un peu en leur disant que je sentais plus de vitalité dans leur Église que dans la plupart des communautés chrétiennes. « Votre chaos, expliquai-je, est préférable à la pseudo-communauté. Vous n'êtes pas une communauté en santé, mais vous êtes capables de faire face aux problèmes ouvertement. La lutte est de loin préférable au fait de prétendre que vous n'êtes pas divisés. Ce peut être douloureux, mais c'est un début. Vous êtes conscients d'avoir besoin d'aller au-delà de vos dissensions, et voilà qui permet d'espérer beaucoup plus que si vous aviez le sentiment de ne pas avoir besoin du tout d'avancer. »

LE VIDE

À un groupe qui vient de passer un moment à se disputer et qui ne va nulle part, je dirais : « Il n'y a que deux façons de sortir du chaos. L'une est l'organisation – mais l'organisation ne donne jamais une communauté. La seule autre façon, c'est le vide. »

Le plus souvent, le groupe ignorera tout simplement mes paroles et continuera à se disputer. Quelque temps plus tard, je dirai : « Je vous ai dit que la seule façon de passer du chaos à la communauté est le vide. Mais il semble que ma suggestion ne vous intéresse pas vraiment. » Quelques disputes encore, puis un membre demandera avec une pointe d'irritation dans la voix : « Ouais, qu'est-ce que c'est au juste que cette histoire de vide ? »

Ce n'est pas un hasard si les groupes sont en général peu disposés à accueillir mes suggestions en ce qui concerne le vide. Le fait que le mot *vide* soit un mot et un concept plutôt mystiques n'est pas incitatif. Les gens sont intelligents et, souvent, ils en savent plus que ce qu'ils laissent entendre. Dès que je mentionne le mot *vide,* ils ont le pressentiment de ce qui va venir et ils ne sont pas pressés d'y arriver.

Le vide est la partie difficile du processus. C'est aussi l'étape déterminante dans le développement de la communauté. Le vide fait le pont entre le chaos et la communauté.

Quand les membres d'un groupe me demandent enfin d'expliquer ce que j'entends par le vide, je leur dis simplement qu'ils ont besoin d'évacuer les barrières qui font obstacle à la communication. Je peux leur rappeler leur comportement lors du chaos pour leur faire comprendre différentes choses – sentiments, suppositions, idées, raisons – qui encombrent leur esprit jusqu'à le rendre aussi imperméable qu'une boule de billard. Le procédé selon lequel chacun supprime ses propres barrières est la clé permettant de passer de l'individualisme « dur » à l'individualisme « doux ». Les barrières de la communication les plus communes (et les plus étroitement liées), celles que les gens ont besoin de supprimer avant d'accéder à la véritable communauté sont les suivantes :

Les attentes et les idées préconçues.

La formation d'une communauté est une aventure, une plongée dans l'inconnu. En règle générale, les gens sont terrifiés par le vide de l'inconnu. Par conséquent, ils ont l'esprit rempli d'attentes le plus souvent fausses quant à l'expérience. En réalité, il ne nous arrive que rarement de vivre une situation sans faire appel à des idées préconçues. Par la suite, nous nous efforçons de faire coïncider l'expérience avec nos attentes. Il peut arriver que ce soit une attitude utile, mais d'habitude (et c'est toujours le cas en ce qui concerne la formation d'une communauté) elle se révèle destructrice. Si nous n'avons pas fait abstraction de nos attentes et si nous n'avons pas cessé de vouloir faire entrer les autres et les relations que nous avons avec eux dans un moule préconçu, nous ne pouvons pas vraiment écouter, entendre ou expérimenter. « La vie est ce qui arrive quand vous avez prévu quelque chose d'autre », a dit un jour quelqu'un fort sagement. Malgré toute la sagesse de l'adage, nous ne faisons pas souvent face à de nouvelles situations avec un esprit ouvert (et vide).

Les préjugés

Les préjugés, souvent plus inconscients que conscients, prennent deux formes différentes. Il y a d'abord notre façon de juger les gens sans les connaître ; par exemple, vous ou moi, nous penserons en voyant un étranger : « C'est un efféminé. Je parie qu'il est un vrai salaud. » Ou : « Mon Dieu, elle a l'air d'avoir quatre-vingt-dix ans – elle est sûrement sénile. » Plus communs encore sont les jugements que nous portons sur les gens à partir d'une expérience brève et limitée. Dans chaque atelier, j'en viens toujours à conclure rapidement qu'un tel est un « pauvre type », pour reconnaître plus tard que la même personne a d'énormes talents. Une des raisons de ne pas faire confiance à la communauté instantanée est que la formation d'une véritable communauté demande du temps – le temps d'avoir assez d'expérience pour prendre conscience de nos préjugés et de vouloir alors faire abstraction de ceux-ci.

L'idéologie, la foi et quelques solutions

Nous demeurerons incapables d'avancer vers la communauté avec nos frères humains toutes les fois que nous penserons ou ressentirons : « On voit bien qu'elle ne connaît pas du tout les enseignements du Christ ; elle a encore une longue route à faire avant d'espérer être sauvée comme moi. » Ou encore : « Ouais, il est évident qu'il s'agit d'un de ces faucons républicains brasseur d'affaires. J'espère qu'il se trouvera ici quelqu'un de fréquentable. » Il faut non seulement nous départir de cette rigueur idéologique et théologique, mais aussi de toute conception selon laquelle il n'y a qu'« une seule et bonne façon ». C'est ainsi que les choses se sont passées avec le groupe de dirigeants municipaux du Midwest dont j'ai déjà parlé. Ceux-ci ont dû abandonner leur projet respectif (en faire abstraction), projet dont chacun croyait qu'il était *la* solution pour leur ville.

Cependant, quand je parle de faire abstraction de certaines choses, je ne veux pas dire qu'il faut mettre complètement de côté des sentiments et des convictions souvent acquises de chaude lutte. Il y a plusieurs années, en Viriginie, un atelier de formation de la communauté fut un exemple de cette différence entre le vide et l'oubli. Il réunissait un groupe de convertis parmi les plus zélés que j'aie jamais rencontrés. Chacun voulait parler de Dieu ; chacun avait sa propre idée de Dieu ; et chacun était persuadé qu'il ou elle savait exactement qui était

Dieu. Nous n'avons pas mis beaucoup de temps à plonger dans un formidable chaos. Mais trente-six heures plus tard, après que le groupe eut opéré ce miraculeux passage du chaos à la communauté, je leur dis : « C'est fascinant. Aujourd'hui, vous parlez autant de Dieu qu'hier. De ce point de vue, vous êtes restés les mêmes. Ce qui a changé, par contre, c'est la façon dont vous en parlez. Hier, vous parliez tous de Dieu comme si chacun d'entre vous l'avait eu dans sa poche. Aujourd'hui, vous parlez de Dieu avec humilité et humour. »

Le besoin de guérir, de convertir, d'établir et de résoudre

À l'étape du chaos, les membres du groupe, qui cherchent à se guérir et à se convertir mutuellement, croient qu'ils agissent ainsi par amour. Ils sont les premiers étonnés du chaos qui en résulte. Après tout, l'amour n'ordonne-t-il pas avant tout de soulager son prochain de ses souffrances et d'aider l'autre à voir la lumière? En réalité, presque toutes ces tentatives de conversion et de guérison ne sont pas seulement naïves et inefficaces, elles sont également égoïstes et intéressées. J'ai mal de voir mon ami souffrir. Si je peux faire quelque chose pour le soulager de ses souffrances, je me sentirai mieux. La raison première qui me pousse à vouloir guérir les autres est de me sentir mieux moi-même. Mais la question soulève plusieurs problèmes. Le premier est que souvent le remède qui me convient n'est pas celui qui convient à mon ami. En réalité, proposer mon remède à quelqu'un revient souvent à empirer son état. Voilà pourquoi tous les conseils que Job a reçus de ses amis pendant ses malheurs n'ont servi qu'à le rendre plus misérable. La chose la plus dictée par l'amour que nous puissions faire quand un ami souffre est souvent de *partager* sa souffrance – d'être là, même quand nous n'avons rien d'autre à offrir que notre présence, même si nous souffrons de le voir souffrir.

La chose est aussi vraie en ce qui concerne le désir de conversion. Si votre foi ou votre idéologie diffère de la mienne, elle remet la mienne en question. Je n'aime pas me sentir peu sûr de moi sur des questions aussi fondamentales. Par ailleurs, si j'arrive à vous convaincre de ma façon de voir les choses, non seulement je m'en porterai mieux, mais je prouverai par là que mes croyances étaient justes et me donnerai le rôle du sauveur. N'est-ce pas plus facile et plus agréable que de faire l'effort de vous comprendre tel que vous êtes?

À mesure qu'ils franchissent l'étape du vide, les membres d'un groupe en viennent à comprendre – parfois soudainement, parfois graduellement – que leur désir de guérir, de convertir ou de « résoudre » autrement leurs différences individuelles est un désir égoïste de confort qui exige la disparition de ces différences. Puis il leur vient à l'idée qu'ils pourraient procéder à l'opposé : en admettant et en accueillant avec joie les différences individuelles. Je ne connais pas d'autre groupe qui ait reçu le message aussi rapidement que celui, peu raffiné, des dirigeants municipaux du Midwest. Nous avions peu de temps à passer ensemble, j'ai donc parlé sans ambages pour leur rappeler ceci : « Je vous ai dit, dès le début, que notre but était de former une communauté et non de résoudre les problèmes de votre ville. Et tout de suite vous voilà en train de parler, non de vous-mêmes, mais des solutions que vous proposez. Toutes ces idées me semblent de bonnes idées, mais la réalité, c'est que vous êtes là, à vous disputer au nom de ces idées. Cela dit, si vous voulez, vous pouvez poursuivre votre querelle pendant des heures, mais, honnêtement, je ne pense pas que votre ville s'en portera mieux que lorsque vous êtes entrés ici, ce matin. Et ce qu'il y a de sûr, c'est que vous ne formerez pas une communauté. Si vous voulez former une communauté, il vous faudra faire abstraction de toutes ces belles solutions et de votre désir de voir triompher la vôtre. Et peut-être, peut-être seulement, à partir du moment où vous formerez une véritable communauté, serez-vous capable de travailler ensemble d'une façon utile à votre ville. Faisons une pause exceptionnellement prolongée – de quarante minutes – et voyons si, pendant cette pause, chacun d'entre vous ne peut pas le plus possible faire abstraction des solutions qu'il propose, suffisamment en tout cas pour nous permettre de nous percevoir comme des êtres humains différents. »

Moins d'une heure après, nous formions une communauté.

Le besoin de contrôler

Cet obstacle à la communauté est l'écueil sur lequel j'ai moi-même buté le premier. En tant que dirigeant de l'atelier, je suis censé veiller à ce que le groupe demeure sous contrôle – à ce qu'il n'y ait pas de casse. Mais il ne suffit pas que j'explique au groupe que aucun n'est ni plus ni moins responsable du succès du groupe pour que je ressente les choses de la même façon au plus profond de moi. Je me dis, au contraire, que si l'atelier échoue, je suis celui qui en portera la responsabilité. J'ai constamment la tentation de *faire* les choses – manipulations ou manœuvres – qui garantiront le résultat escompté. Mais le résultat escompté – la communauté – ne peut s'obtenir par l'entremise d'un chef autoritaire qui ordonne de marquer les coups. Il doit venir du groupe entier. Paradoxalement, pour être un chef efficace, je dois alors passer la plus grande partie de mon temps en retrait, *à ne rien faire,* dans l'attente, en laissant les événements suivre leur cours. Puisque j'ai tendance à vouloir tout contrôler, c'est une tâche qui ne m'est pas facile.

Le besoin de contrôler – de garantir le résultat escompté – vient en partie de la crainte de l'échec. En ce qui me concerne, si je veux faire abstraction de cette tendance à tout vouloir contrôler, je dois sans cesse faire abstraction de cette crainte. Je dois vouloir l'échec. Dans les faits, bon nombre d'ateliers n'ont réussi à former des communautés qu'à partir du moment où je me suis dit : « Ouais, j'ai l'impression qu'on s'en va vers l'échec, et je ne peux rien y faire. » Je suis persuadé que ce n'est pas une coïncidence.

La connaissance du processus de formation d'une communauté se reflète souvent dans ma vie. Le fait d'avoir appris à faire abstraction de mon besoin de tout contrôler a commencé à avoir un effet heureux dans certains de mes rapports quotidiens, y compris dans mes rapports avec la vie elle-même. D'autres personnes ont appris, par la communauté, à accroître leur capacité de se laisser aller pour mieux goûter cette vérité selon laquelle, souvent, « La vie n'est pas un problème qu'il faut résoudre, mais un mystère qu'il faut vivre ».

Je n'ai pas épuisé la liste des choses que les gens doivent abandonner pour former une communauté. Je demande régulièrement aux membres des groupes que je dirige de réfléchir en silence, soit au cours d'une pause, soit au moment de se séparer pour la nuit, à ce dont ils doivent faire le plus abstraction dans leur existence. Au retour, leurs réponses sont aussi variées que la topographie du globe terrestre : « Je dois laisser tomber mon désir d'approbation par mes parents », « mon besoin d'être aimé », « mes ressentiments à l'endroit de mon fils », « mes soucis d'argent », « ma colère contre Dieu », « mon dégoût des homosexuels », « mon obsession de la propreté », et ainsi de suite. Ce genre d'abandon est une forme de sacrifice. Par conséquent, l'étape du vide dans le développement d'une communauté est un moment de sacrifice. Et le sacrifice fait mal. « Est-ce que je dois tout laisser tomber ? », se plaignit un jour un membre.

« Non, ai-je répliqué, seulement ce qui te gêne. »

De tels sacrifices font mal parce qu'ils sont une forme de mort, une mort nécessaire pour renaître. Même après avoir admis la chose en théorie, ce genre de mort demeure toujours une plongée effrayante dans l'inconnu. Si les membres d'un groupe semblent presque paralysés entre la crainte et l'espoir durant l'étape du vide, c'est qu'ils ont le tort de croire que le vide se définit en termes de « rien » et d'anéantissement plutôt qu'en termes de renaissance.

Le meilleur exemple de cette « renaissance » se trouve dans la renaissance de Martin. Martin était un sexagénaire, un brin intransigeant et déprimé, un « bourreau de travail » dont la réputation et le succès étaient à la hauteur du travail abattu. Dans un atelier auquel il participait en compagnie de sa femme, alors qu'on en était à l'étape du vide, vide que le groupe s'efforçait encore de concevoir sur le plan théorique, Martin fut pris de frissons et se mit à trembler. Pendant un court moment, je pensai qu'il avait une attaque. Mais alors, il commença à gémir comme s'il était en transe : « J'ai peur. Je ne sais pas ce qui m'arrive. Toutes ces discussions sur le vide. Je ne sais pas ce que cela veut dire. J'ai l'impression que je vais mourir. Je suis terrifié. »

Plusieurs d'entre nous entourèrent Martin et s'efforcèrent de le réconforter, sans savoir vraiment si la crise était physique ou émotionnelle.

« J'ai l'impression de mourir, poursuivit Martin en gémissant. Le vide. Je ne sais pas ce qu'est le vide. Toute ma vie, j'ai fait quelque chose. Vous voulez dire que je ne dois plus rien faire ? J'ai peur. »

L'épouse de Martin lui prit la main. « Non, Martin, tu n'as pas besoin de toujours faire quelque chose », dit-elle.

« Mais j'ai toujours fait quelque chose, continua Martin. Je ne sais pas ce que c'est que de ne rien faire. Le vide. Est-ce cela le vide ? Renoncer à faire quelque chose ? Est-ce que je dois vraiment ne rien faire ? »

« Il est bon de ne rien faire, Martin », répondit son épouse. Martin cessa de trembler. Nous sommes restés près de lui pendant cinq minutes. Puis, il nous annonça que sa crainte du vide, sa peur de mourir, avaient disparu. Moins d'une heure plus tard, une douce sérénité commença à irradier de son visage. Il avait compris qu'il s'était effondré et qu'il avait survécu. Il avait aussi compris que son effondrement avait contribué à faire progresser tout le groupe vers la communauté.

L'étape du vide pouvant se révéler très douloureuse, on me pose régulièrement deux questions qui expriment l'angoisse. La première est : « Y a-t-il une façon d'accéder à la communauté autrement qu'à travers le vide ? » Je réponds : « Non ». L'autre question est la suivante : « Y a-t-il une façon d'accéder à la communauté autrement qu'en partageant cet effondrement ? » Encore une fois, je réponds : « Non ».

À mesure qu'un groupe entre dans l'étape du vide, bon nombre de ses membres commencent à partager leur effondrement personnel – leurs défaites, leurs échecs, leurs doutes, leurs craintes, leurs incapacités et leurs fautes. À mesure qu'ils projettent sur ces choses leur besoin de faire le vide, ils commencent à cesser de se comporter comme s'ils « contrôlaient parfaitement la situation ». Mais en général les autres membres ne sont pas très attentifs au message. Soit qu'ils recommencent à vouloir guérir ou convertir les membres qui s'effondrent, soit qu'ils les ignorent en changeant rapidement de sujet. Par conséquent, ceux qui ont laissé voir leur vulnérabilité ont tendance à rentrer aussitôt dans leur coquille. Il n'est pas facile d'avouer sa faiblesse quand les autres n'ont aussitôt qu'une envie, celle de vous convertir, ou agissent comme si vous n'aviez rien dit qui vaille la peine d'être entendu.

Parfois le groupe en vient lui-même très vite à admettre qu'il empêche l'expression de la douleur et de la souffrance – et que, pour être réellement capable d'écouter, ses membres doivent *vraiment* faire abstraction de leur aversion pour les « mauvaises nouvelles ». S'ils ne le font pas, je suis obligé de leur faire remarquer qu'ils découragent toute tentative de partager l'effondrement des gens. Certains groupes corrigeront alors aussitôt les effets de leur insensibilité. Mais d'autres groupes, à ce moment final de l'étape du vide, lanceront leur dernière offensive contre la communauté. Une façon typique de le faire est de donner la parole à quelqu'un qui dira : « Écoutez, j'ai déjà mes propres ennuis à la maison. Je ne vois pas l'utilité de donner mon argent et de sacrifier tout un week-end pour prendre sur moi d'autres problèmes. Je suis parfaitement d'accord avec cette histoire de communauté, mais je ne vois pas pourquoi il faut mettre tout le temps l'accent sur des aspects négatifs. Pourquoi est-ce qu'on ne pourrait pas parler de choses positives, de choses que nous avons en commun, de nos succès plutôt que de nos échecs? J'aimerais vivre une expérience joyeuse. Quel besoin de former une communauté si ce n'est pas pour être joyeux? »

Cette résistance ultime est essentiellement une nouvelle tentative de fuite dans la pseudo-communauté. Mais, ici, l'enjeu n'est plus de se demander s'il faut nier les différences individuelles. Le groupe est allé trop loin pour cela. La lutte est plutôt affaire de plénitude. Le groupe doit choisir d'embrasser la lumière de la vie, mais aussi son côté sombre. Il s'agit d'envisager le chagrin et la joie dans leurs justes proportions.

J'ai parlé de l'étape du vide essentiellement comme si c'était une chose qui surgit uniquement dans l'esprit et l'âme des individus qui composent un groupe. Mais la communauté est toujours quelque chose de supérieur à la somme des individus qu'elle réunit. La pseudo-communauté, le chaos et le vide sont moins des étapes individuelles que des étapes collectives. Le passage d'une réunion d'individus à une véritable communauté exige que plusieurs d'entre eux passent par une petite mort. Mais le processus s'applique aussi à la mort du groupe, à son agonie. À l'étape du vide, mon sentiment profond est souvent moins la douleur de voir des gens connaître çà et là des petites morts et des renaissances que la douleur d'être témoin d'un groupe qui se débat dans les affres de la mort. On dirait que tout le groupe se tord de douleur et gémit au cours de ce travail. Parfois, des individus parleront au nom du groupe : « C'est comme si on était en train de mourir. Le groupe est entré en agonie. Pouvez-vous nous aider ? Je ne savais pas qu'il fallait mourir pour former une communauté. »

L'abandon émotionnel des groupes procède comme la mort des individus : pour certains, elle sera rapide et douce tandis que d'autres connaîtront une interminable agonie. Mais, soudaine ou progressive, tous les groupes que j'ai connus ont réussi à achever et à accomplir leur mort. Tous ont accédé à la communauté, en franchissant l'étape du vide et du sacrifice. Voilà qui témoigne de l'esprit humain de façon extraordinaire. Cela signifie que, dans certaines circonstances et à condition de connaître les règles, à un certain niveau mais à un niveau bien réel, nous pouvons mourir pour autrui.

LA COMMUNAUTÉ

Une fois la mort achevée, en laissant un espace ouvert et vide, le groupe accède à la communauté. Cette étape finale est caractérisée par une douce quiétude. Une sorte de paix. La pièce baigne dans la paix. Puis, doucement, un membre commence à parler de lui. Voilà une femme très vulnérable. Ce qu'elle dit vient du plus profond d'elle-même. Le groupe pèse chaque mot qu'elle dit. Personne ne la soupçonnait capable de tant d'éloquence.

Quand elle a terminé, il y a un moment de silence. Le silence se prolonge. Mais sans qu'il semble long. Aucun malaise dans ce silence. Lentement, montant du silence, la voix d'un autre membre s'élève. Lui aussi parle profondément, très personnellement, de lui. Il ne cherche pas à guérir ou à convertir celle qui a parlé auparavant. Il ne cherche même pas à lui répondre. Ce n'est pas elle le sujet, mais lui. Pourtant, les autres membres du groupe n'ont pas l'impression qu'il l'a ignorée. Ils ont l'impression qu'il s'allonge en quelque sorte à ses côtés sur un autel.

Le silence revient.

Un troisième membre se met à parler. Il cherchera peut-être à répondre à l'interlocuteur précédent, mais sa réponse ne garde aucune trace de volonté de guérison ou de conversion. Elle peut prendre la forme d'une plaisanterie, mais elle ne se fera au détriment de personne. Ce peut être un court poème, qui, presque magiquement, convient tout à fait aux circonstances. Ce peut être n'importe quoi de doux et de gentil, mais encore une fois ce sera un don.

Puis, un autre membre prend la parole. À mesure que le mouvement se poursuit, beaucoup de tristesse et de douleur seront exprimées ; mais il y aura aussi beaucoup de rires et de joie. Il y aura des larmes en abondance. Parfois ce seront des larmes de tristesse, parfois des larmes de joie. Parfois, les deux en même temps. Il se produit alors quelque chose d'encore plus singulier. Une énorme vague de guérison et de conversion commence à déferler – maintenant que personne ne cherche à guérir et à convertir. La communauté vient de naître.

Que se passe-t-il ensuite? Le groupe est devenu une communauté. Vers quoi se tourne-t-il désormais? Quel est donc son but?

Il n'y a pas de réponse unique à cette question. Les groupes réunis dans le but spécifique de faire l'expérience de la communauté pour un temps limité n'auront d'autre but que de jouir simplement de l'expérience – et de bénéficier de la guérison qui l'accompagne. Il s'en ajoutera un autre, cependant, qui est de mettre fin à l'expérience. Il faut boucler la boucle d'une manière ou d'une autre. Un groupe d'hommes et de femmes qui en viennent à se soucier profondément des uns et des autres ont besoin de temps pour se dire au revoir. La douleur à l'idée de retrouver le monde extérieur, où la communauté n'existe pas, doit pouvoir s'exprimer. Il est important que les communautés à court terme se donnent le temps de mettre fin à leurs activités. Pour une communauté, la meilleure façon de procéder est encore de pouvoir organiser une sorte de joyeux banquet funéraire, avec une liturgie ou un rite quelconque qui permettra de terminer en beauté.

Si le groupe s'est formé dans le but ultime de résoudre un problème – planifier une campagne, atténuer les divisions au sein d'une Église, opérer une fusion –, il doit aller de l'avant avec ce but. Mais seulement après avoir eu suffisamment le temps de jouir de l'expérience de la communauté en soi pour permettre de la cimenter. Ces groupes devraient toujours garder en mémoire la règle suivante : « D'abord former une communauté, ensuite résoudre les problèmes ».

La communauté doit également décider de maintenir ou non son existence. En règle générale, il vaut mieux ne pas prendre rapidement une décision de ce genre. Dans la joie du moment, les membres peuvent prendre des engagements qu'ils seront très vite incapables de remplir. Les conséquences d'un engagement à long terme sont importantes et celui-ci ne doit pas être pris à la légère.

Si une communauté – ou une partie de la communauté – décide de poursuivre son existence, elle peut se donner plusieurs objectifs. Maintenir l'existence d'une communauté suppose qu'il faudra prendre ou revenir sur plusieurs décisions importantes pendant une longue période de temps. Au cours du processus, la communauté retombera périodiquement dans le chaos ou dans la pseudo-communauté. Il lui faudra faire et refaire encore le travail angoissant d'abstraction de ses désirs. Plusieurs groupes n'arrivent pas à le faire. Ainsi, plusieurs couvents ou monastères, qui continuent de se prétendre une « communauté », ont depuis longtemps choisi de se doter d'une structure rigide et autoritaire. En tant que tels, ils peuvent continuer à jouer un rôle utile dans la société, mais ils le font sans joie et sans réussir à incarner un « lieu sûr » pour leurs membres. Ils ont oublié que la volonté de demeurer une véritable communauté doit l'emporter sur tous les autres buts que se donne la communauté.

J'ai parlé des vertus de la communauté avec tellement d'enthousiasme que je m'inquiète à l'idée que certaines personnes pourraient en conclure que la vie en communauté est plus facile et plus agréable que la vie ordinaire. Ce n'est pas vrai. Mais elle est certainement plus *vivante* et plus intense. L'angoisse est en réalité plus grande, mais il en est de même pour la joie. Dans une communauté, l'expérience de la joie est rarement quelque chose d'automatique. Dans les moments de lutte, la plupart des membres d'une véritable communauté ne connaîtront pas la joie. Au contraire, les sentiments dominants seront l'anxiété, la frustration ou la fatigue. Même quand le sentiment dominant sera la joie, certains membres seront incapables d'être au diapason en raison de difficultés ou de conflits personnels. Il n'empêche que l'émotion qui répond naturellement à l'esprit de la communauté est un sentiment de joie.

Un peu comme si on tombait en amour. En entrant dans une communauté, les gens, au sens profond du terme, tombent littéralement en amour les uns avec les autres. Ils n'ont pas seulement envie de se toucher et de s'embrasser, ils ont envie d'embrasser tout le monde en même temps, dans une seule et même étreinte. Dans les périodes de sommet, la quantité d'énergie émise est proprement surnaturelle. C'est une forme d'extase. Lors d'un atelier qui se tenait dans un hôtel de Knoxville, une participante, Lily, a inventé un mythe qui illustre la force de la communauté. Montrant une prise de courant au milieu du plancher, elle commenta : « C'est comme si nous étions branchés sur tout le réseau énergétique de l'État. »

Or la haute tension crée parfois des situations potentiellement dangereuses. Le danger lié à la puissance d'une véritable communauté n'est jamais la création d'une psychologie des masses, mais celle d'une sexualité de groupe. Il est naturel quand un groupe de personnes tombent en amour les unes avec les autres qu'une énorme quantité d'énergie sexuelle soit libérée. En général, celle-ci ne cause aucun dommage, mais il est prudent que les communautés soient prévenues de leur immense potentiel sexuel, de manière à pouvoir en garder le contrôle. Il peut être nécessaire de le supprimer un jour. Mais il ne faut pas le réprimer. N'oublions pas que l'expérimentation d'autres formes d'amour, les « phila » et les « agapes » (l'amour de ses frères, de ses sœurs, et l'amour divin) peut se révéler plus profonde et plus valorisante que les simples liens érotiques ou romantiques entre deux personnes. La sexualité d'une communauté est l'expression de sa joie, et cette énergie peut être canalisée vers des buts utiles et créateurs.

Ainsi dirigée, la vie en communuaté peut atteindre quelque chose de peut-être plus profond encore que la joie. Certaines personnes sont constamment à la recherche de brèves expériences communautaires, comme si ce genre d'épisodes étaient pour eux autant de « points d'ancrage ». Il ne faut pas condamner ces pratiques. Nous avons tous besoin d'« ancrer » la joie dans notre vie. Mais c'est pour une autre raison que je suis chaque fois ramené à la communauté. Quand je suis avec un groupe d'êtres humains décidés à vivre jusqu'au bout l'angoisse et la joie de la communauté, j'ai le sentiment profond de participer à un phénomène que je ne peux désigner que par un mot. J'hésite presque à l'employer. C'est le mot « gloire ».

CHAPITRE VI

LES AUTRES DYNAMIQUES
DE LA COMMUNAUTÉ

La formation d'une communauté est toujours une aventure. Ce n'est qu'en vivant l'aventure que nous pouvons mesurer ce qu'elle a de vraiment nouveau. Il n'empêche que plonger dans l'inconnu fait toujours peur. Malgré mon expérience en tant qu'animateur d'ateliers de formation de communauté, je suis tout aussi effrayé que les autres participants chaque fois que je participe à un nouvel atelier.

Il est impossible de ramener le processus de formation de la communauté à un ensemble de formules qui diminueraient l'anxiété des participants et des dirigeants face à l'inattendu. Tout comme chaque membre du groupe est unique, chaque expérience de formation d'une communauté est unique. Toutefois, il existe certains schèmes de comportements de groupe qui peuvent influencer grandement ce processus et, souvent, l'entraver. Le leader expérimenté est conscient de leur existence et, pour en arriver à former une communauté, il doit faire en sorte que le groupe les connaisse aussi, que ce soit de manière consciente ou inconsciente.

MODÈLES DE COMPORTEMENTS DE GROUPE

Au cours de la Seconde Guerre mondiale, à partir d'une expérience de thérapie de groupe avec des patients militaires, le psychiatre britannique Wilfred Bion a acquis une connaissance remarquablement juste des comportements de groupe.

En Grande-Bretagne, ses travaux conduisirent à la création du Tavistock Institute, où plusieurs dirigeants de groupes reçurent leur formation. Voilà pourquoi on parle souvent du « modèle Tavistock [1] » quand il s'agit d'appliquer les théories de Bion à la formation des chefs de groupe ou pour qualifier leur style de direction.

Bion constata que tout groupe a un objectif, qu'il s'agisse d'un groupe de thérapie, d'un groupe de « sensibilisation », d'un groupe organisationnel ou d'un quelconque comité. Cet objectif peut être conscient, défini ou explicite. Ainsi, un groupe d'ingénierie peut se réunir pour mettre au point un nouveau système téléphonique. Mais l'objectif peut être moins conscient et plus implicite. Par exemple, dans un groupe de thérapie, chacun des membres interrogé individuellement, sera probablement conscient de son désir de guérir, tout en étant totalement inconscient du fait que l'objectif, *du groupe,* doit être de créer une atmosphère de sécurité et de tolérance propice à la guérison.

Bion soutint que tôt ou tard (et en général assez tôt), tous les groupes essaient d'ignorer leurs objectifs en s'y prenant de plusieurs façons. Ces moyens, il les appela des « présomptions anti-objectifs », et en distingua quatre : la « fuite », la « lutte », l'« association » et la « dépendance ». Il utilisa le terme « présomptions » plutôt que le mot « style », parce qu'au nom de présomptions spécifiques les groupes agissent comme si leur but était d'ignorer les objectifs qui sont les leurs.

1. Voir Margaret J. Rioch, « The Work of Wilfred Bion on Groups », *Psychiatry*, Washington, D.C., vol. 33, n° 1, février 1970, p. 56-66.

Par la suite, Bion a remarqué que lorsqu'un groupe prend conscience de la présomption anti-objectif qu'il a adoptée, il a tendance à se tourner aussitôt vers un des trois autres moyens mis à sa disposition. Au contraire, quand un groupe fait en sorte de se débarrasser de toutes ces présomptions – en clair, quand il travaille de façon efficace et appropriée dans le sens de ses objectifs ou de leur réalisation –, il devient ce que Bion appelle un « groupe de travail ».

Une communauté peut s'appeler aussi un groupe de travail, mais, de façon générale, il faut lui préférer le terme de « communauté ». Les chefs de groupe formés à la manière Tavistock échouent régulièrement à intégrer leurs clients dans le carcan d'un groupe de travail. La notion de « groupe de travail » suppose une compétence et une efficacité étrangères à l'amour et à l'engagement, au sacrifice et à l'idée de transcendance, toutes choses nécessaires à la formation d'une communauté. Si les chefs de groupe Tavistock avaient souligné la nécessité de ce genre de valeurs, je crois qu'ils auraient davantage réussi à intégrer leurs clients dans des groupes de travail efficaces – en clair, dans des communautés.

En dépit de ses imperfections, le modèle Tavistock est extrêmement important pour comprendre la dynamique de la formation d'une communauté. La contribution de loin la plus révolutionnaire de Bion fut de reconnaître qu'un groupe n'était pas seulement une somme d'individus, mais un organisme doté d'une vie propre. Les « présomptions anti-objectifs » de Bion sont des réalités qui déterminent bel et bien le comportement des gens, aussi bien lors de la formation de la communauté que pour son maintien. Il est presque impossible à un groupe de former une communauté véritable ou de le demeurer s'il ne comprend pas et n'accepte pas ces réalités.

La fuite

Avec la présomption anti-objectif de la fuite, les groupes ont une forte tendance à fuir les questions et les problèmes qui les dérangent. Les groupes vont se comporter comme s'ils *présumaient* que leur but est d'éviter ces questions et ces problèmes plutôt que d'y faire face. D'une certaine manière, toute présomption anti-objectif est une forme de fuite, et ce genre de comportement est tout aussi névrosé chez un groupe que chez un individu.

Pour mesurer à quel point un groupe qui choisit la fuite peut être obsessivement destructeur, on n'a qu'à penser au groupe Mac Badgely qui a voulu faire de moi un bouc émissaire. J'avais annoncé que je me sentais déprimé. Par la suite, il s'est révélé que c'était tout le groupe qui était déprimé. Mais celui-ci n'a pas voulu faire face à la souffrance causée par sa dépression. Pour fuir sa propre dépression, le groupe était tout disposé à me déclarer malade et à me frapper d'ostracisme. Chercher un bouc émissaire est toujours une forme de présomption anti-objectif de la fuite.

La forme la plus courante de fuite collective se rencontre dans ce que j'ai appelé la « pseudo-communauté ». La présomption fondamentale de la pseudo-communauté est qu'il faut éviter de soulever le problème des différences individuelles. La pseudo-communauté adopte une ligne de conduite monotone selon laquelle il convient de fuir toute occasion susceptible de créer un conflit, qu'il soit sain ou malsain.

Une autre variété commune de fuite a lieu en période de chaos, quand le groupe cherche à éviter la voie du vide par la fuite dans l'organisation. Souvent cela se produit en suggérant de se répartir en sous-groupes. Cette suggestion est particulièrement séduisante surtout si l'on considère que les groupes de 15 personnes sont perçus comme des groupes de dimension idéale. Il s'agit invariablement d'une tentative de fuir le groupe comme entité ainsi que son objectif qui est de former une véritable communauté.

Une autre forme de fuite pour les groupes de formation de communauté est de ne pas tenir compte de la souffrance émotionnelle. Cela arrive tout le temps. Au milieu des plaisanteries de la pseudo-communauté, des querelles du chaos ou des affres du vide, l'un des membres du groupe (en général, le véritable chef du groupe) – supposons qu'elle s'appelle Marie – aborde un sujet très personnel et douloureux. Ses yeux se remplissent de larmes. « Je sais que je ne devrais pas pleurer, dit-elle, mais ce dont on vient de parler me rappelle mon père. Il était alcoolique. Enfant, je croyais qu'il était le seul à s'occuper vraiment de moi. Il aimait jouer avec moi. Il était toujours d'accord pour que je m'assoie sur ses genoux. Il est mort d'une cirrhose du foie quand j'avais trente et un ans. Il s'est littéralement saoulé à mort. Je lui en ai terriblement voulu de s'être lui-même donné la mort. J'ai eu l'impression qu'il m'avait abandonnée. J'avais le sentiment que s'il m'avait vraiment aimée il aurait fait en sorte d'arrêter de boire. Ce n'est que maintenant que je commence à me faire à l'idée de sa mort. J'ignore ce qui le faisait souffrir – peut-être seulement le fait de devoir vivre avec ma mère –, mais je pense qu'il avait probablement besoin de suivre la voie qu'il avait choisie. Mais je suis toujours incapable de me réconcilier avec moi-même. » Maintenant, Marie pleure à chaudes larmes. Elle conclut : « Vous comprenez, je ne lui ai jamais dit combien je l'aimais au moment où il allait mourir. J'étais si en colère que je n'ai pas eu le courage de le remercier. Et maintenant il est trop tard. Il est trop tard pour toujours. »

Très exactement cinq secondes s'écoulent avant que Larry ne dise d'une voix irritée : « Je ne vois toujours pas comment nous pourrons former une communauté si nous ne connaissons pas la définition du mot. »

Et Marilyn d'ajouter joyeusement : « Notre Église forme une communauté. Chaque dernier jeudi du mois, nous sommes une vingtaine à nous réunir pour un petit souper à la bonne franquette. »

« On avait la même habitude à l'armée, ajoute Virginie, cela se passait dans nos quartiers respectifs. Chaque mois, on cuisinait un plat d'un pays différent. Un mois, ce pouvait être un plat mexicain, un autre, un plat chinois. Une fois, nous avons même eu un plat russe. Mais je dois dire, cependant, que je n'aime pas le borsh. »

Avec un peu de chance, un membre du groupe se rendra compte de ce qui est en train de se produire. Marc pourra dire : « Hé ! Marie est en train de pleurer et nous faisons comme si de rien n'était. Elle s'est littéralement vidé le cœur et vous parlez de petits soupers à la bonne franquette. Je me demande ce qu'elle pense de tout ça. »

Si les choses se passent ainsi, il se peut que le chef du groupe ressente le besoin d'intervenir. Il pourra dire : « On dirait que le groupe ne sait pas être attentif à la douleur de ses membres. Le groupe a choisi de faire comme si Marie n'existait pas plutôt que de partager avec elle ses souffrances – il préfère parler d'une définition théorique de la communauté et fuir l'occasion d'*être* en communauté avec elle. » Il faut souvent répéter ce genre d'interventions. Le chef dira alors : « Vous vous demandez sans cesse ce que signifie le mot "vide". Il signifie entre autres de se taire pendant suffisamment longtemps – de faire le vide pendant suffisamment longtemps – pour être capable d'assimiler ce que quelqu'un vient tout juste de dire. Dès que quelqu'un parle d'une chose douloureuse, le groupe fuit dans le bruit. »

La présomption anti-objectif de la fuite peut également se produire *après* la formation de la véritable communauté. L'exemple le plus bouleversant que je peux donner à ce chapitre remonte sans doute à 1972, au sein du groupe de sensibilisation des National Training Laboratories, où, pour la première fois, j'ai pleuré en public. Grâce à la direction remarquablement efficace de Lindy, notre groupe de seize personnes était rapidement devenu une communauté. Pendant les dix jours qui avaient suivi, nous avions connu beaucoup d'amour et de joie, avions beaucoup appris ensemble et ressenti un immense bien-être. Mais le dernier jour était ennuyeux. Appuyés sur nos éternels oreillers, nous étions assis en cercle et ne parlions de rien en particulier. Près d'une demi-heure avant la fin, l'un de nous commenta, presque avec brusquerie : « Cela fait une drôle d'impression de savoir que ceci est notre dernière rencontre de groupe. » Mais il était déjà trop tard. Nous n'avions pas pris le temps de réfléchir au problème du retour à la vie normale ou de faire le travail de deuil lié au démantèlement de notre communauté.

Quand on y pense rétrospectivement, le phénomène était remarquable. Deux semaines avaient suffi pour que seize êtres humains non seulement partagent l'expérience la plus déterminante et la plus bouleversante de leur vie, mais ressentent en plus un amour et une sollicitude profonde à l'endroit des uns et des autres. Malgré tout, au cours de cette dernière journée, nous nous étions comportés comme si rien ne s'était passé. Nous avions délibérément évité d'aborder la question de notre mort en tant que groupe. Nous avions fui tout à fait l'éventualité de notre mort. La réussite à l'origine de notre communauté nous avait donné envie de croire que nous n'allions pas mourir. De façon inconsciente, nous cherchions à fuir la réalité de notre fin. Au cours de cette dernière journée, nous avions présumé que le but de notre rencontre était d'éviter d'aborder cette question. J'ignore si Lindy nous a permis cette fuite pour fuir sa propre douleur à l'idée de nous perdre en tant que groupe ou si, consciemment, il ne nous a pas donné la chance de faire l'expérience d'une présomption anti-objectif. Quoi qu'il en soit, nous y avons tous participé de plein gré.

La lutte

La lutte est la présomption anti-objectif dominante au cours du « chaos ». Dès qu'un groupe s'éloigne de la pseudo-communauté, il se met en général à se comporter comme une réunion d'apprentis psychothérapeutes et de prédicateurs, chacun s'efforçant de guérir ou de convertir l'autre. Bien sûr, ça ne marche pas. Moins ça marche, plus les membres du groupe essaient de le faire marcher. Le processus selon lequel chacun s'efforce de guérir et de convertir instantanément devient un processus de lutte. Le groupe fonctionne selon la présomption anti-objectif de la lutte. Il *présume* qu'il est réuni dans le but de lutter, même si, sur le plan individuel, les membres n'ont pas conscience qu'ils sont en train de lutter. En général, ils pensent qu'ils essaient seulement d'aider. Mais le processus de formation du groupe devient excessivement polémique et chaotique.

Le rôle de celui qui dirige le groupe de formation n'est pas seulement d'expliquer aux membres la présomption anti-objectif de la lutte, mais d'indiquer la voie pour trouver la solution. Il pourra dire ainsi : « Nous sommes censés travailler à former une communauté, mais nous ne faisons que nous quereller. Je me demande pourquoi. » Ce genre d'intervention ne doit pas survenir trop tôt. Si c'est le cas, le groupe est susceptible de régresser vers la pseudo-communauté en cherchant à éviter la lutte, sans même se demander pourquoi il luttait à l'origine. Mais si le groupe a connu le chaos pendant suffisamment de temps, il se peut qu'il réagisse : « Qu'est-ce qu'on fait qui ne marche pas ? » Une fois la question sérieusement posée, il peut arriver qu'un groupe puisse y répondre tout seul. Souvent, il a besoin d'un peu – mais d'un tout petit peu – d'aide. Si l'auto-analyse a l'air de s'enliser, le chef dira : « Pendant que j'assistais à toutes ces querelles, il m'a semblé que vous cherchiez tous à guérir ou à convertir quelqu'un. Il pourrait être utile de réfléchir aux raisons qui vous font agir comme si la guérison ou la conversion était votre but. »

Voilà comment en moins de deux heures, tout un groupe peut apprendre ce que des psychothérapeutes professionnels mettent en général des années à apprendre : nous ne pouvons pas décider, nous-mêmes, de guérir ou de convertir. Ce que nous pouvons faire, c'est de nous interroger le plus profondément possible sur les motifs qui nous poussent à agir de la sorte. Plus nous le ferons, plus vite nous en aurons fini avec ce désir de régler le sort des gens, plus vite nous serons capables et désireux, voire impatients, de permettre aux autres d'être eux-mêmes, créant ainsi une atmosphère de respect et de sécurité. Dans une atmosphère de ce genre, qui est l'essence de la communauté, les guérisons et les conversions viendront sans effort, sans qu'il soit nécessaire de les provoquer.

Les groupes qui ont réussi à former une communauté

luttent eux aussi. À plusieurs reprises, ils devront en effet lutter ensemble pour résoudre certaines questions importantes. Pour cette raison, j'ai donné le nom de « chaos » à la période au cours de laquelle un groupe s'enlise dans la présomption anti-objectif de la lutte. De façon spécifique, le « chaos » suppose un conflit stérile et sans issue, une forme de lutte tout à fait improductive. Le chaos se concentre sur des efforts en vue de convertir ou de guérir au lieu de chercher à intégrer les différences individuelles. En revanche, les luttes qui accompagnent la formation d'une véritable communauté supposent un processus créatif d'abstraction des désirs qui permet, ultimement, d'instaurer un véritable consensus.

L'association

La tendance à perdre de vue l'objectif principal qui est de former une communauté est une tentation permanente chez les groupes. À cet égard, l'association est un piège très fréquent. Les alliances entre deux membres ou plus, qu'elles soient conscientes ou inconscientes, sont très susceptibles de nuire à l'épanouissement du groupe.

Des gens mariés, des couples ou des groupes d'amis participent presque toujours ensemble à des groupes de formation de la communauté. Souvent – en particulier durant la période de chaos –, ces petits couples se mettent à chuchoter entre eux. Si ce genre d'attitudes passe inaperçu dans le groupe, je me vois dans l'obligation de dire : « Je me demande si le groupe n'est pas curieux de savoir ce que Jane et Betty sont en train de chuchoter ? Le groupe ne se sent-il pas exclu ? Jane et Betty ne se comportent-elles pas comme si le reste du groupe n'existait pas ? »

Dans une expérience de formation de la communauté, il arrive souvent qu'une relation amoureuse se développe entre deux membres du groupe. Il y en a même qui s'inscrivent à des ateliers dans l'espoir de trouver le grand amour. Il ne faut pas décourager ce genre d'attitudes. Mais il faut fixer des limites à cette conduite à partir du moment où elle nuit à l'intégrité de la communauté. Je dis donc à Jean et à Marie : « Nous sommes enchantés des liens d'affection qui se sont tissés entre vous. Mais le groupe a peut-être envie de penser que vous êtes si occupés à vous faire les yeux doux que vous ne faites plus attention à nous. Durant les pauses, vous êtes ensemble aussi longtemps que vous le voulez. Mais pendant les séances, le groupe aurait peut-être envie de vous suggérer de vous asseoir à l'écart l'un de l'autre. »

Le problème des associations peut se révéler particulièrement épineux dans les ateliers conçus pour former une communauté au sein de groupes jusque-là disparates. C'est ainsi qu'on nous a souvent demandé, à mes collègues et à moi, de « réunir » des étudiants et des membres de la faculté, des membres de la faculté et du personnel de l'administration, du personnel de l'administration et des parents, ou quelque autre combinaison de ce genre. En général, les sous-groupes se répartissent naturellement selon leur appartenance à un bloc. Souvent, il n'est pas nécessaire de les diriger pour revoir cette disposition. Mais il est important de comprendre le moment où l'exclusion a lieu et la manière dont elle se fait. En réalité, c'est une vraie joie de voir des groupes disparates se fondre dans la communauté, les étudiants assis aux côtés des professeurs, les administrateurs parmi les étudiants, les vieux parmi les jeunes.

L'association est tout aussi destructrice pour les communautés à long terme. Les communautés religieuses – les couvents et les monastères – connaissent un pouvoir remarquablement stable par comparaison aux communautés séculières. La principale raison à cela est qu'il est évident que les moines et les religieuses sont réunis pour des fins supérieures au simple plaisir d'être ensemble. Il n'empêche qu'il leur arrive souvent d'oublier cette fin supérieure. Par exemple, deux novices, Sœur Suzanne et Sœur Clarisse, peuvent se lier d'une solide amitié. Elles passent ensemble tout leur temps libre et trouvent plus de plaisir à la compagnie de l'autre qu'à celle de la communauté. Peu à peu, les choses tournent mal. Leur conduite exaspère les autres religieuses. Les deux novices sont tenues à l'écart des décisions importantes. En désespoir de cause, Sœur Suzanne se plaint à la maîtresse des novices qu'elle et Sœur Clarisse se sentent exclues de la communauté. La maîtresse des novices lui dira : « Les choses se passent peut-être dans l'autre sens. Clarisse et vous vivez une amitié si profonde qu'on dirait que vous n'êtes préoccupées que de vous-mêmes. Vous vous sentez peut-être exclues par les autres religieuses parce que vous ne considérez que votre amitié. Vous privez les autres religieuses de votre attention et de votre énergie. C'est du moins ce qu'elles me disent. Il fut un temps où nous avions l'habitude d'interdire les amitiés trop profondes, aussi merveilleuses qu'elles puissent être. De nos jours, nous attendons que vous constatiez le mal vous-mêmes. Je sais, Suzanne, que ce n'est pas facile, mais je suggère que Clarisse et vous réfléchissiez à votre amitié et vous demandiez si vous n'avez pas perdu de vue l'ensemble de la communauté et les raisons fondamentales de votre présence ici. »

La dépendance

De toutes les présomptions anti-objectif, la dépendance est celle qui fait le plus grand tort au développement de la communauté. Pour celui qui dirige un groupe, c'est aussi la plus difficile – la plus terriblement difficile – à combattre.

Mes collègues et moi devons nous engager dans ce combat dès le début du processus de formation de la communauté. Dans les documents que nous distribuons aux participants, nous informons ces derniers que l'expérience se fera sur une base participative et expérimentale plutôt que didactique. Au début de l'atelier, nous leur rappelons ceci : « La communauté ne peut exister tant que ses membres dépendent de celui qui les dirige pour les instruire ou faire le travail à leur place. Chacun d'entre nous se voit confier la même responsabilité qu'un autre, ni plus ni moins, dans le succès de notre travail commun. »

Au début les groupes n'acceptent pas volontiers de se voir à peu près dépourvus de direction. En général, les gens préfèrent de loin dépendre d'un chef qui leur dit quoi faire que de

le trouver eux-mêmes, même si ça ne les aide en rien à acquérir de la maturité – et qu'en réalité ça nuit même à leur développement. En dépit de toutes les recommandations du contraire, les groupes tombent très vite dans la présomption anti-
objectif de la dépendance. Et tant que le groupe n'en est pas
sorti – tant qu'il n'est pas devenu une communauté, le groupe
de tous les chefs –, il est presque inévitable que les membres
ne comprennent pas ce chef aussi peu autoritaire et conçoivent
quelque ressentiment à son endroit. En réalité, leur désir du
père ou d'une incarnation de l'autorité est si fort qu'ils sont
prêts à crucifier, symboliquement, celui qui les dirige s'il
refuse d'accéder à leurs demandes.

Ce n'est pas agréable d'être crucifié – même symboliquement. Pourtant c'est souvent nécessaire. La crucifixion n'est
pas simplement un événement quelconque survenu dans la vie
d'un dirigeant exceptionnel il y a deux mille ans. C'est une
forme de loi étrange. Quand je forme ceux qui dirigeront les
ateliers de formation de la communauté, je leur répète souvent : « Vous devez vouloir mourir pour le groupe et vous
tenir prêts à le faire. » Mais il n'y a pas de mots pour les
préparer à vivre l'expérience douloureuse de l'infamie qu'un
groupe est capable de faire subir à celui qui dirige tout en
refusant d'être le « papa tout-puissant ». Le problème remet en
question notre définition même des mots « force » et « faiblesse » lorsqu'appliqués à un dirigeant. Pour mener les gens
à former une communauté, le véritable chef doit décourager
toute velléité de dépendance, et il n'y a peut-être pas d'autre
façon de le faire qu'en refusant de diriger. Paradoxalement,
dans ces circonstances, un chef fort est celui ou celle qui est
prêt à prendre le risque – il peut même le souhaiter – d'être
accusé d'un manque de leadership. On en vient toujours à cette
accusation. Parfois elle est faite doucement. Elle peut parfois
être presque meurtrière.

Un collègue, qui vivait une situation de ce genre, raconta
une histoire de rabbins. Cette histoire est à retenir et peut se
révéler utile au cours de cette période éprouvante où les

groupes, refusant le vide, s'enlisent dans le chaos et blâment le chef d'en être arrivés là. Mon collègue raconta aux membres d'un atelier : « Un rabbin s'égara dans la forêt. Pendant trois mois, il chercha et chercha son chemin sans jamais le trouver. Un jour qu'il cherchait, il rencontra finalement un groupe de personnes qui venaient de la même synagogue que lui et qui s'étaient elles aussi égarées dans la forêt. Tout excités, les gens s'exclamèrent : "Rabbin, comme c'est merveilleux de vous avoir trouvé ! Nous pourrons maintenant sortir de la forêt !" "Je suis désolé, répliqua le rabbin. Je ne peux pas vous aider puisque je suis moi-même perdu. Mais, puisque j'ai une vaste expérience dans ce domaine, je peux vous dire les mille façons de ne pas sortir de la forêt. C'est peu de chose, mais si nous travaillons ensemble, nous serons peut-être capable de trouver ensemble le chemin du retour." »

La morale de l'histoire va de soi. Pourtant, il est étonnant de voir à quel point l'histoire n'aide pas celui qui la raconte. Au contraire, le groupe s'en servira pour ajouter à sa liste de griefs : « Et en plus, tu racontes des histoires stupides. »

Néanmoins, pour un chef, le plus difficile, ce n'est pas les clous enfoncés par les autres ; c'est l'autocrucifixion. C'est quand il doit refuser de céder à la tentation d'être ce chef que tout le monde réclame. Ceux d'entre nous qui se retrouvent à occuper ce genre de fonctions ont une certaine habitude du commandement. Il nous est beaucoup plus facile d'enseigner et de prêcher que de nous taire. Nous devons constamment faire abstraction de notre besoin de contrôler. Le plus souvent, un groupe ne deviendra une communauté qu'à partir du moment où j'aurai renoncé, où j'aurai décidé : « Cette fois, on s'en va vers l'échec. » Je ne pense pas qu'il s'agit d'une coïncidence. La formation d'une communauté exige de ceux qui sont habitués à diriger qu'ils entrent délibérément dans un état de désespoir. La communauté exige que je fasse abstraction de mon besoin de parler, de mon besoin de toujours aider, de mon besoin d'être un gourou, de mon envie d'agir en héros, de mes réparties vives et faciles, de mes chères conceptions. Car un groupe ne peut apprendre à faire le vide que si son chef est capable de faire l'expérience du vide.

Un ministre protestant d'âge moyen, très apprécié dans son milieu et que j'avais aidé à former, exprima fort bien cette difficulté. Après avoir participé à un premier atelier de formation de la communauté, il écrivit : « Je me suis souvenu que vous aviez dit que souvent ce genre de choses ne réussit qu'à partir du moment où l'on croit qu'elles ont échoué. Mais cela ne me fut d'aucun secours. Samedi soir, j'ai téléphoné à mon épouse et lui ai dit que je n'étais pas fait pour ce travail. J'ai ensuite déplacé ma voiture pour être le premier à sortir du parking le lendemain matin. Pourtant, je m'accrochais. Je suis un ministre et un maître manipulateur. Toute la nuit, j'ai pensé qu'il devait y avoir une combine que je n'aurais qu'à utiliser. Un peu avant l'aube, j'ai finalement compris que je ne savais rien du christianisme. Je ne savais rien du sacrifice. Je ne savais rien de l'agonie de mon propre ego. C'est à ce moment que je suis mort. Après le petit déjeuner, nous étions devenus une communauté. »

Cependant, une vieille règle veut que, plus on s'efforce d'aller dans une direction, plus on s'en éloigne. Par conséquent, c'est celui qui doit diriger un groupe de formation de la communauté qui est susceptible de tirer le plus grand bénéfice de l'expérience. Son sacrifice peut être plus grand, le bénéfice obtenu le sera d'autant. Mon ami termina sa lettre en disant : « Les gens disent que je suis plus conciliant – plus doux – depuis mon retour. Je me sens étrangement bien. Je suis peut-être fou, mais, oui, j'ai envie de recommencer. »

INTERVENIR
DANS LE COMPORTEMENT D'UN GROUPE

Un groupe est plus que la somme de ses membres – il est lui-même un organisme vivant –, et ceux qui dirigent les groupes devraient donc faire porter tous leurs efforts sur l'ensemble du groupe. En général, ils ne doivent pas s'arrêter aux problèmes ou à la personnalité des individus. Ce genre de considérations peut nuire, en effet, au développement de la communauté. Par conséquent, pour les chefs de groupes, la règle générale est de n'intervenir que sur des questions qui concernent le groupe plutôt que sur des points relevant de comportements individuels. Le but de telles interventions n'est pas de *dire* au groupe ce qu'il doit faire ou ne pas faire, mais de lui faire prendre conscience de son comportement.

Pour celui qui dirige le groupe, une intervention typique de ce genre sera de dire : « Il semble que le groupe se comporte comme si tout le monde partageait la même foi religieuse » ; ou : « Il semble que tout ce chaos s'explique par le fait que chacun essaie de changer l'autre » ; ou : « On dirait que les membres plus jeunes et les membres plus âgés sont en train de former des factions différentes » ; ou : « On dirait que le groupe change de sujet chaque fois que quelqu'un dit quelque chose de douloureux, comme s'il ne voulait pas entendre la souffrance d'autrui » ; ou : « Avant d'espérer former une communauté, je me demande si le groupe ne doit pas faire abstraction de son ressentiment à mon endroit, en raison de mon faible leadership. »

Un des effets de ce style de leadership est de montrer aux membres à penser au groupe dans son ensemble. Au départ, seule une minorité de participants aura une conscience de groupe, mais dès que le groupe formera une communauté, la majorité aura appris à se percevoir en tant qu'entité collective. Les participants commenceront même à faire eux aussi des interventions de groupe efficaces. Ainsi, un homme d'affaires qui a suivi sa femme dans un atelier uniquement pour lui faire plaisir pourra faire remarquer : « J'ai l'impression que le groupe s'est fourvoyé de nouveau. Je me demande si nous n'avons pas besoin de réfléchir à certains aspects de notre comportement. » Quand cela se produit, celui qui dirige le groupe peut de plus en plus souvent se cantonner dans le rôle agréable du « membre parmi les autres ».

La règle d'or du leadership dans les ateliers de formation

de la communauté est que celui qui dirige ne devrait faire que les interventions que les autres membres du groupe se révèlent incapables de faire. Faute de quoi, le groupe ne pourra jamais devenir une communauté. Réciproquement, une communauté qui atteint sa pleine maturité est à peu près capable de résoudre ses problèmes sans avoir besoin de faire appel à la personne qui la dirige officiellement. Mais pour en venir à cela, le dirigeant devra être patient – le temps de voir si les autres membres prendront conscience du problème dont il ou elle connaît déjà l'existence. Cette nécessaire patience (que l'on confond souvent avec une déficience du leadership) n'est possible que lorsque ceux qui dirigent sont prêts à faire abstraction de leur besoin de tout contrôler. Une des tâches les plus difficiles de ceux qui dirigent les ateliers de formation de communauté est de devoir constamment réévaluer les délais nécessaires avant de pouvoir conclure que le groupe n'est pas encore prêt à faire face tout seul à un problème.

Les règles générales souffrent des exceptions. Il peut arriver que celui qui dirige l'atelier doive se pencher sur le comportement d'un individu. Mais il devra le faire en gardant à l'esprit les besoins du groupe et non ceux de la personne en cause : c'est-à-dire, quand il est évident que le comportement d'un individu nuit à la formation de la communauté et que l'ensemble du groupe ne semble pas être encore capable de faire face à la situation. Pour illustrer le fait, je rappellerai deux occasions semblables où je me suis senti obligé d'intervenir auprès d'individus.

Une négligence de ma part avait fait en sorte que le dépliant distribué avant la tenue d'un de mes ateliers ne spécifiait pas noir sur blanc que le but premier de l'atelier était de former une communauté. Mais, au tout début de l'atelier, j'avais expliqué que c'était mon souhait, et les participants avaient semblé emballés par la perspective. Peu de temps après que nous soyons devenus une communauté, un des membres, intellectuel chrétien d'âge moyen répondant au nom de Marshall, cherchait encore à entraîner le groupe dans une discussion théologique abstraite. Éconduit par le groupe, il s'était plaint du fait que le dépliant ne mentionnait pas qu'il s'agissait d'un groupe de formation de la communauté et il expliqua qu'il avait décidé d'y participer pour en apprendre davantage sur la théologie que je préconisais. Le groupe lui fit remarquer que, même si le dépliant ne parlait pas de formation d'une communauté, il disait bien, cependant, qu'il s'agissait d'un atelier de type participatif au cours duquel on tenterait de préciser de façon *expérimentale* la portée que le christianisme donne aux mots amour, discipline et sacrifice. Marshall s'entêtait à vouloir mener une discussion théorique. Je lui dis : « Marshall, tu as sans doute raison de dire que je n'ai pas spécifié clairement dans le dépliant que nous ferions l'expérience de la formation d'une communauté. Ce fut une négligence de ma part. J'aurais dû être plus clair. Je peux comprendre que tu te sentes floué, et tu mérites toutes mes excuses. Je suis désolé de t'avoir trompé. »

Au cours de la pause qui suivit peu après, Marshall m'aborda : « Ce week-end m'a mis passablement en colère. J'ai le sentiment d'avoir perdu mon temps et mon argent. Je ne serais jamais venu si j'avais su qu'il s'agissait encore d'une de ces histoires de communauté. »

« Je ne sais que faire, sinon m'excuser encore une fois, répondis-je. Je ne vais pas entraîner le groupe dans une discussion théologique, parce que ce n'est pas ce qu'il veut. J'espère que tu seras capable de t'adapter. Mais je te le répète, j'ai vraiment fait une erreur et j'en suis sincèrement désolé, comme je regrette aussi de t'avoir déçu. »

Quand le groupe se réunit de nouveau, Marshall ne prononça pas un mot pendant une heure. Le groupe fit comme s'il n'était pas là. Marshall était en train de devenir le paria du groupe. Je n'étais pas sûr de ce qu'il fallait faire. Même si je n'aimais pas la façon dont les choses tournaient, j'attendis. Un peu avant la pause du midi, Marshall recommença à tenir des propos excessivement théologiques. Le groupe manifesta ouvertement son hostilité, mais nous n'avions pas le temps de résoudre le problème avant midi. Nous devions amorcer la troisième partie de notre atelier après le déjeuner. Je compris que la fierté de Marshall ferait en sorte qu'il serait profondément humilié si je devais le confronter au groupe. Mais, si je ne faisais rien, il semble que l'attitude de Marshall et le ressentiment qu'elle suscitait dans le groupe pouvaient compromettre sérieusement la dernière partie de notre atelier, voire le succès de toute l'affaire. Comme le groupe allait se séparer, je demandai à Marshall s'il voulait déjeuner avec moi en tête-à-tête.

Je ne perdis pas de temps en politesses. « Nous avons un vrai problème », dis-je à Marshall dès que nous eûmes pris place. « Je me suis excusé auprès de toi devant tout le monde ce matin, au sujet du dépliant, mais tu m'as encore blâmé durant la pause de la matinée. Il est évident que tu n'avais pas accepté mes excuses. Je me suis donc excusé une seconde fois. Mais tu essaies encore d'entraîner le groupe dans une discussion théologique, et il est évident que tu ne m'as pas encore pardonné le fait que le groupe ne corresponde pas à tes attentes. Combien de fois devrai-je m'excuser, Marshall? Même si le dépliant ne disait rien au sujet de l'expérience de la formation d'une communauté, je t'ai précisé que notre connaissance chrétienne de l'amour, de la discipline et du sacrifice serait expérimentale. Je suis sûr que tu seras d'accord avec moi pour dire que la question du pardon est relativement importante dans la théologie chrétienne. Par conséquent, avec moi, ou bien tu feras l'expérience du pardon, ou bien tu feras l'expérience du non-pardon. L'issue dépend de toi. De plus, comme tu le sais, nous avons beaucoup parlé du vide, lui-même assez lié à la notion de sacrifice. La seule façon pour toi de me pardonner de te faire supporter un groupe qui ne correspond pas à tes attentes est de faire abstraction de celles-ci, de faire le sacrifice de tes idées préconçues et de tes désirs. Encore une fois, le christianisme a quelque chose à voir avec le sacrifice et, encore une fois, il dépend de toi que tu fasses ou non ce sacrifice. La connaissance expérimentale fait appel à un savoir difficile. Mais en réalité, tu tireras de cet atelier une expérience qui dépendra de ta façon réelle de mettre en pratique la théologie chrétienne. »

Ça a marché. Marshall a marché. Il ne fit plus aucune tentative pour provoquer une discussion théorique. Au moment de la pause de l'après-midi, Marshall se tourna vers l'un des participants qui avait vertement critiqué son intellectualisme et qui était en train de donner l'accolade à d'autres participants ; il lui demanda : « Vas-tu m'embrasser moi aussi ? » Aussitôt, l'homme s'exécuta. Plusieurs d'entre nous se mirent à pleurer. Au cours de la dernière session qui suivit, Marshall avoua que c'était la première fois de sa vie qu'il avait embrassé un autre homme. De nouveau, plusieurs d'entre nous se mirent à pleurer. Ce jour-là, Marshall fit des progrès énormes en théologie.

Une des raisons pour lesquelles les interventions individuelles sont si difficiles est qu'en général elles deviennent nécessaires à partir du moment où un des membres du groupe, tel Marshall, ne perçoit pas d'emblée le message. À cause de cette résistance, l'intervention doit souvent prendre la forme d'une sorte de lutte. Je n'ai pas aimé me battre avec Marshall. Je n'aime pas me battre avec quiconque. En général, les gens n'aiment pas recevoir une raclée, et il est difficile de savoir comment ils réagiront. Les interventions de ce genre sont donc potentiellement dangereuses et on doit n'y avoir recours qu'après avoir longuement analysé la situation.

À une autre occasion, durant le premier tiers des neuf heures que nous devions passer ensemble, tandis que l'atelier connaissait sa période habituelle de chaos, je compris que l'un des membres – appelons-le Archie – posait potentiellement un problème. À trois reprises, Archie avait pris la parole avec éloquence et beaucoup de passion. Je ne comprenais pas un mot de ce qu'il disait. Je savais que les autres membres du groupe ne comprenaient pas davantage, mais que, par gentillesse, ils ne lui feraient aucune remarque. Vers la fin de l'après-midi, je demandai au groupe, toujours empêtré dans le chaos, de passer la nuit à réfléchir à ce qui n'allait pas. Je passai la nuit à penser à Archie. C'était un être si confus. Je savais qu'à supposer que nous réussissions un jour à former une communauté, Archie serait capable de la détruire, à moins que je n'intervienne d'une manière ou d'une autre. Même si je ne voulais pas, j'avais le pressentiment que c'est ainsi que les choses se produiraient, et je n'étais pas sûr de ce que je devais faire ni si cela allait marcher.

Nous nous réunîmes le lendemain matin, le groupe aborda tout de suite l'étape du vide et, peu de temps après, nous formions une communauté. À peine avions-nous commencé à goûter notre bonheur qu'Archie se lança dans une autre de ses envolées poétiques. « Je comprends exactement ce que tu ressens, Archie, dit une femme. Je ressentais la même chose quand mon mari est mort – au début, j'étais très en colère. » « Mais ce n'est pas cela qu'Archie vient de dire, protesta un autre membre. Il vient de dire qu'il était triste. » Archie tint un autre de ses discours poétiques. « Archie est peut-être triste et en colère à la fois », commenta quelqu'un. « J'ai senti de la colère », dit un autre. « Non, c'était de la tristesse », proclama un cinquième, en haussant un peu le ton. « Je n'ai pas senti cela non plus », rétorqua un sixième. Le groupe était retourné dans le chaos.

« Le groupe est dans la confusion, dis-je, et il y a une raison à cela. » Le cœur battant, je poursuivis : « Archie, mes sentiments à ton endroit sont partagés. D'un côté, je t'aime bien. Je devine que tu as l'âme d'un poète. Je vibre à tes passions. Je pense que tu es quelqu'un de bon et de profond. Mais je pense aussi que tu as un problème d'autodiscipline dès qu'il est question de mots. Pour une raison ou pour une autre – et une raison que j'ignore –, tu ne t'es jamais astreint à la discipline de traduire tes passions et la poésie de ton âme en des mots que tout le monde peut comprendre. Avec le résultat que, si les gens sont émus par ce que tu dis, ils sont également confus, aussi confus que le groupe l'est maintenant. Je pense que tu peux acquérir cette autodiscipline, et j'espère sincèrement que tu le feras, parce que j'ai le sentiment que tu as des choses merveilleuses à dire. Mais il faut beaucoup de temps pour apprendre à se discipliner, et je doute fort que tu puisses le faire en une journée. »

Il y eut un moment redoutable de silence, tandis que j'attendais – et que tout le monde attendait – de voir la réaction d'Archie. « Merci, Scottie, répondit-il. Tu es l'une des rares personnes à pouvoir me comprendre. »

Durant le reste de l'atelier, Archie ne dit plus un mot. Mais ce mutisme était une preuve d'amour et je sentais que la communauté le lui rendait bien.

Je ne sais pas si Archie a réussi à se donner la discipline de traduire la poésie de son âme en des mots que tout le monde peut comprendre. Mais cette histoire a une suite. Un an et demi plus tard, je devais diriger un atelier de formation de la communauté du même genre, dans la même ville et sous les mêmes auspices. Archie téléphona à l'organisatrice de l'atelier. « J'aimerais y participer de nouveau, lui dit-il, mais je n'ai pas d'argent. Dites à Scotty que s'il a besoin d'un garde du corps, je suis là. »

Ces interventions individuelles furent réussies – à la fois pour la communauté et pour les personnes concernées – en grande partie parce que Marshall et Archie ont été capables de s'adapter au changement et de renoncer à un certain type de comportement. Mais que se serait-il passé s'ils avaient refusé de faire le sacrifice ? Si j'en juge par ma propre expérience, les groupes peuvent faire face à toute une variété de psychopathologies individuelles, sauf à une. Ce sont souvent, en effet, les membres les plus « malades » qui contribuent davantage à la formation de la communauté. Mais il existe quelques rares individus qui ne se contentent pas de refuser d'assujettir leurs besoins à ceux du groupe, mais cherchent en plus activement à détruire la communauté, que ce soit de façon consciente ou inconsciente. Dans un ouvrage précédent [2], j'ai osé dire de ces quelques individus qu'ils incarnaient le « Mal ».

2. M. Scott Peck, *People of the Lie*, New York, Simon and Schuster, 1983.

Au départ, il y a fort à parier que ce genre d'individus se tiendront loin des ateliers de formation de la communauté. Voilà qui explique que je n'en aie rencontré que deux après avoir dirigé une centaine d'ateliers auxquels ont participé plus de cinq mille personnes. Dans un cas, la personne a bel et bien réussi à détruire la communauté. Dans l'autre cas, la communauté a décidé d'exclure la personne – décision extrêmement difficile puisque la communauté est ouverte par définition. Il reste qu'il est nécessaire d'en venir à cette décision quand la vie même de la communauté est menacée.

Cependant, il n'incombe pas seulement au chef d'un groupe d'affronter un membre maléfique. Les êtres maléfiques sont des gens puissants, et ce n'est pas une mince affaire que de les affronter, même pour des dirigeants expérimentés. Très tôt, j'ai fait l'expérience d'un être maléfique qui cherchait à détruire la communauté, et j'avais alors estimé de mon devoir, en tant que chef, d'affronter cette personne en combat singulier, histoire de sauver le groupe. Le problème est que cette femme était capable de riposter avec suffisamment d'intelligence pour se faire des alliés et diviser le groupe en deux camps qui resteraient sur leurs positions.

La responsabilité de neutraliser un membre maléfique devrait donc revenir à l'ensemble du groupe. C'est ainsi que les choses se sont passées dans un autre atelier, dont les membres devaient exiger, ultimement, le départ du membre maléfique. J'insistai alors pour dire que c'était le problème de tout le groupe, qui dut vivre avec le remords causé par la nécessité d'exclure cette personne et, au bout du compte, cette façon de procéder facilita notre accession à la communauté.

Si un groupe décide de procéder à une exclusion, elle devra être minimale. Le groupe dont je viens de parler demanda à l'homme de quitter les lieux pour une demi-journée, en lui donnant la possibilité de revenir et d'essayer de nouveau. L'homme n'a pas choisi cette possiblité. Il m'est arrivé d'agir comme conseiller auprès d'une communauté qui avait choisi de prolonger son existence à long terme (une sorte d'« internat ») et à laquelle une femme maléfique avait décidé de se joindre. Finalement, la communauté lui dit qu'elle pertubait tellement le groupe qu'elle ne pouvait plus demeurer dans la maison. On la prévint cependant qu'elle serait toujours la bienvenue à l'heure des rencontres sociales et que, si elle montrait le moindre désir de changer, on la prendrait de nouveau à l'essai dans la maison. La femme n'a pas retenu, elle non plus, cette possibilité. Même si les deux membres ont choisi de ne pas revenir en arrière, leur bannissement n'était pas total, et le caractère partiel de leur exclusion a pour le moins diminué la culpabilité ressentie par les communautés qui avaient décidé de leur exclusion.

Il est normal que toute communauté qui décide d'exclure un membre, même partiellement, ressente de la culpabilité, bien que celle-ci ne doive pas avoir un effet paralysant. Cela s'explique par le fait que l'exclusion viole le principe numéro un de la communauté : l'ouverture. De plus, il y a fort à parier que le membre exclus ira tout simplement exercer son influence néfaste sur une autre communauté. L'exclusion n'est donc pas une solution au problème du mal. Quelle que soit la nécessité de l'exclusion pour maintenir l'unité de la communauté, cette dernière devra toujours admettre qu'en excluant quelqu'un elle a échoué sur un aspect important de sa nature. À vrai dire, n'étaient ce sentiment d'échec et la culpabilité qui l'accompagne, une communauté cesserait alors d'être une communauté ; elle dégénérerait dans l'exclusion comme mode de fonctionnement. Quand une communauté ne s'interroge plus longuement pour savoir si l'exclusion d'un membre n'est pas une recherche déguisée de bouc émissaire, elle admet, du coup, la notion même de bouc émissaire. Elle-même ne sera plus immunisée contre le Mal. L'appartenance à une communauté véritable entraîne une douleur et une tension permanentes liées au problème du mal humain.

Le bon côté de la chose est que le problème du mal humain, si perturbant qu'il soit, demeure insignifiant à l'échelle statistique d'un groupe réduit. Selon ma propre expérience, seulement deux personnes sur cinq mille n'ont pas réussi à s'intégrer avec succès au processus de formation de la communauté. La réalité est donc qu'à l'échelle dont nous avons parlé, s'ils sont bien guidés, les êtres humains, à quelques exceptions près, sont suffisamment bons pour participer au processus de façon créative. À une échelle plus grande, par exemple à celle du gouvernement ou de la nation, le problème du mal humain prend une autre ampleur. La question du mal institutionnel est un spectre beaucoup plus effrayant.

LA DIMENSION DE LA COMMUNAUTÉ

Il ne semble pas que le succès d'un groupe qui cherche à former une communauté ait un lien quelconque avec sa dimension. En temps voulu, j'ai réussi à transformer en communautés plusieurs groupes de trois à quatre cents personnes. Une immense salle située en retrait, un coordinateur de conférences, une vingtaine de chefs d'ateliers bien entraînés et cinq jours complets ont suffi pour y arriver. Une structure aussi élaborée n'est en général pas très pratique. Cette mise en garde étant faite, on ne sait pas quelles sont les dimensions maximales d'un groupe qui veut former une communauté. Par ailleurs, dans mes ateliers de formation de la communauté, le nombre de participants oscille entre vingt-cinq et soixante-cinq, tout simplement parce que c'est là la limite qui permet de tracer une sorte de cercle intimiste.

Les psychothérapeutes ou certaines personnes qui ont quelque connaissance des comportements de groupe s'étonneront peut-être de ces dimensions. Une idée dominante, chez les professionnels, est que la « dimension idéale d'un groupe » se situe entre huit et quinze personnes, et que tout groupe qui réunit plus de vingt personnes est ingouvernable. Je croyais la même chose jusqu'en ce jour de 1981, à Washington, D.C., où notre « atelier intellectuel » de soixante participants devint tout à coup une communauté.

Si j'en juge par mon expérience, la principale raison qui

rend possible la formation de communauté avec des groupes imposants est que je ne demande pas à chaque participant de prendre la parole. Pour le thérapeute ou pour celui qui dirige un groupe de sensibilisation, le silence d'un membre est une forme d'anathème. Pour ma part, j'ai vraiment appris à apprécier le pouvoir du comportement non verbal. Les conférenciers professionnels vous diront que, dans une salle pleine, il y aura toujours un homme ou une femme dont l'expression du visage ou un simple geste saura les stimuler et les inciter à s'exprimer avec plus de courage, de confiance et de conviction. Inversement, il suffira de la froideur ou du regard glacé d'une seule personne dans la salle pour les embarrasser et leur faire perdre tous leurs moyens. C'est ainsi que les choses se passent dans les groupes de formation de la communauté. Les gens qui ne disent pas un mot peuvent apporter une contribution aussi grande que celle des plus volubiles.

Il n'est pas besoin d'être un expert pour évaluer si un membre silencieux fait partie du groupe, émotivement parlant. L'observation de ses gestes ou de l'expression de son visage sur une certaine période de temps vous le dira. Imaginons que quelqu'un – disons qu'il s'agit d'une jeune femme et qu'elle s'appelle Marie – s'assoit à l'écart du groupe, regarde par la fenêtre pendant deux heures, l'air absent, ennuyé ou déprimé. Je commenterai sans doute : « On dirait que le groupe ne voit pas que Marie a l'air plutôt distante. » Par contre, si les membres sont émotivement « dans le coup », je n'ai pas envie de leur arracher une parole.

Les grands muets ne font pas que contribuer de façon importante au succès de la communauté ; ils reçoivent d'elle autant qu'ils ont donné. Ainsi, Marguerite a commencé avec moi une thérapie individuelle à l'âge de vingt-six ans, alors qu'elle souffrait de timidité excessive. Nous avons travaillé ensemble pendant un an et demi et elle a fait quelques progrès. On me demanda alors de diriger un petit atelier de formation de communauté dans un joli village. Il m'a semblé que c'était pour Marguerite une occasion idéale de se sentir à l'aise dans un groupe. Je lui ai proposé d'y participer. La jeune femme accepta à contre-cœur, et, à ma grande déception, elle ne dit pas un mot pendant les deux jours complets que dura l'atelier. L'expérience semblait avoir été un échec pour elle.

Cinq jours plus tard, rose de plaisir, Marguerite se présenta à sa séance de thérapie individuelle et me dit qu'elle avait vécu durant ces deux jours l'expérience la plus heureuse de sa vie. « J'ai connu une sensation semblable auparavant, dit-elle, mais c'était différent. Elle ne durait jamais – un moment par-ci, un moment par-là, trois mois plus tard. Après le week-end dernier, je m'attendais à ce que la joie disparaisse. Mais elle est revenue, et revenue, et revenue encore. »

LA DURÉE DE LA COMMUNAUTÉ

Selon mon expérience, une période de deux jours est l'idéal pour qu'un groupe de trente à soixante personnes devienne une véritable communauté. Il est possible de faire les choses plus rapidement. En général, il est possible de former d'authentiques communautés en quelques heures, à condition de rappeler sans cesse aux membres du groupe de ne pas faire de généralisations, de parler chacun en son nom personnel, d'être vulnérables, de ne pas chercher à guérir ou à convertir, de faire abstraction de ses attentes, d'écouter de tout cœur et d'accueillir aussi bien les choses agréables que les choses désagréables. Alors, c'est comme si on était hissé en hélicoptère au sommet d'une montagne. On n'apprécie son bonheur que si on a d'abord connu les marais et les rochers. Évoquant ce problème de la communauté « éclair », une jeune ecclésiastique le traduisit en un mythe extrêmement bref. Tandis que les gens prononçaient leurs dernières paroles à la fin d'un atelier d'un jour, la jeune femme résuma la situation en faisant remarquer : « Pour moi, la journée a tous les avantages et les inconvénients d'une romance d'une nuit. »

Bizarrement, la situation inverse est vraie aussi. Dans les ateliers de deux jours, certains groupes forment une communauté dès le milieu de l'après-midi du premier jour, d'autres au milieu de l'atelier, d'autres quatre heures seulement avant la fin. Quelques groupes isolés, qui se débattent encore avec leur façon traditionnelle de voir les choses, n'arrivent à former une communauté que dans les deux dernières heures. Et pourtant, dans ce derniers cas, les participants repartent aussi satisfaits. Ils diront sans doute : « Ce fut l'expérience la plus importante de ma vie. » Comment la chose est-elle possible s'ils n'ont reçu que deux heures de récompense pour un travail intense de douze heures ? Mais qui donc, ayant connu l'amour véritable, pourrait regretter qu'il ne soit venu qu'après quelques semaines seulement de fréquentations ?

L'ENGAGEMENT DANS LA COMMUNAUTÉ

Les participants doivent être prévenus de l'engagement qu'on attend d'eux et qui est si essentiel dans la formation d'une communauté. Les participants qui s'inscrivent à mes ateliers ne sont pas seulement prévenus à l'avance et par écrit que le but de la rencontre sera de former une communauté. Je les préviens aussi que le processus risque fort d'être ardu et douloureux. Avant d'arriver, ils sont prévenus de la nécessité de rester présents tout au long du processus et de traverser la tempête.

Dès qu'ils sont réunis, je répète la mise en garde : « Il n'y a qu'une seule règle essentielle. Il n'est pas question d'abandonner. » Certaines personnes ont besoin de savoir qu'il existe une sortie de secours ; je prends donc bien soin d'ajouter que je n'ai ni fusils, ni fouets, ni chaînes, ni fers pour faire respecter cet engagement. J'ajoute : « Chacun d'entre nous est responsable du succès du groupe. Si vous n'êtes pas contents de la façon dont les choses se déroulent – et vous ne le serez pas –, il est de votre responsabilité de prendre la parole et de formuler votre mécontentement plutôt que de vous contenter de reprendre vos billes et de partir sans bruit. Mon souhait est que nous saurons demeurer ensemble à travers les périodes de doute, d'anxiété, de colère, de dépression et même de désespoir. »

Selon mon expérience, en moyenne, 3 p. cent des participants ne respectent pas leur engagement. Environ la moitié le font au cours de l'étape difficile du chaos ou du vide. Je donnerai pour exemple cette psychologue d'âge moyen, cultivée et sûre d'elle-même, qui, dès le premier tiers d'un atelier réunissant cinquante-neuf participants, annonça : « Je sais que je me suis engagée à rester ici, mais je ne vais pas respecter cet engagement. Je vais partir ce soir, à la fin de cette session, et je ne reviendrai pas demain matin. »

Aussitôt, le reste du groupe se sentit concerné. « Pourquoi ? » avons-nous demandé d'une seule voix.

« Parce que toute cette histoire est stupide, répondit-elle. Voilà vingt ans que je dirige des groupes et il est impossible à un groupe de plus de vingt personnes de former une communauté – et certainement pas en deux jours. Je n'ai pas l'intention de m'asseoir ici et de participer à un échec inévitable. »

Un participant moins « cultivé » fit une remarque lourde de sous-entendus : « Si tu pars maintenant et que nous réussissons à former une communauté, tu ne sauras jamais que tu étais dans l'erreur. »

« Mais je ne suis pas dans l'erreur, répondit la psychologue. Je sais de quoi je parle. C'est ma profession. Ce que vous essayez de faire est impossible. »

Elle partit donc ce soir-là. Le lendemain, vers la fin de la matinée, les cinquante-huit personnes qui restaient formaient une communauté.

Le départ d'un ou deux participants après que le groupe ait réussi à former une communauté est une chose plus étonnante. Ceux-ci ne disent jamais pourquoi ils s'en vont. Ils se contentent de s'éclipser en douce. Peut-être parce que ces personnes, pour une raison ou pour une autre, sont incapables de supporter autant d'amour. Malheureusement, si elles ne peuvent le supporter, c'est peut-être que déjà la communauté ne leur convient plus.

LA COMMUNAUTÉ EN EXERCICE

Au fil des années, ceux qui dirigent les ateliers ont mis au point un large éventail d'exercices susceptibles d'accroître les aptitudes des groupes en matière de confiance, de sensibilité, d'intimité et de communication. Je n'ai pas l'intention de critiquer ces exercices. Du point de vue de la formation de la communauté en tant que telle, mon opinion est que l'expérience de la formation d'une communauté atteint sa puissance maximale quand elle ne fait appel à aucun « truc » ou à aucun « jeu » qui rende le processus plus agréable. Par conséquent, dans les ateliers que je dirige, la façon de conduire le groupe vers la communauté se caractérise par une certaine austérité et par une absence de « singeries ». Il reste qu'il existe certaines choses que l'on peut qualifier d'« exercices » et qui peuvent souvent faciliter le processus.

Le silence

Le silence est le meilleur facteur d'abstraction. Dans un atelier typique, la pause est toujours suivie de trois minutes de silence avant de débuter une nouvelle session. Au cours de ces périodes de silence, il m'arrive de demander aux participants de réfléchir à ce dont ils ont besoin de faire abstraction, sur le plan individuel, pour faire le vide. Dès que je devine que l'ensemble du groupe a un problème particulier à cet égard, je décrète habituellement une période supplémentaire de silence pour y faire face. C'est ainsi que j'ai ordonné au groupe de dirigeants municipaux du Midwest d'observer encore une fois le silence de manière à pouvoir faire abstraction de leurs projets respectifs et bien intentionnés, tous chargés de venir en aide à leur ville.

Un autre groupe, qui se débattait encore dans les affres du chaos, concentrait ses efforts sur Larry, jeune homme qu'il percevait – non sans raison – comme une menace potentielle. J'intervins : « Il me semble qu'il y a quelque chose qui cloche avec cette fixation constante. Je me demande si nous ne nous servons pas de Larry comme d'un moyen pour exprimer la méfiance que nous ressentons les uns envers les autres. Il dit qu'il est ici pour tout un ensemble de raisons complexes, mais personne ne semble vouloir lui donner le bénéfice du doute. Je ne vois pas comment nous pourrons former une communauté si nous ne nous donnons pas mutuellement le bénéfice du doute. Je n'ai pas dit qu'il fallait faire preuve d'une confiance totale et absolue. Mais il y a une différence de qualité entre la confiance absolue et le fait de penser que les autres sont indignes de confiance. Même si nous venons de le faire il n'y a pas plus de vingt minutes, j'aimerais que nous observions un moment de silence, au cours duquel je vous demande de faire le vide de tout ce qui peut vous empêcher de donner à quiconque dans cette pièce le bénéfice du doute. »

C'est ainsi que nous avons procédé, et, quand le groupe émergea du silence, ce fut pour se transformer aussitôt en communauté.

Les histoires

La meilleure façon d'apprendre est encore l'expérience. Voilà pourquoi il vaut mieux laisser les groupes lutter pour connaître la communauté que de leur donner, dès le départ, une carte détaillée qui les guidera à travers les différentes étapes et leur indiquera les pièges à éviter. La seconde meilleure façon d'apprendre, c'est par les histoires, dont la signification peut se révéler particulièrement utile pour permettre à un groupe d'accéder à la communauté.

L'histoire du cadeau du rabbin est si efficace que je l'ai racontée dans l'avant-propos de cet ouvrage. Cette histoire remplit plusieurs fonctions. L'une d'entre elles est de détourner les groupes de la confrontation vicieuse qui a donné si mauvaise réputation aux groupes de sensibilisation. Les relations entre Cynthia et Roger en sont un bon exemple. Cynthia était une schizophrène chronique d'âge mûr qui, assez rapidement se mit à parler d'elle-même de façon décousue, incohérente et interminable. Je me demandais moi-même avec désespoir ce que je pourrais faire pour mettre fin aux errements de Cynthia, quand Roger, excellent thérapeute, malgré ses manières agressives, et vétéran de plusieurs groupes de sensibilité, lui coupa brusquement la parole. « Cynthia, dit-il, tu m'ennuies. »

Cynthia le regarda comme s'il l'avait frappée. Après un moment de silence où je demeurai figé, je dis : « J'ai moi aussi de la difficulté à comprendre ce que Cynthia essaie de nous dire. Il est donc probable, Roger, que d'autres soient aussi ennuyés que toi. Mais j'aimerais que tu n'oublies pas que Cynthia peut être le Messie. »

Comme on s'en doute bien, Roger prit un air penaud. Humble et affecteux, il était tout disposé à faire amende honorable. « Cynthia, je veux m'excuser, dit-il. J'étais ennuyé, mais ça ne veut pas dire que j'avais le droit d'être brutal avec toi. Je suis désolé. J'espère que tu me pardonneras. »

Soudain, Cynthia, à qui on n'avait peut-être jamais auparavant présenté des excuses, se mit à rayonner. « J'ai tendance à m'égarer, dit-elle. Ma fille, qui est psychiatre, me dit que j'ai besoin qu'on me fixe des limites. Donc, cela ne me dérange pas si vous me faites comprendre que je parle trop, pourvu que vous le fassiez gentiment. »

« Pourquoi ne t'assois-tu pas près de moi ? dit Roger. Si je pense que tu t'égares, je n'aurai qu'à poser ma main sur ton genou et tu sauras que tu dois t'arrêter. »

Cynthia bondit aux côtés de Roger, comme une jeune fille à son premier rendez-vous. À plusieurs reprises ce jour-là, elle s'égara et devint incohérente, mais elle s'interrompait avec joie au milieu d'une phrase quand Roger lui touchait le genou. Le second jour, Cynthia ne dit pas un mot. Elle s'assit calmement aux côtés de Roger, visiblement heureuse de pouvoir seulement lui tenir la main.

Au début, les participants aiment souvent discuter du « Cadeau du rabbin », mais, à mesure qu'ils font des progrès, il est remarquable de voir à quel point ils ont tendance à oublier l'histoire. Mais quand ils l'oublient, il est facile de leur rappeler son message de respect et de douceur. Une des caractéristiques de la véritable communauté est qu'elle est capable d'affronter carrément la réalité et elle le fera aussi doucement et aussi respectueusement que possible.

Les rêves

Les rêves peuvent devenir de belles histoires. La différence est que l'histoire naît dans l'inconscient de l'individu pour l'aider à faire face à ses besoins du moment. Au cours du processus de formation de la communauté, avant de se quitter pour la nuit, les membres du groupe sont invités à noter les rêves particulièrement riches qu'ils feront, peu importe leur caractère en apparence insensé. Dans presque chaque groupe, il y a toujours une ou plusieurs personnes qui assument le rôle de « rêveur du groupe ».

L'une d'entre elles était une vieille dame dont la participation verbale au groupe se bornait à raconter chaque matin le rêve merveilleux qu'elle avait fait durant la nuit. Fait typique des débuts de la formation d'une communauté, au cours de ce premier jour de travail en commun, les membres éprouvaient des difficultés avec mon manque apparent de leadership et n'arrivaient pas à admettre leurs propres blessures. Le matin suivant, la vieille dame fut la première à prendre la parole. « Scotty nous a dit de nous intéresser à nos rêves, commença-t-elle. Je ne pense pas que le mien n'ait rien à voir avec le groupe, mais, si vous voulez, je vais vous le raconter. »

Le groupe montra son intérêt par une attente silencieuse. « Très bien, dit-elle. C'est sans doute hors de propos, mais, dans mon rêve, pour quelque raison, je me trouvais avec un ami à l'urgence d'un hôpital. Un horrible accident avait eu lieu, ou quelque chose de ce genre, et l'urgence était remplie de gens gravement blessés. Nous attendions la visite du docteur. Nous ne pouvions rien faire d'autre en attendant que de nettoyer les blessures des gens et de les recouvrir de pansements. Enfin, le docteur arriva, il était accompagné d'un infirmier, mais pour notre malheur celui-ci était tout à fait incompétent. Je veux dire, il était sous l'influence de la drogue ou de quelque chose du genre. » (À ce moment, le groupe éclata de rire devant cette allusion évidente à mon style de leadership.) « Il se produisit alors une chose étrange, poursuivit-elle. Mon ami et moi étions penchés sur un patient gravement blessé. La blessure venait juste de s'ouvrir. L'infirmier était près de nous. Il ne faisait rien. Débordant d'amour, il se contentait de regarder le patient. Mais quand j'ai baissé les yeux à mon tour, j'ai constaté, à mon grand étonnement, que toutes les blessures du patient étaient guéries. »

La rêveuse de notre groupe avait montré la voie.

La prière, le chant et la liturgie

Même si je ne comprends pas toute la métaphysique à laquelle elle fait appel, j'ai souvent été impressionné par la force apparente qui se dégage d'un groupe en prière, en particulier lorsque la communauté traverse une crise dans son développement. Par conséquent, il m'arrive souvent de suggérer aux membres de prier pour tout le groupe. « Suggérer » est le mot qui convient. Ordonner de le faire irait à l'encontre du respect de la diversité religieuse qui doit exister au sein du groupe. Du reste, on ne peut pas demander à un athée de prier.

Il ne faut jamais oublier la pertinence des cantiques choisis. Un groupe formé de Juifs, d'agnostiques, d'athées et de gens appartenant à d'autres confessions religieuses ne peut entonner d'une seule voix un cantique comme « Jésus est mon ami ». Mais en général la communauté, qui a appris à respecter la diversité, arrive à trouver un cantique à la fois universel et capable d'exprimer l'esprit du moment, que tous les membres peuvent entonner avec enthousiasme. Ce n'est pas seulement le sens qui importe dans le choix des chants, mais aussi le fait qu'ils puissent transporter ceux qui les chantent.

Les mêmes règles s'appliquent à la liturgie. La célébration de l'Eucharistie peut être une façon exaltante de conclure l'expérience d'une communauté formée entièrement de chrétiens, ce qu'elle ne sera pas pour un groupe plus composite. Il n'empêche que toute communauté à court terme a besoin de se clore sur une sorte de liturgie. Dès que le groupe est devenu une communauté, il lui appartient de mettre au point un rituel de conclusion universel, susceptible de satisfaire les besoins du groupe, tout en mettant fin à l'expérience de façon magistrale et élégante.

Le retour à la vie normale : comment y faire face ?

Le rituel de conclusion est un facteur important pour affronter le retour à la vie normale. Même au tout début de la vague des groupes de sensibilisation, ceux qui dirigeaient ces groupes admettaient que, pour les gens qui avaient subi une telle transformation de leur personnalité, il était souvent difficile – dans certains cas, proprement traumatisant – de réintégrer une société où rien n'avait changé. Ceux qui ont fait l'expérience de la communauté peuvent se sentir très seuls dans une société où la communauté est un phénomène rarissime, voire inexistant. Par conséquent, il appartient à ceux qui dirigent les ateliers de formation de la communauté de faire en sorte que les gens, après avoir connu l'ivresse des sommets, soient aussi bien préparés que possible à retourner dans les vallées étroites, confinées et gouvernées par des règles bien différentes.

Quel que soit le temps qu'on y mettra, le problème ne sera jamais résolu. Au cours d'une expérience massive de formation de la communauté qui avait réuni pendant cinq jours près de quatre cents chrétiens, le problème du retour à la vie normale fut abordé en profondeur. La question fut d'abord soulevée au sein de petits groupes. Il y eut ensuite une magnifique célébration de l'Eucharistie. Un peu auparavant notre aumônier avait abordé spécifiquement le sujet dans une remarquable homélie. Après avoir dit aux gens combien il leur serait impossible de partager leur expérience avec des personnes peu familières avec l'idée de la communauté, il poursuivit en faisant remarquer : « Les gens qui vous attendent à la maison, non seulement ne vous comprendront pas, mais ne voudront pas vous entendre parler de votre expérience. Ce sont eux qui s'occupaient de la maison pendant que vous étiez ici, ce sont eux qui ont apporté de l'argent, qui se sont occupés des enfants, qui ont tondu le gazon et fait la cuisine. Ils vont plutôt vouloir parler de ce qu'ils ont fait, des problèmes auxquels ils ont dû faire face et des sacrifices qu'ils ont fait. Quand vous partirez, il est important que vous soyez préparés à aimer ceux qui vous attendent à la maison. »

Cinq jours plus tard, je recevais une lettre d'une femme qui avait assisté à la conférence. « L'aumônier a très bien fait de nous dire d'aimer ceux qui nous attendaient à la maison, écrivait-elle. En ce qui me concerne, les choses se sont bien passées, car j'ai retrouvé un bon mari et une famille saine. Mais les deux femmes qui sont rentrées en voiture avec moi allaient retrouver des familles et des mariages qui allaient à vau-l'eau, et elles ont été malades pendant tout le trajet. »

Si nécessaire qu'elle soit, la préparation, qui est un antidote au problème de la réinsertion, ne peut effacer toute la douleur. Le seul autre antidote est de créer davantage de communautés.

CHAPITRE VII

COMMENT FAIRE DURER LA COMMUNAUTÉ

Dans une communauté, il y a des tensions omniprésentes entre notre paresse naturelle, qui nous pousse à répéter invariablement les mêmes comportements ou à adopter les mêmes systèmes de défense, et cette attirance que nous éprouvons pour les façons nouvelles ou meilleures de créer les choses ou d'établir des relations. En raison de ces tensions, on ne forme jamais une communauté une fois pour toutes. Tout naturellement, on régresse. Même les groupes les mieux entraînés feront toujours un va-et-vient dans la communauté et hors d'elle. Les facteurs de division de la communauté sont toujours à l'œuvre. Pour demeurer telle, une communauté doit donc se préoccuper constamment de sa santé. Son but ultime peut être de nature extérieure, mais l'auto-examen et les autres efforts qu'il lui faut déployer pour rester vivante doivent demeurer sa principale priorité.

Jusqu'à présent, nous avons surtout insisté sur le processus de développement d'une communauté à ses débuts. Nous n'avons pas fait de différences entre la communauté à court terme (par exemple, celle qui naît de l'atelier d'un week-end, à la suite duquel les participants s'envolent dès le dimanche soir) et celle à long terme. Que se passe-t-il quand la communauté évolue vers une institution relativement stable comme une paroisse, une école hébraïque ou une corporation d'affaires. Que se passe-t-il quand des étrangers, non contents de réussir à former une communauté, trouvent l'expérience si enrichissante et si importante qu'ils décident de la poursuivre avec régularité? Quels sont les principaux problèmes auxquels doit faire face une communauté qui a décidé de durer? Comment une communauté peut-elle résoudre la tension qui s'instaure entre les forces qui cherchent à l'anéantir ou à la compromettre et celles qui veulent la faire durer ou la vivifier?

Les tensions sont propres à tout organisme vivant. Là où il y a la vie, il y a des tensions. Pour la physiologie, ce processus de tension permanente s'appelle l'homéostasie. Chat ou être humain, toute créature vivante est le fruit d'une tension entre le sommeil et la marche, entre le repos et l'exercice, entre la digestion et la chasse, la faim et la satiété, et ainsi de suite. La communauté qui veut continuer d'exister doit également vivre sous cette tension permanente. Les humains ont faim de communauté véritable parce que c'est le mode d'être le plus complet et le plus bouleversant qui soit. Les communautés, qui sont les plus vivants des organismes vivants, doivent donc en payer le prix et connaître une tension encore plus grande que les autres organismes.

Au sein des communautés qui luttent pour prolonger leur existence, la tension est le plus souvent vécue à l'intérieur de certains paramètres, qui sont les suivants :

la dimension
la structure
l'autorité
l'ouverture
l'intensité
l'engagement
l'individualisme

la définition d'un but

le rituel.

Histoire de mettre un peu de chair sur ces paramètres, permettez-moi de raconter les vicissitudes de toute une vie. Il s'agit de deux communautés à long terme : l'« Ordre de Saint-Éloi » (OSE) et le « Groupe du sous-sol ». Ni l'une ni l'autre communauté n'existent en réalité. Je les ai inventées de toutes pièces, dans un but de clarté, d'exhaustivité et de confidentialité, à partir d'éléments empruntés à des communautés que j'ai moi-même côtoyées. Si on les compare à l'ensemble des communautés qui ont cherché à poursuivre leurs activités, on peut dire que ces deux communautés y sont parvenues avec un certain succès.

L'ORDRE DE SAINT-ÉLOI (L'OSE)

« Hippy » cultivé dans la quarantaine, appartenant à l'Amérique moyenne de l'époque de la Grande Dépression, le Frère Antoine était un précurseur. Il était né à Chicago, en 1895, dans une famille irlandaise catholique. À l'âge de vingt-deux ans, il fut nommé prêtre diocésain. Après avoir servi sa paroisse pendant cinq ans, son esprit toujours curieux et jamais au repos l'incita à demander au diocèse la permission de poursuivre des études en psychologie. Cette permission lui fut accordée et il obtint son doctorat en 1927. Très vite, le Frère Antoine fut l'un des pionniers au pays en matière de thérapie de groupe grâce à son travail auprès des prêtres, des moines et des religieuses. Ce travail le mit suffisamment en contact avec les communautés pour qu'il ait envie d'en connaître davantage à ce sujet. Ainsi, en 1929, se joignit-il à une importante congrégation religieuse d'enseignants. Mais avec les années, la vie « active » au sein de la congrégation le laissait de plus en plus insatisfait. Il y avait trop peu de temps consacré à la réflexion, à la contemplation, à la prière – et trop peu de temps pour accroître ou garder intact le sens profond de la communauté qu'il désirait voir régner au sein de ses frères.

Doté d'un certain charisme, Frère Antoine eut bientôt trois disciples qui, comme lui, aspiraient à un mode de vie plus contemplatif et davantage tourné vers la prière. Ils soumirent aux dirigeants de la congrégation une requête dans laquelle ils demandaient la permission d'ouvrir une maison où un tel mode de vie serait pratiqué. La requête fut rejetée. Les Frères se tournèrent donc vers d'autres congrégations monastiques traditionnellement encore plus contemplatives, tels les Bénédictins, les Cisterciens et les Carmélites. Chacune de ces congrégations proposait un mode de vie paisible et dominé par la prière, mais aucune n'offrait la vie en communauté intense que désiraient Frère Antoine et ses disciples. Elles étaient encore trop rigides et trop structurées. Antoine en était venu à se méfier de plus en plus de l'autorité et des structures. Il soumit une requête à l'archidiocèse à qui il demanda la permission de fonder une nouvelle congrégation. Cette requête fut elle aussi rejetée.

En 1938, Antoine et ses disciples avaient recueilli suffisamment d'argent auprès de leurs parents et de leurs amis pour pouvoir acheter une petite ferme au sud de l'Illinois et fonder leur propre communauté, sans la bénédiction de l'Église. L'Ordre de Saint-Éloi (l'OSE) était né. Les structures de la congrégation étaient claires, mais si informelles qu'elles en étaient révolutionnaires pour l'époque. Le matin, les quatre Frères se levaient à cinq heures et demie. La première heure de la journée se passait en commun, à méditer en silence. La messe était célébrée à sept heures. Après le petit déjeuner, la journée était consacrée au travail jusqu'aux Vêpres, à dix-sept heures, à l'exception d'une brève pause à midi. Après quoi, on dînait. Chaque soir, entre dix-neuf et vingt et une heures, les Frères se réunissaient pour discuter non pas seulement de leur travail ou de leur vie commune, mais aussi de l'évolution spirituelle de chacun. Tous étaient très heureux. À vingt et une heures, on célébrait Complies, l'office religieux qui terminait la journée et vous « envoyait au lit ».

Dès le début, les Frères avaient troqué leur habit pour des

vêtements de travail de tous les jours. Les disciples de Frère Antoine avaient songé à le choisir comme abbé ou comme supérieur. Celui-ci refusa catégoriquement, affirmant qu'une véritable communauté était une communauté dirigée par chacun de ses membres. Toute autorité, disait-il, quelle qu'elle soit, peut détruire la communauté. On objecta qu'il fallait bien quelqu'un pour représenter la communauté – signer les chèques, les formulaires d'impôt et les contrats. Antoine s'entêtait à penser que même cette forme d'autorité pouvait se révéler dangereuse et que chaque Frère devrait signer chaque chèque ou chaque document officiel, malgré l'inefficacité inhérente au procédé. Comme si cela ne suffisait pas, il recommanda fortement que chacun célèbre la messe à tour de rôle, même si Frère Théodore et Frère Arthur n'avaient pas été ordonnés prêtres. « Tout le monde peut être prêtre », proclamait Frère Antoine. On convint donc de la chose, même si elle allait à l'encontre des canons de l'Église catholique romaine. Les Frères se définissaient toujours comme catholiques, mais, dans les faits, se montraient renégats.

Au départ, le travail consistait à cultiver quelques acres de terre, à réparer les bâtiments de la ferme et à mendier de l'argent pour acheter le grain, l'équipement et les outils nécessaires à l'exploitation de la ferme. Très rapidement, les Frères eurent l'idée de transformer en chapelle la petite grange située sur leur propriété et de faire une auberge de la plus grande. Au début de 1940, ils accordaient l'hospitalité aux vagabonds qui passaient dans les environs, de même qu'aux quelques personnes en quête de spiritualité qui se sentaient attirées par le petit monastère.

Le succès remporté dans leurs travaux leur fit connaître des joies nouvelles, mais aussi de nouveaux problèmes. Antoine avait bien précisé à ses Frères qu'une véritable communauté devait faire preuve d'ouverture. Par conséquent, les vagabonds et les autres invités des premiers temps n'étaient pas seulement invités à participer aux repas, aux travaux de la ferme et aux offices, mais ils pouvaient aussi assister aux réunions communautaires des Frères en soirée. En moins de six mois, les moines se virent tellement perturbés par la présence de ces vagabonds allant et venant lors des réunions qu'ils commencèrent à perdre l'esprit de communauté. Après avoir beaucoup prié, réfléchi et discuté, Antoine reconnut lui-même que l'ouverture avait ses limites. La journée de travail fut réduite pour permettre aux Frères de se réunir avec leurs invités pendant une heure avant les Vêpres afin de discuter de questions concernant la communauté au sens large, et la soirée fut réservée au travail avec les membres du noyau original de la communauté. Peu de temps après, il fallut réduire davantage les heures de travail. Parmi les vagabonds, certains avaient besoin de services sociaux. De surcroît, les visiteurs se firent plus nombreux et venaient chercher une direction spirituelle auprès des quatre Frères. Dorénavant, le travail manuel prenait fin après un déjeuner tardif.

Deux invités en quête de spiritualité multiplièrent leurs visites et demandèrent à se joindre à la congrégation. Les deux hommes assistaient déjà aux rencontres du soir et ils s'intégrèrent rapidement et sans heurts à la communauté monastique d'origine. Au milieu de l'année 1942, ils prononcèrent les vœux traditionnels de pauvreté, de chasteté et d'obéissance. L'OSE comptait maintenant six moines. Mais un autre problème surgit au cours de cette année-là. La question n'était pas de savoir s'il était absurde de faire signer les chèques par six personnes ; la guerre était là et ses conséquences étaient plus grandes. Les Frères étaient pacifistes, mais, puisque l'OSE n'était pas une congrégation monastique reconnue par l'Église catholique, tous pouvaient être mobilisés. Il fallait désigner quelqu'un pour négocier la reconnaissance du groupe par le gouvernement comme une congrégation monastique en bonne et due forme. Frère Antoine refusa d'être cette personne. On choisit Frère David, qui venait de se joindre au groupe et qui, après avoir terminé des études de droit, avait un peu pratiqué la profession d'avocat. Dès lors, la congrégation prit toutes ses décisions par consensus. On convint donc que, puisque le titre d'« abbé » conférait une certaine autorité, jamais Frère David ne serait appelé ainsi. Frère David suggéra celui d'administrateur. On se mit d'accord. Dans les mois qui suivirent, en tant qu'administrateur légal de la congrégation, Frère David négocia avec succès la reconnaissance gouvernementale espérée. C'est également lui qui signait les chèques et administrait les finances.

Les années de guerre furent paisibles pour la congrégation. Plus personne ne s'arrêtait à la ferme, à la recherche de spiritualité. La vague de vagabonds s'estompa peu à peu. La communauté offrit l'hospitalité à des Juifs et à d'autres réfugiés qui affluaient, mais la plupart de ceux-ci préférèrent s'installer dans les grands centres urbains. Souvent l'auberge était vide. Trois des Frères partaient chaque matin travailler pour le compte de fermiers des environs, qui avaient désespérément besoin de main-d'œuvre. L'heure qui précédait les Vêpres était consacrée à prier en commun pour la paix. Il y avait plus de temps disponible pour l'étude. La communauté y gagna en profondeur, de même que la vie spirituelle de chacun de ses Frères.

Ce fut un répit agréable, car les événements se précipitèrent avec la fin de la guerre. La majorité des vétérans furent ravis de se voir accueillis en héros et retrouvèrent avec joie leur travail et leur vie de famille. Mais il y avait une minorité de jeunes gens dont la guerre, la violence et le mal avaient meurtri l'âme et qui cherchaient refuge auprès de Dieu. La rumeur publique, ou quelque grâce mystérieuse, les conduisait vers la petite communauté monastique de la campagne d'Illinois comme vers un aimant invisible. Au début de 1947, l'auberge était envahie par ces jeunes gens. La plupart repartirent, mais quelques-uns demandèrent à rester. Ils se joignirent aux rencontres communautaires du soir et, peu de temps après, prononçaient leurs vœux. On ajouta une aile à la ferme. La chapelle fut agrandie. À la fin de l'année 1949, en moins de trois ans, le nombre de moines de l'OSE était passé de six à vingt.

Mais la communauté montrait aussi des signes de chaos.

Il devenait de plus en plus difficile de prendre des décisions par consensus. Plusieurs des Frères nouvellement admis nouèrent entre eux de petites alliances et avaient besoin de la direction spirituelle des aînés. Plusieurs d'entre eux étaient si traumatisés par la guerre qu'un traitement psychiatrique dispensé à l'extérieur de la communauté s'imposait. Certains, qui avaient prononcé hâtivement leurs vœux, résolurent de quitter l'Ordre. Sur le plan économique, l'OSE connaissait la prospérité. Elle avait fait l'acquisition de plusieurs acres supplémentaires de terres et mis sur pied une entreprise communautaire de fabrication et de commercialisation de semences hybrides. Mais sur le plan de la communauté, le désordre frisait le chaos.

Plus que toute autre chose, ce furent les paisibles années de la guerre qui, en définitive, permirent à l'Ordre de passer à travers ce désordre. À la fin de ces années-là, les six moines du début étaient non seulement devenus des individus dotés d'une sagesse et d'une maturité spirituelle profondes, mais formaient un noyau doué d'une cohésion extraordinairement grande. Sans dissensions, sans discussions préalables, ils prirent calmement une décision brutale et difficile, une décision qui devait se révéler aussi douloureuse pour eux que pour les membres plus jeunes.

On convint qu'on avait admis trop rapidement de nouveaux membres, sans leur assurer pour autant une préparation adéquate. Pour cette raison, on fixa – dans la plus pure tradition monastique – à six mois le statut de postulant, lequel était suivi d'un noviciat de deux ans, et ce n'est qu'ensuite que l'on pouvait prononcer les vœux. On réaffirma l'importance de ceux-ci. Les « associations » (la formation de cliques ou d'alliances) furent dénoncées avec vigueur. On demanda à plusieurs des membres qui venaient de prononcer leurs vœux de s'interroger sur le bien-fondé de leur vocation monastique, et la plupart d'entre eux choisirent de partir. Il fut décidé que le reste des moines qui avaient prononcé leurs vœux se réuniraient en conseil, une fois par mois, pour prendre par consensus la plupart des décisions concernant la congrégation, et que les postulants et les novices n'auraient pas voix au chapitre. Tout en réaffirmant la volonté de ne pas doter la congrégation d'un supérieur, on choisit Frère Antoine, maintenant âgé de près de soixante ans, pour jouer le rôle de maître des novices, rôle qui consistait à préparer les postulants et les novices à prononcer leurs vœux et à vérifier le sérieux de leur vocation. C'est ainsi que, désormais, on en vint à un compromis sur la question de l'autorité.

En 1956, le nombre de moines qui avaient prononcé leurs vœux était ramené à seize, mais on comptait quatre postulants et douze novices. L'OSE fonctionnait sans heurts. La congrégation avait survécu au presque chaos. Il reste que les choses étaient loin d'être parfaites. Les membres plus âgés ne ressentaient pas la même joie et le même sentiment de communauté qu'ils avaient éprouvés avant et pendant la guerre. De surcroît, lors des rencontres communautaires du soir qui réunissaient maintenant trente-deux personnes, la moitié des novices ne se gênaient pas pour critiquer ouvertement l'attitude du conseil. Au nom de quoi étaient-ils tenus à l'écart des décisions les plus importantes ? Le fait qu'ils soient des nouveaux venus suffisait-il à faire d'eux des citoyens de seconde classe ? La congrégation ne devait-elle pas en principe se vouer à la formation d'une véritable communauté, et l'ouverture n'était-elle pas en principe une condition *sine qua non* pour former une communauté ? Sans compter que c'était le conseil qui, en secret, décidait si les novices avaient ou non une véritable vocation monastique. Pourquoi devaient-ils toujours filer doux et se sentir constamment jugés ? Était-ce cela la véritable communauté ?

Le conseil prit au sérieux les récriminations des novices. Encore une fois, on discuta de ces questions, on pria et on réfléchit longuement, et, encore une fois, on en vint à un compromis aussi efficace qu'innovateur. Il fut décidé de maintenir les statuts de postulant et de novice à titre de préparation aux vœux. On réaffirma l'importance des vœux et de la vocation.

On admit tout de même que les novices avaient raison de considérer leur exclusion du conseil comme un échec des idéaux communautaires. Du coup, on réalisa que la congrégation avait pris beaucoup d'importance. La décision fut prise d'abolir le conseil, d'acheter une nouvelle ferme et de scinder la congrégation en deux maisons autonomes.

Moins de six mois plus tard, le choix de la nouvelle ferme était arrêté; elle était située à trente milles de la première. La moitié des moines, des postulants et des novices s'y installèrent. Tout comme dans la maison-mère, aucun responsable ne fut nommé – ni abbé, ni supérieur, ni dirigeant officiel de la maison; chaque maison ne comptait qu'un administrateur légal et un nouveau maître des novices. Il fut décidé que les deux maisons se réuniraient le dernier lundi de chaque mois pour discuter de toute question concernant la congrégation en général, pour célébrer l'Eucharistie ou pour organiser une fête.

Cette résolution s'accompagna du retour en force de l'esprit de la communauté au sein de la congrégation et dans chacune de ces maisons. De nouveau, cet esprit agit comme un aimant. Dans les années soixante, le nombre de moines et de religieuses dans les communautés monastiques partout au pays avait connu une baisse importante, mais l'OSE, pour sa part, doubla presque ses effectifs. En 1969, on comptait quatre maisons autonomes, quarante-six moines qui avaient prononcé leurs vœux ainsi que trente-huit postulants et novices. Même si les jeunes gens tentés par la vie monastique étaient toujours aussi nombreux que dans les années soixante, ils étaient désormais incapables de tolérer les formes d'autorité rigides et plus anciennes. D'ailleurs dans les années soixante, le concile Vatican II se pencha sérieusement sur le problème des effectifs décroissants et de la vitalité des monastères catholiques. Il changea les règles de ces monastères en vue d'y introduire progressivement plus d'autonomie et de souplesse. L'OSE avait précédé Vatican II de trente ans et avait alors mis à rude épreuve la norme nationale. La congrégation attirait des jeunes gens de partout au pays, et ce qu'ils y découvraient était si doux et si merveilleux que plusieurs d'entre eux, à une époque dominée par l'individualisme, voulurent s'engager et montrèrent un dévouement à toute épreuve.

Cependant, l'OSE n'ignora pas – ce qui est impossible – la question de l'individualisme. En 1962, plusieurs Frères eurent envie de se joindre aux Chevaliers de la liberté, dans le Mississippi. La plupart d'entre eux ne se contentèrent pas de conserver leur mode de vie semi-contemplatif, mais songèrent aux conséquences que pourrait avoir sur la congrégation l'activisme social de l'un ou l'autre de ses membres – si l'un prenait une direction et l'autre, la direction opposée. Après plusieurs séances de prières dans les différentes maisons et lors des réunions mensuelles de la congrégation, on en vint à un consensus selon lequel l'OSE pouvait se permettre de s'engager notamment sur cette question sociale, et qu'elle pouvait le faire sans remettre vraiment en cause sa stabilité. Au début de 1963, huit Frères qui avaient prononcé leurs vœux s'installèrent dans le Mississippi. Chaque jour, ceux qui étaient restés priaient pour le ministère de leurs Frères. En 1965, tous les huit étaient revenus en Illinois.

En 1967, la guerre du Viêt-Nam donna lieu à des débats du même genre, alors que bon nombre de Frères étaient désireux de participer à des manifestations ou à d'autres formes de protestation contre la guerre. De nouveau, après avoir longuement prié et réfléchi, on autorisa ce genre d'activisme social. Plusieurs Frères se rendirent aux manifestations, et ceux qui étaient restés à la maison prièrent pour eux.

Cela ne veut pas dire qu'on accéda à toutes les requêtes individuelles ; en 1970, plusieurs Frères réclamèrent par pétition de mener une vie davantage contemplative. Deux Frères dans deux maisons différentes demandèrent la permission de se construire un petit ermitage et d'être dispensés d'assister aux rencontres du soir. Il fut décidé que la principale préoccupation de la congrégation était – et qu'elle devait demeurer – la communauté, et que les rencontres communautaires du soir étaient au moins aussi essentielles que la prière, la liturgie et la contemplation. On fit remarquer que, dans l'hypothèse où un Frère se sentait vraiment appelé à la vie d'ermite, il était libre alors de se joindre à quelque autre congrégation monastique qui permettait ce genre de choses. Un des Frères qui avait prononcé ses vœux quitta l'OSE pour se joindre aux Trappistes ; un autre choisit de demeurer sans se prévaloir d'un statut spécial.

Cette année-là, un autre sujet épineux fut la question féminine. Au cours des années soixante, plusieurs femmes avaient séjourné dans les différentes maisons de la congrégation. Quelques-unes d'entre elles commencèrent à songer à une association plus permanente. Les Frères n'étaient pas seulement conscients de l'émergence du mouvement féministe ; ils l'appuyaient sans réserve. Profondément attachés à une éthique de l'ouverture, l'exclusion des femmes de certaines sphères de la société leur parut inconcevable et les amena à s'interroger sur leur propre façon d'exclure les femmes. À l'époque, il existait plusieurs communautés monastiques qui, sur une base expérimentale, accueillaient hommes et femmes, voire des couples mariés. Deux Frères et une femme, amie de l'ordre, furent chargés de se pencher sur ces initiatives. Leurs découvertes n'incitaient pas à l'optimisme : les règles du célibat étaient souvent bafouées, et de telles communautés se caractérisaient par beaucoup d'agitation et par une stabilité et une longévité faibles. L'intégration totale ne semblait guère souhaitable au chapitre du mode de vie. Il reste que les Frères souhaitaient une relation plus ouverte avec les femmes qui avaient embrassé la religion. En 1972, une cinquième maison autonome fut donc fondée pour accueillir exclusivement des femmes. En 1975, ses effectifs étaient comblés, avec le résultat que les rencontres mensuelles entre les différentes maisons furent plus intenses que jamais.

L'OSE venait à peine de terminer sa réflexion sur la question des femmes qu'il se tourna vers d'autres préoccupations. Les moines et les religieuses n'ignoraient pas que Vatican II avait décidé d'assouplir les règles rigides de Rome en matière de communautés monastiques. Il devenait donc évident que l'OSE pouvait songer à une reconnaissance de la part de l'Église catholique. Du reste, un porte-parole du diocèse, sensibilisé à la réelle réussite de l'OSE, avait déjà tâté le terrain auprès de la congrégation en vue d'une éventuelle réconciliation. Au début, plusieurs hésitaient, ne serait-ce qu'à seulement envisager cette possibilité. L'amertume était encore grande : pendant plus de trente ans, on les avait obligés à former un ordre renégat, que l'Église n'avait aidé en aucune façon – elle s'était plutôt mise sur son chemin. Le sentiment dominant et naturel était de se dire : quel besoin avait-on de Rome ? Le vent tourna lorsque Frère Antoine, devenu très faible physiquement, mais dont l'esprit était encore vif, prit la parole lors d'une rencontre mensuelle pour dire : « La question n'est pas : "Quel besoin avons-nous de Rome ?", puisque nous nous en sommes très bien passés jusqu'ici. La question fondamentale est plutôt : "Rome a-t-elle besoin de nous ?" En d'autres termes, la nature de l'Église catholique fait-elle en sorte qu'elle a besoin de notre appui en tant que corps eucharistique ? »

Ces propos ne mirent pas fin au débat, mais provoquèrent une profonde réflexion sur l'Église et sur toutes ses lacunes en Amérique et dans le reste du monde ainsi que sur la volonté des Frères et des Sœurs de la congrégation de réaffirmer ou non leur identité de catholiques romains. Il fallut une année entière pour en venir à un consensus. Les moines et les religieuses décidèrent de réaffirmer leurs liens avec l'Église, mais ils prirent bien soin de spécifier par écrit : « Nous de l'OSE, forts d'une tradition qui cherche à assurer la vitalité de la communauté, sommes d'avis que nous devons exercer un leadership constant au sein de l'Église sur la question de la signification que les gens donnent à la communauté. »

Un dernier point restait à clarifier. Même avec les règles assouplies de Vatican II, l'OSE avait encore besoin d'un chef officiel pour être reconnu par l'Église. Malgré la méfiance traditionnelle de la congrégation à créer des postes de leadership, le problème était facile à résoudre. Depuis un certain temps, alors que l'importance de la congrégation allait grandissant, il devenait de plus en plus évident que l'OSE avait bel et bien besoin de quelqu'un pour le représenter dans ses négociations – que ce soit avec Rome ou avec une compagnie d'assurances. On créa le poste d'abbé ou d'abbesse. Mais on prit bien soin de préciser que ce représentant officiel, qui pouvait être un homme ou une femme, n'avait qu'un pouvoir de représentation et n'avait pas l'autorité nécessaire pour prendre des décisions unilatérales qui pouvaient avoir de graves conséquences. Les décisions continueraient de se prendre par consensus, lors des rencontres mensuelles de l'ordre ou au sein de ses maisons autonomes. On réaffirma aussi l'absence de « bureau de direction » à la tête des maisons autonomes et de hiérarchie au sein de celles-ci.

Ce n'est peut-être pas un hasard si Frère Antoine, qui n'avait jamais été le supérieur de l'ordre, s'éteignit doucement, à l'âge de quatre-vingt-un ans, un mois après que l'OSE fût devenu officiellement une congrégation religieuse. La congrégation décida de souligner sa mort en organisant la fête la plus importante jamais organisée par un organisme de l'Église. La fête exigea neuf mois de préparatifs. Dans tout l'Illinois, seule la ville de Chicago pouvait se permettre d'accueillir ce genre de célébration. Les gens vinrent de partout : un cardinal de la Curie romaine, trois cardinaux américains, plusieurs représentants du diocèse, des délégués d'une centaine d'autres congrégations religieuses, des délégués d'autres organismes, des hommes politiques et plus d'un millier de fermiers de l'Illinois accompagnés de leur femme et de leurs enfants. Un esprit particulier se répandit dans les corridors austères de l'hôtel où la fête avait lieu. Ce jour-là, même les serveurs et les employés de l'hôtel étaient heureux.

Aujourd'hui, l'OSE est composé de neuf maisons autonomes, deux d'entre elles sont destinées aux femmes et sept aux hommes. La congrégation compte cent trente et un moines et religieuses qui ont prononcé leurs vœux et quatre-vingt-trois postulants et novices. Quand un représentant officiel de l'Église vient en visite, on lui demande s'il s'objecte à ce que la messe soit célébrée par quelqu'un qui n'est pas ordonné prêtre. Si c'est le cas, un des frères ordonnés prêtre ou un prêtre recruté sur place officie pour l'occasion. Sinon, une messe légèrement différente est célébrée chaque jour dans chacune des maisons, par des moines ou des religieuses, qu'ils soient ordonnés prêtres ou non, et l'Église ferme les yeux. Il serait faux de dire que l'OSE est en faveur de l'ordination des femmes ; il est plus juste de dire qu'il œuvre en faveur de l'abolition de l'ordination. Si l'OSE n'est plus une congrégation de renégats, il est toujours une congrégation « radicale ». Il est aussi la congrégation monastique qui connaît l'expansion la plus rapide dans tout le pays.

L'OSE n'existe pas dans les faits. (C'est ainsi que je suis persuadé que, de nos jours, l'Église verrait d'un autre œil la question de la messe célébrée par des gens qui ne sont pas ordonnés prêtres.) L'OSE est un mélange d'éléments empruntés à des congrégations qui ont réellement existé et qui ont connu un succès particulièrement grand dans la dernière partie du vingtième siècle. Il ne faut jamais oublier que la plupart des congrégations religieuses n'enregistrent pas une croissance aussi rapide et ne réussissent pas à former une communauté à un tel degré. Mais l'OSE illustre bien comment les communautés permanentes doivent constamment se construire et se reconstruire en vertu de différents paramètres pour continuer à être vivantes.

Comme d'autres congrégations monastiques, « communautés à séjour », ou « communautés volontaires », l'OSE est une société qui vit de façon très *intense*. Les existences de ses membres sont étroitement entrelacées, et le niveau des relations interpersonnelles y est très élevé. Le niveau d'*autorité* au sein de sa structure et de son leadership a délibérément été fixé très bas et, de ce point de vue, l'OSE est une communauté très radicale par rapport aux autres communautés qui vivent de façon intense, quelle que soit leur importance. Mais la clé de son succès semble résider dans l'insistance mise sur la prise de décision par consensus. Il ne faut pas oublier, cependant, que la congrégation a connu une tension permanente sur la question du leadership ou de l'autorité – qu'à certains moments, les postulants et les novices furent exclus du processus de prise de décision, que la congrégation se vit éventuellement dans l'obligation d'élire un supérieur et qu'elle continue d'enfreindre les règles de l'Église sur la question de l'ordination.

À en juger par la façon de procéder des grandes communautés qui vivent intensément, le niveau de *structure* de l'OSE n'est que modéré. Du moment de méditation du matin suivi de la messe, en passant par le travail, jusqu'aux Vêpres, aux rencontres communautaires et aux Complies, la vie quotidienne est très structurée. En revanche, sur le plan politique, la congrégation, qui est dépourvue de dirigeant officiel ou de comités, n'est pas tellement structurée. Cette absence de structure n'empêche pas son bon fonctionnement pour la seule raison que l'accent est mis sur les groupes communautaires qui permettent de décider par consensus d'à peu près n'importe quoi.

L'OSE a décidé de faire face au problème de la *dimension* en se subdivisant en maisons autonomes de taille réduite. En cela, la congrégation a suivi l'exemple de plusieurs autres congrégations religieuses. D'autres, cependant, ont cherché à maintenir une certaine centralisation, en se dotant d'une maison-mère, où résident les supérieurs et où les postulants et les novices reçoivent leur formation. Dans l'ensemble, la question de la dimension est une source de tension permanente pour l'OSE. Les rencontres mensuelles qui réunissaient tout le monde ont fini par prendre de l'ampleur, et, en définitive, il fallut élire un supérieur.

À en juger par la façon de procéder des congrégations religieuses, l'OSE fait preuve d'une très grande *ouverture ;* mais sur les questions qui concernent la communauté dans son ensemble, elle ne l'est que modérément. D'un côté, les postulants et les novices participent aux prises de décision – la congrégation est « codirigée » – et ne fait pas de différences entre ceux qui sont ordonnés prêtres et ceux qui ne le sont pas. D'un autre côté, il y a toujours une frontière entre ceux qui ont prononcé leurs vœux et ceux qui sont en train de recevoir leur formation ; les différents chapitres de la congrégation ne sont pas mixtes et cette dernière a conservé son identité catholique. Baptistes, juifs, bouddhistes, et gens d'autres confessions religieuses peuvent y séjourner, mais ne peuvent en faire partie. La question de l'ouverture connaît donc une tension permanente.

Il en est de même pour la question de *l'individualisme*. Certains membres s'engagent individuellement dans des causes sociales, mais seulement si la congrégation leur en accorde la permission. D'autres demandes émanant d'individus ont été rejetées. Il n'est pas du tout recommandé de créer des liens entre individus et les vœux traditionnels de pauvreté, de chasteté et d'obéissance existent toujours.

À l'image des autres congrégations religieuses, l'OSE exige de ses membres un *engagement* très profond sur la question des vœux – d'une profondeur rarement exigée dans les communautés qui vivent de façon moins intense. Mais, comme toujours, le fait crée des tensions, et il ne faut pas oublier que, très tôt dans son histoire, la communauté a réaffirmé l'importance des vœux.

En terme de *définition des objectifs*, l'OSE se range dans la catégorie des communautés modérées. Du reste, même au sein des congrégations religieuses, l'OSE est considéré comme « mixte », n'étant ni entièrement présent dans le monde, ni entièrement contemplatif. La congrégation se définit comme catholique romaine, mais se situe clairement à la frange activiste de l'Église. Ses objectifs sont multiples, depuis son travail communautaire sur le développement de semences hybrides, en passant par la direction liturgique, jusqu'à la croissance spirituelle des individus. Mais il semble qu'au chapitre de l'importance accordée à la communauté en soi, l'OSE n'ait pas un seul objectif fondamental.

La part du *rite* est très grande, étant donné la célébration quotidienne de l'Eucharistie et les différents offices religieux. De ce point de vue, l'OSE suit le modèle des congrégations religieuses, mais il est rare que la part occupée par le rite soit aussi grande au sein de communautés non religieuses.

Il existe une mince frontière entre le rite, la liturgie et la détente. C'est à dessein que l'histoire de l'OSE se termine sur une joyeuse célébration. Un jour, je demandai à un juif – un type formidable – d'essayer de me dire le secret de son succès au sein de sa propre communauté à long terme, tout à fait différente de l'OSE, puisqu'il s'agissait de mettre sur pied et de diriger une école hébraïque. En guise de réponse, l'homme demanda à sa petite fille de sept ans ce qu'elle croyait qu'il y avait de mieux dans leur communauté. Celle-ci répondit aussitôt : « Papa, c'est qu'on rit beaucoup à l'école. » Je ne suis pas sûr qu'une communauté puisse connaître un succès véritable si ses membres ne rient pas et ne s'amusent pas avec un enthousiasme renouvelé.

Nous avons vu comment une communauté monastique qui vit de façon intense a fait face aux tensions habituelles liées à l'existence de la communauté. Voyons maintenant comment différentes catégories de communautés permanentes font face aux mêmes tensions.

LE GROUPE DU SOUS-SOL

À la fin du mois de mai 1961, un dimanche après-midi, à midi trente, le révérend Peter Sallinger, pasteur de la Première Église méthodiste de Blythwood, au New-Jersey, serrait la main du dernier de ses paroissiens, heureux d'en avoir fini avec une coutume aussi dépourvue de sens. De la pénombre de l'église surgit un homme d'une quarantaine d'années et de belle apparence. Peter n'avait jamais remarqué sa présence dans la congrégation. L'étranger lui tendit la main. « Votre sermon était excellent, dit-il, mais ce n'est pas pour cela que je viens vous voir. J'aimerais vous parler quand le moment vous conviendra. »

Peter observa l'homme un instant : « Que dites-vous de maintenant ? »

Celui-ci approuva de la tête et Peter le conduisit à son bureau du presbytère. Après avoir pris place, Peter demanda : « Que puis-je faire pour vous ? »

« Je ne suis pas sûr que vous puissiez faire quelque chose, dit l'étranger. Mon nom est Ralph Henderson. Je suis psychologue et chrétien. C'est une combinaison qui n'est pas très courante. Je fais partie du personnel d'un hôpital psychiatrique de la région. Il m'a semblé qu'il n'y avait pas de place pour la religion dans mon travail, donc j'ai gardé ma foi secrète. Ma femme a été élevée dans la religion fondamentaliste et maintenant elle déteste la religion ; je ne peux non plus en parler avec elle. Assister aux offices religieux ordinaires ne me dit franchement pas grand-chose. Vous me semblez être un ministre plutôt authentique. Je ne sais pas vraiment ce que vous pouvez faire pour moi. Cela vous semblera un peu stupide, mais je pense que la seule bonne raison que j'aie de vous parler est que je souffre de solitude. »

Il y eut un moment de silence, pendant lequel les deux hommes se regardèrent. « Vous êtes quelqu'un de bien », dit Peter.

« Cela fait plaisir à entendre, répondit Ralph, mais qu'est-ce qui vous fait dire cela ? »

« Parce que vous venez de dire la chose la plus vulnérable que j'aie jamais entendue, répliqua Peter. Voilà trois ans que je suis le pasteur de cette paroisse. La paroisse est grande et on dit que je suis un bon pasteur, mais mes paroissiens m'ont rarement entretenu de choses importantes, sauf quand quelqu'un meurt et, même alors, ils ne sont pas très ouverts. J'en ai assez de leur superficialité. Vous comprenez, conclut Peter, moi aussi je souffre de solitude. »

« Qu'est-ce que nous pouvons faire ? » demanda Ralph.

« Les chrétiens – pas tellement ceux d'ici, plutôt ceux des États de la Bible – ont mis sur pied ce qu'ils appellent des groupes chrétiens d'appui. »

« Continuez. »

« Il n'y a pas grand-chose à en dire – il s'agit seulement d'un groupe de personnes qui se réunissent pour s'aider mutuellement dans leur ministère. Un de mes amis est un prêtre épiscopal qui vit un peu la même situation que moi – et qui a le sentiment d'être une sorte d'étranger au milieu de sa congrégation. Je pense qu'il aurait envie de se joindre à nous. »

« Mais je n'ai pas de ministère, dit Ralph. Je ne suis pas un ministre. »

« Foutaises, répliqua Peter. Tout le monde a un ministère. Le vôtre est la santé mentale. Et vous m'avez dit déjà que c'était difficile d'être chrétien et de se sentir étranger dans sa profession. À vrai dire, la plupart de ces groupes d'appui ont été mis sur pied à l'initiative d'hommes d'affaires. Si vous voulez le savoir, le ministère chrétien le plus difficile est celui des affaires. Voilà un monde tout à fait étranger. Quoi qu'il en soit, ce qu'il faut retenir, c'est que chacun est un ministre en puissance. Le seul choix à faire est de décider d'être un bon ministre ou un mauvais. Pour être un bon ministre, cela aide de savoir que, dans les faits, vous êtes ministre et que, dans les faits, vous avez la responsabilité d'un ministère. Je vous invite à ne jamais oublier cela. »

Ralph sourit. « OK, patron ! »

C'est ainsi que fut mis sur pied le Groupe du sous-sol : une fois la semaine, deux ministres protestants et un psychologue chrétien se rencontraient pendant deux heures dans le petit sous-sol où habitait Ralph.

Moins de six mois plus tard, Ralph ramena avec lui un psychiatre chrétien et Peter fit la connaissance d'un prêtre catholique qui se joignirent tous deux au petit groupe. On décida de commencer chaque rencontre en respectant trois minutes de silence et d'y mettre fin par une prière que chaque membre dirait à voix haute et du fond du cœur. À l'exception du silence du début et de la prière de la fin, le groupe n'était structuré d'aucune autre façon. Un membre pouvait parler de ce dont il avait envie quand il se sentait inspiré de le faire. La seule règle était la vulnérabilité. Les membres étaient d'accord pour s'encourager mutuellement à être le plus vulnérables possible. Ils comprirent très vite que la vulnérabilité n'exigeait pas seulement d'eux qu'ils abordent des sujets très personnels, mais aussi qu'ils écoutent ce que les autres avaient à dire avec une ouverture d'esprit et une relative absence de jugement. Ils étaient devenus une véritable communauté.

Vers la fin de l'hiver 1962, un rabbin se joignit au groupe. Le fait entraîna une discussion pour savoir si le groupe pouvait encore s'appeler spécifiquement un groupe « chrétien » d'appui. La question ne semblait pas alors très importante. La situation devint plus délicate six mois plus tard lorsque Ralph proposa d'inviter un collègue athée, vulnérable lui aussi, à la recherche de la communauté, mais dont l'athéisme était virulent. Son intégration nécessita trois soirées successives. D'abord il déclara que la période de silence ne lui posait pas de problème, mais qu'il ne pouvait participer aux prières de la fin. On lui demanda s'il pouvait accepter que le reste du groupe priât – et assister à ses prières – tout en demeurant silencieux durant la petite cérémonie. Il répondit qu'il pouvait. Il était assez facile d'en venir à ce compromis. Une question plus importante était de savoir si le fait d'admettre des membres athées signifiait que le groupe ne pouvait plus être un groupe d'appui religieux. Les autres membres affirmèrent l'importance de la foi religieuse dans cet appui et refusèrent de la mettre en veilleuse. L'athée promit de leur laisser exprimer leur foi aussi longtemps qu'on le laisserait exprimer son absence de foi. Les croyants décidèrent que leur foi ne pouvait être une foi d'exclusion. Le groupe garda son orientation religieuse, l'athée se joignit au groupe, désormais simplement défini comme un groupe d'appui. Le processus d'ouverture n'avait pas été facile. Mais au bout du compte, l'esprit de la communauté s'en trouvait raffermi.

En 1963, une première femme se joignit au groupe – l'une des premières ministres protestantes de l'État. Son statut de pionnière faisait en sorte qu'elle avait énormément besoin de l'appui de la communauté. Ouvert par essence, le groupe n'eut aucune peine à l'intégrer. La même année, deux hommes d'affaires se joignirent au groupe.

Au début de 1964, Ralph Henderson se vit offrir la direction du département de psychologie d'une université de la Côte Ouest. C'était là le genre de proposition qu'on ne pouvait refuser. Comme le groupe, Ralph regrettait de devoir partir. Mais le bonheur se mêlait au chagrin, car le départ de Ralph avait ravivé le principal mythe du groupe. Jusqu'à présent, le groupe s'était réuni chaque semaine dans le petit sous-sol de Ralph. Il ne serait pas difficile de trouver une autre place ; chaque membre mettait sa maison, son église ou sa synagogue à la disposition du groupe. La discussion permit aux membres du groupe de prendre conscience du plaisir immense qu'ils avaient à se réunir précisément dans un sous-sol. Les membres réfléchirent aux raisons qui avaient pu les amener à développer cette étrange prédilection et en vinrent à trois conclusions. Avant de partir, Ralph souligna que, dans les rêves, le sous-sol représente généralement l'inconscient – ce qui se cache sous la surface. Plusieurs membres s'étaient souvent interrogés sur la façon dont l'esprit ou « quelque chose » semblait inconsciemment à l'œuvre pour faciliter leur travail en commun. En second lieu, ils furent frappés de l'analogie entre le sous-sol et la notion d'appui. Comme le fit remarquer un membre : « Pour moi, le groupe a pris une telle importance qu'on dirait qu'il est devenu le *fondement* même de mon existence. » Finalement, le groupe comprit – ce dont l'athee lui-même convint volontiers – qu'ils étaient liés parce qu'ils étaient tous des ministres ou des dirigeants dans un monde où, en règle générale, personne n'était libre de dire ce qu'il pensait ou d'être vulnérable comme il le souhaitait. Un autre membre résuma la situation par une formule : « C'est comme si nous vivions *dans la clandestinité* ». Dans ces circonstances, il était donc naturel de se réunir dans un lieu souterrain.

Voilà pourquoi les membres avaient décidé de s'appeler le « Groupe du sous-sol ». Dès lors, pendant des années, le groupe prit toujours soin de tenir ses rencontres dans un sous-sol. Parfois, il se réunissait dans une salle de jeu ou une pièce soigneusement décorée au plancher recouvert de moquette. À d'autres moments, ils s'entassaient dans un cagibi situé juste à côté de la chaudière et du chauffe-eau, avec la tuyauterie au-dessus de leurs têtes. Mais quel que soit l'endroit, il était maintenant inconcevable qu'il fût au niveau du sol.

Au début, il y en avait qui fumaient ou buvaient de la bière lors des réunions. Très vite on comprit que ces activités diminuaient l'intensité de l'interaction entre les personnes présentes. « Pas de cigarette, pas d'alcool durant les réunions » devint alors une règle non écrite. Au cours de ces premières rencontres, on souleva aussi la question des parties. Les membres prenaient tellement de plaisir à être ensemble qu'on pouvait penser qu'ils prendraient plaisir à se retrouver en d'autres occasions. On organisa une soirée juste pour les membres du groupe, et une autre avec les conjoints. Étrangement, les deux soirées se révélèrent ordinaires ; l'esprit habituel leur faisait défaut. Le groupe décida qu'il n'était pas fait pour les parties et, par la suite, n'en organisa plus aucune. Par contre, aucune règle n'interdisait aux membres de « mener une vie sociale en dehors du groupe ». La formation des couples ne fut jamais interdite. Du reste, en vingt-cinq années d'existence, le groupe a vu naître plusieurs idylles, dont une devait se terminer par un mariage. Les nouveaux couples devaient annoncer au groupe leur existence. Une autre règle tacite était : « Il est impossible d'être vulnérable et d'avoir des secrets. » Dans l'ensemble, les membres du groupe décidèrent de ne pas se voir vraiment en dehors des deux heures de leur rencontre hebdomadaire. Le groupe était pour eux comme un aimant secret et paisible dans le cours ordinaire de leur vie.

Une autre question essentielle fut abordée au cours des deux premières années. Les membres qui formaient le noyau d'origine croyaient qu'il était normal de s'enquérir de la vie de chacun pour tenter de mieux en comprendre la signification. Mais peu à peu le groupe comprit qu'il ne pouvait en résulter que le chaos. Tout naturellement, chacun comprit qu'en général les tentatives de guérison ou de conversion détruisaient les êtres plus qu'elles ne les aidaient. De la même manière que le groupe s'était défini comme un groupe qui n'organise pas de parties, il se définit rapidement comme un groupe qui n'est pas un « groupe de thérapie ». Aux nouveaux membres, on disait : « Nous sommes purement et simplement un groupe d'appui. Notre but est d'aimer, non de guérir. » Mais comme il se produit souvent dans toute véritable communauté, plusieurs membres du Groupe du sous-sol ont fait souvent l'expérience de la guérison par l'effet bénéfique du groupe.

Mais ce n'est pas tout. L'année 1965 fut difficile. En février, Ted, le directeur d'un club de golf de la région, se joignit au groupe. Au début, parce qu'il était charmant, brillant et aimable, il semblait convenir tout à fait. Mais à la première rencontre d'avril, il se présenta complètement saoul. Bruyant, il cherchait constamment à attirer l'attention, et aucune remarque ne semblait avoir d'effet sur lui. Le groupe intervint en se contentant de lui faire boire des litres de café, ce qui le dégrisa suffisamment pour lui permettre de rentrer chez lui en voiture à la fin de la soirée.

La semaine suivante, Ted était à jeun et bourrelé de remords. Il protesta qu'il n'avait pas de problème d'alcool et dit qu'il n'avait jamais agi comme cela auparavant et qu'il n'avait aucune idée comment la chose s'était produite. Le groupe le questionna sur ses problèmes, sans succès. La semaine suivante, il se présenta de nouveau en état d'ébriété. Son comportement était si perturbateur que, lors de la rencontre suivante, alors que Ted était redevenu à jeun, le groupe n'eut d'autre choix que d'essayer de lui faire prendre conscience de son alcoolisme. Ted protesta qu'il n'était pas un alcoolique mais, cette fois, il confia au groupe que la préparation du terrain de golf lui avait causé divers problèmes, de même que les récriminations de quelques riches joueurs. Le groupe crut que le fait d'en parler lui aurait fait du bien. Il n'en fut rien. À la rencontre suivante, Ted était plus saoul que jamais. On le conduisit à l'urgence de l'hôpital le plus proche. L'hôpital ne voulut pas de lui. Au cours de la semaine qui suivit, plusieurs membres firent des démarches pour s'assurer de la présence d'un porte-parole des Alcooliques Anonymes à la réunion suivante. Avec l'aide de ce dernier, ils poursuivirent le travail de conscientisation auprès de Ted. Ted niait qu'il fût un alcoolique. Le groupe fit remarquer que quiconque se présentait en état d'ébriété à trois rencontres sur six était un alcoolique. Ted admit qu'il était peut-être un de ceux-là, mais insista à l'effet qu'il n'avait pas besoin d'assister aux rencontres des Alcooliques Anonymes puisqu'il faisait déjà partie d'un groupe d'appui. Le porte-parole des AA déclara que Ted n'avait pas encore « atteint le fond ».

La semaine suivante, Ted ne se présenta pas. La rencontre se passa à discuter de son cas. Un membre se porta volontaire pour contacter son épouse. Une semaine plus tard, en présence d'un Ted tout à fait à jeun, le membre expliqua que la femme de Ted n'ignorait rien de l'alcoolisme de son mari mais qu'elle se sentait impuissante à lui venir en aide. Le membre qui s'était porté volontaire lui avait suggéré d'assister aux rencontres du mouvement Alanon, et elle avait semblé accueillir cette suggestion avec gratitude. Ted dit qu'il avait le sentiment que le groupe se mêlait de sa vie privée. Le groupe lui dit qu'il réagissait durement. La semaine suivante, encore une fois, Ted surgit au beau milieu de la rencontre en état d'ébriété. Une réunion d'urgence eut lieu dès le lendemain soir, en son absence, pour discuter du fait que l'alcoolisme de Ted avait complètement dominé dix rencontres consécutives et pouvait peut-être entraîner la destruction du groupe. À contre-cœur, le groupe en vint à la conclusion qu'il avait dépassé les limites.

À la rencontre suivante, Ted était à jeun et le groupe lui dit : « Ted, nous ne pouvons pas te forcer à te joindre aux AA, même si nous pensons tous que ce serait pour toi la meilleure chose à faire. Nous ne voulons pas non plus te mettre à la porte du groupe. Mais, depuis les dix dernières semaines, nous avons été incapables de faire autre chose que de nous occuper de toi. Ton alcoolisme empêche le groupe de remplir sa fonction, qui est d'appuyer *tous* ses membres. Tu es bienvenu si tu veux demeurer dans le groupe, mais seulement si tu es à jeun et seulement si tu le demeures. Si tu veux boire en dehors du groupe, c'est ton affaire. Mais si tu te présentes encore une fois ici en état d'ébriété, non seulement tu ne seras plus le bienvenu, mais nous serons dans l'obligation de t'interdire de revenir. »

Dès la rencontre suivante, Ted se présenta en état d'ébriété et, sans vergogne, insista pour demeurer. Aussitôt, on appela la police. Aucune plainte ne fut déposée ; la police se contenta donc de ramener Ted chez lui. Celui-ci devait ne plus jamais se présenter devant le groupe.

Les trois sessions suivantes se passèrent à discuter abondamment de Ted, car le groupe se débattait avec un sentiment de remords et de culpabilité. Avaient-ils causé sa perte ? Y avait-il quelque chose d'autre qu'ils auraient pu faire ? Avaient-ils fait tout ce qu'il était possible de faire ? Peut-être auraient-ils dû faire preuve de plus de compassion ? Ultimement, ils en vinrent à la conclusion qu'ils avaient fait de leur mieux et, même si Ted semblait n'avoir tiré aucune leçon de l'expérience, eux avaient appris, au moins, quelles étaient leurs limites. Pendant un an, ils gardèrent le contact avec Ted par l'entremise de sa femme, jusqu'au moment où elle divorça et déménagea dans l'Arkansas pour y rejoindre ses parents. Ils contribuèrent aux frais du déménagement. Ce qu'il advint de Ted après cela, personne ne le sait dans le groupe, mais on se souvient de lui chaque fois qu'il est question de l'impossibilité de résoudre tous les problèmes.

En d'autres occasions, le groupe a décidé de ne pas fixer de limites. Roger, l'un des hommes d'affaires qui s'étaient joints au groupe au début, eut rapidement une promotion qui l'obligea à voyager constamment, de telle sorte qu'il ne pouvait être présent qu'à une réunion sur trois. Il offrit sa « démission », mais le groupe était unanime à vouloir qu'il continue à être membre, même occasionnellement. La décision ne fut pas difficile à prendre, puisque tout le monde pouvait voir que l'engagement de Roger était bien réel.

Plus difficile était le problème des « instables ». Pendant des années, des hommes et des femmes assistèrent de façon irrégulière aux rencontres hebdomadaires, ne venant que lorsqu'ils en avaient envie et refusant de s'engager vraiment vis-à-vis du groupe. D'abord, ils mirent en colère les membres qui, eux, s'étaient engagés. Pourquoi ces gens n'auraient-ils pas besoin de s'engager eux aussi? L'appui, qui était l'objectif fondamental du groupe, n'était-il pas le résultat de l'engagement mutuel de chacun des membres? Mais, tandis que le groupe se débattait avec cette question ambiguë, la lumière se fit peu à peu. D'abord, les instables ne monopolisaient pas le groupe comme Ted l'avait fait, et leur présence intermittente n'était pas un élément perturbateur au point de causer la destruction du groupe. De plus, ils apportaient avec eux du sang neuf et parfois certaines intuitions. Enfin, quelques-uns des instables finirent par devenir des membres pleinement engagés. Mais cette politique évolua au fil des années. Il fut décidé que certaines personnes pouvaient avoir besoin de tâter le terrain avant de s'engager et que le groupe était capable de supporter le poids de ceux qui ne s'engageaient pas, pourvu qu'il y ait toujours un *noyau* substantiel de gens engagés.

Au cours des vingt-cinq années d'existence du Groupe du sous-sol du New-Jersey, le noyau des gens engagés varia de trois à onze. Aujourd'hui, il est de huit. Mais d'une certaine façon, le Groupe du sous-sol a pris de l'importance. Quand Ralph et Peter, ses deux membres fondateurs, déménagèrent, ils mirent sur pied d'autres groupes d'appui dans leur nouveau lieu de résidence. Les autres en firent autant. Deux de ces groupes devaient disparaître, mais il existe maintenant des Groupes du sous-sol distincts dans quatre villes différentes. Ils échangent entre eux par l'entremise d'un bulletin d'information annuel, *La Notice du sous-sol,* qui fait état des communications et des événements survenus dans chaque groupe au cours de l'année et publie également les souvenirs des collaborateurs quant aux années passées. Le bulletin n'est pas seulement une excellente forme de publicité, il contribue à garder vivante la tradition et à la perpétuer.

Comparons maintenant l'Ordre de Saint-Éloi et le Groupe du sous-sol pour voir comment ils ont fait face aux problèmes que doivent affronter toutes les communautés à long terme et en quoi ils se sont conformés ou non aux paramètres permettant de maintenir la communauté.

La *taille* n'a jamais été un problème pour le Groupe du sous-sol comme il l'avait été pour l'OSE. Le noyau n'a jamais dépassé le nombre de onze, en raison de la mobilité de ses membres – tous engagés dans des carrières distinctes –, et le groupe n'est jamais devenu important au point de nuire à son objectif d'appui mutuel.

Le Groupe du sous-sol est une communauté de faible *intensité,* puisqu'il ne se réunit que deux heures par semaine. Certaines communautés authentiques ont prolongé leur existence en organisant des rencontres mensuelles, mais leur longévité n'est en général pas très grande. Par ailleurs, l'OSE, fort de sa vie en commun, réglée par la liturgie et les rencontres quotidiennes, est une communauté de grande intensité.

Le Groupe du sous-sol est aussi *ouvert* que peut l'être une communauté. Est bienvenu quiconque se montre intéressé; il n'y pas de procédures d'admission ou de stages préparatoires; même les instables sont des membres à part entière. Il n'y a qu'à comparer cette grande ouverture à celle, moindre, de l'OSE, où il faut passer par des étapes préparatoires et, ultimement, prononcer des vœux. Toutefois, il faut voir que même le Groupe du sous-sol n'aurait pu survivre à une politique d'ouverture totale. Le comportement de Ted a fait en sorte de provoquer son départ.

Parallèlement, le Groupe du sous-sol permet le plus possible l'expression de *l'individualisme.* Seuls les comportements tout à fait asociaux ne sont pas tolérés. Les choses auraient pu être différentes si l'intensité du groupe avait été plus grande. La vie des membres se déroule à l'extérieur de la communauté dans une proportion de 98 p. cent, aussi la variété de leurs modes de vie ne nuit-elle en rien à la fonction du groupe. De son côté, l'OSE n'a pas permis à ceux qui le voulaient de mener une vie d'ermite et s'attend à ce que ses membres adoptent tous le même mode de vie, sauf quand ils sont « en mission » au sein du mouvement pacifiste ou pour défendre les droits civiques. Il reste qu'il faut bien comprendre que le Groupe du sous-sol n'a pu survivre en tant que communauté que parce qu'il pouvait compter sur un *noyau* de membres engagés. C'est à un noyau de ce genre que l'OSE doit également d'avoir survécu aux années tumultueuses qui ont suivi la Seconde Guerre mondiale. Le fait illustre une règle de toute communauté, qui ne souffre pas d'exception. Au départ, pour qu'un groupe devienne une communauté, il doit y avoir un *engagement* profond des membres du groupe et, pour que dure la communauté, elle doit pouvoir compter sur un noyau de gens engagés.

Le Groupe du sous-sol avait un niveau d'*organisation* relativement faible. Chaque rencontre avait lieu dans un sous-sol, sur une base hebdomadaire ; elle débutait et prenait fin à heures fixes. Mais on ne doit pas perdre de vue que l'existence de la communauté est impossible s'il n'y a pas de structures, et qu'elle est tout aussi impossible s'il y en a trop. Sans structures, c'est le chaos. Trop de structures ne laissent pas de place pour le vide. Entre la fin de la période de silence et le début des dernières prières, chaque rencontre du Groupe du sous-sol permet d'aborder tous les sujets. Il n'y a pas d'ordre du jour. Personne ne sait qui va parler le premier et de quoi. La seule règle est la vulnérabilité.

Dans le Groupe du sous-sol, il y a peu d'autorité. Le niveau de leadership officiel et d'organisation est très faible. Toute décision s'obtient par consensus. De ce point de vue, le Groupe du sous-sol et l'OSE présentent des similitudes. Les communautés peuvent exister avec un leadership plus affirmé, mais une direction autoritaire est incompatible avec la véritable communauté, où les talents de chacun sont reconnus et où chacun vit en conformité avec ceux-ci.

En ce qui concerne le paramètre du *rituel,* le Groupe du sous-sol est faible. Mises à part la période de silence du début et les prières de la fin (très individuelles), il n'y a pas d'autres célébrations rituelles. Cette absence de rituel s'explique en partie par le fait que le groupe se situe à un niveau très élevé en ce qui concerne le paramètre de la *définition d'un objectif.* L'OSE a défini clairement son objectif, mais s'en est donné aussi plusieurs autres : appui mutuel, célébration religieuse, production et mise en marché de semences, formation des novices et, à l'occasion, activisme social. Le Groupe du sous-sol a bien pris soin de s'en tenir à un seul objectif : l'appui mutuel. Il ne cherche pas à célébrer ou à guérir. Cela n'empêche pas les rencontres d'être ponctuées de rires et le fait de participer au groupe a fait beaucoup de bien à certains de ses membres.

L'effet bénéfique de la communauté mériterait d'être étudié en profondeur, ce qui n'a jamais été fait. Les communautés à long terme, où l'expérience est moins intense (comme au sein du Groupe du sous-sol), où il faut laver la vaisselle et assumer en commun la nécessité de gagner sa vie (comme au sein de l'OSE), sont nécessairement une source d'extase moindre et une expérience moins bouleversante que les communautés formées à l'issue de l'atelier d'un week-end. Mais il est permis de penser que l'effet bénéfique des communautés à long terme peut, ultimement, se révéler plus profond, même s'il est plus lent à se manifester et plus stable par la suite.

DURER OU MOURIR ?

Il y a tellement d'avantages à prolonger l'existence d'une communauté authentique que l'idéal est de la maintenir active aussi longtemps que possible. C'est là un idéal *de principe.* En pratique, il n'est peut-être pas souhaitable que chaque communauté cherche à être immortelle. Comme les êtres humains, les communautés sont des organismes qui traversent différentes étapes de leur existence et certaines de ses étapes, comme nous le verrons, conviennent mieux à certaines communautés qu'à d'autres.

Le mouvement des Alcooliques Anonymes est une communauté qui réunit des millions de personnes. Sur le plan de l'organisation, il s'agit d'une communauté remarquablement souple, d'une fédération faiblement structurée de dizaines de milliers de petits sous-comités ou chapitres. Chaque jour voit la création de nouveaux chapitres, qui ajoutent à la croissance phénoménale du mouvement. Mais certains chapitres s'étiolent et mettent fin à leurs activités. Le processus n'est pas propre aux AA. Par exemple, au sein de congrégations monastiques importantes, formées d'une douzaine de maisons autonomes, certaines sont plus actives et deviennent plus importantes. D'autres sont stables. D'autres sont sur le point de s'éteindre.

La longévité d'une communauté n'est pas plus révélatrice de son succès que la durée d'une vie humaine n'atteste de sa réussite. J'ai connu plusieurs personnes formidables âgées de plus de quatre-vingts ans. J'ai connu aussi des gens du même âge qui étaient profondément détestables et méchants, qui ont mené pendant des années une vie destructrice. Plus tard, j'ai connu de véritables saints, morts prématurément. Les communautés ont une vie naturelle qui leur est propre et dont la durée est fonction du ou des motifs qui ont présidé à leur création. De toute évidence, certaines communautés n'arrivent pas à réaliser leur potentiel. D'autres sombrent dans une sénilité institutionnelle qui dure longtemps après qu'elles semblent avoir réalisé leurs objectifs.

Comment une communauté peut-elle savoir si c'est vraiment le moment pour elle de disparaître ou si elle ne traverse pas plutôt une mauvaise période dont elle pourra renaître si elle effectue le virage qui lui fera renouer avec l'esprit des origines et lui permettra de durer ? Il n'existe pas de formule toute faite pour faire la différence et épargner au groupe, de même qu'à l'individu, la douloureuse nécessité d'exercer son jugement. Mais quelques principes peuvent s'avérer utiles. Il s'agit d'abord de se poser la question. La conscience permanente de l'éventualité de la mort accélère moins sa venue qu'elle n'aide à mieux diriger le cours de son existence. Une communauté à long terme qui est prête à envisager régulièrement le spectre de sa propre mort sera mieux disposée, soit à lutter vigoureusement pour retrouver sa vitalité et se renouveler, soit à poursuivre plus efficacement et plus harmonieusement le processus de la mort.

Le second principe est que le discernement demande du temps. Il m'est arrivé de faire partie d'une communauté à long terme dont l'objectif essentiel était de mettre sur pied un nouveau type de services sociaux. Après une année de rencontres hebdomadaires, nous avions atteint ce but, mais nous n'avions pas envie de nous séparer pour autant, cela pour deux raisons. La première est que nous ne voulions pas perdre le sentiment de solidarité qui s'était créé après une année de véritable communauté. La seconde était que nous n'étions pas sûrs d'avoir mis sur pied la meilleure structure possible dans les circonstances. Nous avons donc continué de nous voir. Mais l'esprit n'était plus là. Les gens venaient moins aux réunions. De bimensuelles, les rencontres s'espacèrent et devinrent mensuelles, sans qu'il y eut d'effet bénéfique sur l'esprit de la communauté ou sur la participation. Finalement, après deux ans d'activités, nous mîmes fin à l'existence du groupe. Si nous avions envisagé dès le début la mort possible du groupe, je ne pense pas que nous aurions traîné l'affaire aussi longtemps. Par ailleurs, je pense qu'il était nécessaire d'attendre un peu, le temps de voir au moins si l'esprit allait revenir et nous donner un nouvel objectif.

En ce qui concerne les buts de la communauté, la règle ultime en période creuse est de se demander si le groupe ne les voit plus ou s'ils n'existent tout simplement plus. Il n'est pas toujours facile de répondre à cette question. Il arrive qu'un groupe soit si effrayé par le but qu'il s'est donné qu'il préférera mettre fin à ses activités plutôt que de faire face à ce qu'il cherche à éviter. Mais s'il veut bien s'interroger sérieusement sur les motifs qui le poussent à vouloir ignorer le but de son existence, il sera moins disposé à céder à la tentation du suicide et cherchera plutôt à faire le nécessaire pour se maintenir actif jusqu'au moment de sa mort naturelle.

La question du maintien de la communauté et de sa mort est également liée à un processus qui s'appelle « la désignation de l'ennemi ». Nous avons vu que des groupes qu'on n'aurait jamais soupçonnés de vouloir former une communauté le faisaient souvent en réponse à une menace ou à une crise : tragédie, catastrophe naturelle, attaque de l'ennemi ou guerre. Il est difficile de nier le fait quand il s'agit d'une authentique menace. Le problème surgit quand la cohésion instinctive qui est la réponse naturelle à une menace est fabriquée de toutes pièces. Le processus de désignation de l'ennemi se met en branle quand un groupe qui a perdu l'esprit de la communauté cherche à le retrouver en créant une menace – un ennemi – qui n'aurait jamais existé autrement. L'exemple le plus connu est celui de l'Allemagne nazie, où le régime hitlérien a réussi à créer une remarquable cohésion au sein de la majorité des Allemands en provoquant un sentiment de haine à l'endroit d'une minorité de juifs. C'est là un phénomène très répandu, dont chaque culture doit porter la responsabilité. Par exemple, les faits ont prouvé que le président Johnson obtint artificiellement l'appui du Congrès à sa politique au Viêt-Nam en inventant une attaque contre des navires américains : l'incident du « golfe du Tonkin ».

Le processus de désignation de l'ennemi est peut-être un des comportements humains les plus dévastateurs. Les individus, comme les groupes, peuvent y céder. Les conséquences sont les mêmes dans les deux cas. Dans les faits, il est un symptôme de décadence et de mort, même si à l'origine il peut donner l'impression de faciliter la bonne marche du groupe. En réalité, le groupe a cessé alors d'être une véritable communauté. L'ouverture dont il faisait preuve s'est progressivement transformée en exclusion. C'est désormais le règne du « eux contre nous », et l'amour a été perdu en cours de route. De surcroît, l'ennemi imaginaire momentanément créé est devenu un véritable ennemi. L'Holocauste a comme corollaire obligé la prolifération d'un sionisme militant et armé. Ultimement, le résultat de « l'incident » du golfe du Tonkin fut l'instauration d'un parti communiste fort et militant au Viêt-Nam. La désignation de l'ennemi finit toujours par être une prophétie qui se réalise. La prophétie donne vie à une menace prophétique qui n'existait pas.

Pour se maintenir en vie, les véritables communautés doivent faire preuve d'une vigilance constante à l'endroit de forces qui ne sont pas externes mais internes. Elles doivent chercher ce qui est bon plutôt que ce qui est mauvais. De tels propos ne cherchent pas à nier l'existence du mal dans le monde, mais à empêcher que le bien ne soit contaminé par celui-ci. Un groupe qui a déjà formé une communauté dans le passé et qui a envie de céder trop facilement au processus de désignation de l'ennemi devrait se demander sérieusement si le temps de sa propre fin n'est pas venu – ou pour le moins celui d'effectuer un changement radical. Il vaut mieux mettre fin à une belle tradition plutôt que d'encourager la décadence et les forces de la haine et de la destruction.

Même s'il n'est pas facile de former ou de prolonger l'existence d'une communauté véritable, peu de gens s'opposeront à ses objectifs avoués : la recherche de moyens pour vivre avec soi et avec autrui dans l'amour et dans la paix. Mais il s'agit là peut-être de belles paroles et, en tant qu'individus, nous continuons peut-être de nous comporter comme si nous ne souscrivions pas à ces objectifs. Il est tragique de penser que ce genre de comportement de façade est reflété et encouragé à un échelon mondial par le comportement des gouvernements.

Plusieurs gouvernements se sont donné comme objectif d'assurer la paix dans le monde. Mais ils ne se comportent pas en véritable communauté, ce qui est pourtant la seule façon de réaliser cet objectif. Quand une véritable communauté doit affronter le problème d'un membre dont le comportement est jugé nuisible, celle-ci se demande constamment si cette exclusion est justifiée ou si elle ne sert pas de prétexte. Il est presque normal que les nations s'accusent mutuellement d'être nuisibles. Mais dans quelle mesure ce genre de diagnostics est-il fait en toute connaissance de cause? Dans quelle mesure les gouvernements ont-ils réfléchi avant d'en venir à ce constat? Avec quelle fréquence la recherche d'un bouc émissaire – ce que j'appelle la désignation de l'ennemi – se produit-elle dans le cours des relations internationales? Au sein d'une véritable communauté, le problème du mal doit être résolu par l'ensemble de la communauté et non par son seul dirigeant officiel. Dans quelle mesure le problème du mal dans les relations internationales est-il abordé par la communauté des nations ou par ses seuls dirigeants officiels?

Pour qu'un pays en arrive à former une communauté, son dirigeant officiel doit diriger et contrôler le moins possible afin de stimuler le leadership de tous. Ce faisant, il ou elle devra souvent admettre sa faiblesse et courir le risque d'être accusé de ne pas vraiment diriger. Dans quelle mesure nos dirigeants sont-ils prêts à encourir ce genre d'accusations? Dans quelle mesure sont-ils disposés à encourager le leadership chez les autres? Pour former une véritable communauté, il faut combattre la présomption anti-objectif de la dépendance. Les chefs des nations sont-ils du genre à encourager ou à combattre la dépendance au sein de leur peuple? Quelle est notre conception de la force et de la faiblesse chez nos dirigeants officiels – à l'échelle nationale ou autre –, et dans quelle mesure cette conception est-elle conforme à la réalité, en particulier quand il s'agit d'instaurer la paix dans le monde?

Pour former efficacement une communauté, les leaders officiels doivent mettre l'accent sur le groupe dans son ensemble. Du point de vue des relations internationales, nos dirigeants nationaux réussissent-ils, en général, à garder constante cette préoccupation d'ensemble? Ou n'ont-ils pas tendance à penser simplement à leurs propres intérêts nationaux et, éventuellement, à ceux de leurs alliés? Du reste, la création de liens d'amitié particuliers ou d'alliances n'est-elle pas une des manifestations de la présomption anti-objectif de l'association, qui a un effet destructeur sur le développement global de la communauté?

Et puis restent encore les autres présomptions anti-objectif. Les dirigeants nationaux encouragent-ils l'adoption de politiques pour faire face à des questions difficiles et délicates ou pour les éviter? Et, sur le plan individuel, ne préférons-nous pas éviter de faire face à ces questions – en partie en votant pour des dirigeants qui font la promesse magique de nous en préserver? La présomption anti-objectif de la fuite n'est-elle pas la façon toute naturelle de procéder du corps politique? Et la présomption anti-objectif de la lutte n'est-elle pas le mode de fonctionnement qui domine la scène confuse des relations internationales? Se pourrait-il que les dirigeants nationaux se comportent comme s'ils présumaient que leur objectif était de se battre plutôt que de chercher à atteindre un consensus ou de connaître la concorde, oubliant complètement, du coup, leur objectif premier qui est de faire régner la paix dans le monde?

De quelque côté que l'on se tourne, il semble donc que les règles qui gouvernent le comportement des nations soient en général l'antithèse de ce que nous pouvons connaître des règles qui gouvernent la formation d'une communauté. À une époque où la guerre peut signifier si aisément la destruction de la planète, nous continuons de nous comporter selon des règles qui ont l'air toutes désignées pour nous conduire plus près que jamais de la guerre. Nous savons que l'existence d'une crise peut faciliter le développement de la communauté. Et pourtant, il semble que nous soyons incapables de voir dans l'holocauste nucléaire une crise dont la magnitude et la constance seraient telles qu'elles devraient nous obliger à changer les règles du jeu.

Nous connaissons les règles de la communauté; nous savons l'effet bénéfique de la communauté sur la vie des individus. Ces mêmes règles pourraient-elles avoir un effet bénéfique sur la planète si nous arrivions à jeter un pont entre ces deux univers de la connaissance? On a souvent dit de l'être humain qu'il était un animal social. Mais nous ne sommes pas encore des créatures qui vivent en communauté. Nous devons développer des liens avec les uns et les autres pour assurer notre survie. Mais nous n'avons pas de liens avec l'ouverture, le réalisme, la conscience de soi, la vulnérabilité, l'engagement, l'intégration, la liberté, l'égalité et l'amour qu'exige la communauté véritable. Il est clair qu'il ne suffit plus d'être un animal social, qui se réunit dans les cocktails pour papoter et se quereller avec ses semblables sur des questions d'affaires ou de frontières. Notre objectif – notre objectif essentiel, fondamental et crucial – est de passer de l'état de créatures purement sociales à celui de créatures vivant en communauté. C'est à ce prix seulement que l'être humain pourra continuer d'évoluer.

DEUXIÈME PARTIE

LE PONT

CHAPITRE VIII

LA NATURE HUMAINE

En étudiant le phénomène de la communauté à un échelon essentiellement local – petite école quaker, des groupes formés de quarante à quatre cents personnes qui se réunissent pendant deux jours ou deux semaines pour faire l'expérience de la communication, les dirigeants municipaux d'une petite ville, une congrégation religieuse isolée, un modeste groupe d'appui, un couvent ici, un monastère là –, nous avons appris quelques principes fondamentaux. Nous savons faire la différence entre une communauté authentique et une pseudo-communauté. Nous avons compris quelles sont les conditions à respecter avant que les êtres humains puissent communiquer efficacement – avant qu'ils puissent former une communauté. Nous avons mis à jour le processus de la formation d'une communauté. Nous avons analysé les défis que posent la participation à une communauté et le prolongement de son existence. Mais, surtout, nous avons appris qu'en respectant certaines conditions il est vraiment possible à un petit groupe de personnes de vivre durablement dans un sentiment d'amour et de paix.

En ce qui me concerne, cette prise de conscience ne met

pas fin à ma recherche, mais en marque le début, puisqu'elle offre de nouvelles perspectives. Si la chose est possible avec de petits groupes, pourquoi ne le serait-elle pas avec de plus grands? Si elle est possible avec une congrégation religieuse isolée, pourquoi ne le serait-elle pas avec toutes les Églises prises dans leur ensemble? Si les dirigeants d'une petite ville ont pu former une communauté, pourquoi l'ensemble des citoyens d'une ville, d'une grande cité, voire d'un État, ne le pourraient-ils pas? Si les États peuvent y songer, pourquoi pas une nation? Et si une nation le peut, pourquoi pas l'ensemble des nations de la planète?

Il peut sembler difficile de concevoir un monde qui sache transcender toutes les différences, un monde réfléchi où des décisions réalistes se prennent par consensus. Comment un tel monde pourrait-il être possible? Notre civilisation en est une où les différences raciales, culturelles et politiques nous jettent les uns contre les autres; il s'agit d'un monde d'action et de réaction, de dirigeants et de dirigés. La nature humaine est ainsi faite. Si nous voulons nous engager quelque peu dans la voie de la communauté mondiale, nous avons envie de penser que la nature humaine devra changer d'une manière ou d'une autre, ou qu'elle devra être changée. Il nous faudrait, en quelque sorte, devenir tous semblables. Or cela aussi est impossible. Du reste, à l'échelle modeste des communautés que j'ai connues, cette présomption devait se révéler fausse. On acceptait et on encourageait l'expression des différences individuelles. Par conséquent, la première étape de la formation d'une communauté à une plus vaste échelle est peut-être d'accepter le fait que nous ne sommes *pas* semblables, et que nous ne le serons jamais.

LE PROBLÈME DU PLURALISME

Chacun de nous étant unique, il est inévitable que nous vivions dans un monde pluraliste. Les Américains tirent une certaine fierté du caractère pluraliste de leur société. Ils sont plus de deux cent millions à cohabiter dans un certain espace, malgré la multiplicité des races et des origines, avec différents points de vue, différents besoins, différentes traditions, différentes religions et différentes ressources économiques. Mais c'est là une fierté souvent arrogante et provinciale. Les Américains oublient souvent que la société russe semble capable de survivre – même si c'est par des moyens et des modes de vie différents – à une diversité tout aussi grande entre les peuples qui la composent. De leur côté, les Russes ont tendance à ignorer les réussites des Américains. Quoi qu'il en soit, chacun encourage l'expression du pluralisme à l'occasion.

Pourtant, en général, le pluralisme est considéré comme un problème. Pour la simple raison que les Américains, (ou les Russes) vivent ensemble dans une paix toute *relative*. Dans ce pays, les relations entre Noirs et Blancs et entre groupes d'origines ethniques différentes sont pour le moins difficiles. Les riches et les pauvres vivent rarement dans la bonne entente. Des groupes de pression inondent le Congrès de leurs revendications contradictoires. L'Église chrétienne se ramifie en une douzaine de confessions. Les chrétiens s'affrontent, tandis que le débat entre les synodes luthériens, les catholiques d'avant et d'après Vatican II et la tendance libérale et conservatrice des Baptistes du Sud devient souvent acrimonieux.

Le pluralisme domine également les relations entre les nations de la planète, et, si leurs luttes ne tournent pas à la bataille rangée, les armes qu'elles doivent fabriquer pour assurer leur défense coûtent aux habitants de la planète plus d'un billion de dollars par année. Les coûts indirects de cette course aux armements sont incalculables, et le pouvoir destructeur de ces armes est si grand que des populations entières vivent dans l'incertitude permanente quant à leur survie. Par conséquent, le fameux « pouvoir de dissuasion » de la course aux armements semble n'avoir fait qu'aggraver le problème du pluralisme. Il n'y a qu'une solution décente à ce problème, qu'il soit celui de l'Église, de la nation ou de la planète dans son ensemble : la communauté.

Rappelons-nous que la communauté est une façon d'être ensemble où les gens apprennent à baisser la garde plutôt qu'à être sur la défensive, où les gens apprennent non seulement à accepter leurs différences plutôt qu'à chercher à les escamoter, mais aussi à s'en réjouir. Dans la communauté, il n'y a pas de place pour l'individualisme « absolu ». Il y a place, en revanche, pour un individualisme « doux », qui encourage le pluralisme. Dans la communauté, le pluralisme cesse d'être un problème. La communauté est un véritable procédé alchimique qui transforme les impuretés de nos différences en l'or de l'harmonie.

Afin de mieux comprendre le phénomène, nous devons aussi comprendre les raisons profondes qui font que nous, humains, sommes si différents et, en même temps, savoir ce que précisément nous avons de tellement commun. Il faut répondre à une question : qu'est-ce que la nature humaine ?

LES ILLUSIONS DE LA NATURE HUMAINE

Pour la plupart des gens, un mythe est un long conte, une histoire qui n'est ni vraie ni réelle. De plus en plus, cependant, les psychologues en viennent à penser que les mythes sont tels précisément parce qu'ils sont vrais. Toutes les cultures, à toutes les époques, ont engendré des mythes sous une forme ou sous une autre. Une des raisons de leur permanence et de leur caractère universel est précisément qu'ils sont un assemblage de grandes vérités.

Les dragons sont des créatures mythiques. Bien avant que les bandes dessinées ou les dessins animés à la télévision ne mettent en scène ces créatures fantaisistes qui crachent le feu, dans toute l'Europe de la chrétienté, les moines enluminaient les manuscrits d'illustrations de dragons peintes à la main. En Chine, les moines taoïstes procédaient de même, tout comme les moines bouddhistes au Japon et les hindous en Inde, sans oublier les musulmans en Arabie. Pourquoi cela ? Pourquoi des dragons ? Qu'est-ce qui a valu à ces créatures mythiques d'être aussi œcuméniques et internationales ?

Le dragon symbolise l'être humain. En tant que symbole mythique, le dragon est donc révélateur de vérités fondamentales sur la nature humaine. Nous sommes des serpents avec des ailes et des vers de terre qui peuvent voler. À la manière des reptiles, nous rampons sur le sol et croupissons dans la boue de notre nature animale et le fumier de nos préjugés culturels. Mais, comme les oiseaux, nous appartenons également à l'univers de l'esprit, nous sommes capables de prendre notre envol dans les cieux et de transcender, ne serait-ce qu'un moment, notre étroitesse d'esprit et nos propensions coupables. Aussi m'arrive-t-il souvent de dire à mes patients qu'un de leurs objectifs est d'affronter le dragon au cœur de leur personnalité, de décider s'ils veulent mettre en valeur l'aspect le plus facile ou le plus spirituel de leur nature.

En tant que symbole mythique – et d'une certaine façon tous les mythes concernent la nature humaine –, les dragons sont relativement simples. Comme c'est le cas pour les rêves, un seul mythe peut avoir plusieurs significations. Prenez la merveilleuse histoire d'Adam et Ève, du jardin d'Eden, de la pomme et du serpent (voyez comme le dragon a réussi à se faufiler, même ici). Cette histoire est-elle le récit de notre chute loin de la grâce et de notre sentiment d'aliénation face à notre milieu ? N'est-elle pas plutôt le récit de notre éveil à la conscience (et, de là, cette timidité si essentielle à l'être humain) ? À moins que ce ne soit les deux ? Elle est aussi le récit de la cupidité de l'être humain, de la peur, de l'arrogance, de la paresse et de la désobéissance qu'il oppose à l'invitation à donner le meilleur de lui-même. Le récit nous dit aussi que nous ne pouvons pas retourner à l'état de communion inconsciente avec le reste de l'univers (le passage est bloqué par une épée de feu), mais que nous ne pouvons trouver le salut qu'en affrontant les rigueurs du désert et en plongeant plus profondément dans les niveaux de la conscience.

Le mythe le plus simple recèle plusieurs facettes, parce que, comme les dragons, nous sommes des créatures à plusieurs facettes. À vrai dire, c'est la raison d'être des mythes. Notre nature est tellement paradoxale et recèle des facettes si nombreuses que nous sommes incapables de la traduire dans des mots qui évoquent des catégories simples et uniques. Les mythes ont pour tâche de recueillir et d'embrasser la nature humaine dans toute sa richesse.

Les multiples facettes et la complexité de la nature humaine font en sorte que les définitions simplistes que l'on peut en donner non seulement ne rendent pas justice à sa richesse, mais sont aussi extrêmement dangereuses. Toute fausseté est dangereuse, et une mauvaise compréhension de la nature humaine l'est particulièrement puisqu'elle est à l'origine des guerres. Une première notion fausse quant à la nature humaine – une première illusion – est que tous les gens sont les mêmes. On a tous déjà entendu cette illusion répétée sous une forme ou sous une autre : « Partout dans le monde, les gens finissent pas se ressembler » ; « Derrière la couleur de la peau, tous les hommes sont des frères » ; « Les Russes sont comme les Américains, même si leur forme de gouvernement est différente ».

Cette illusion est à l'origine de la théorie des « dirigeants maléfiques ». Ayant grandi durant la Seconde Guerre mondiale, j'ai été profondément endoctriné par cette théorie. Bon nombre d'Américains avaient des amis ou des parents allemands qui leur paraissaient aussi humains qu'on peut l'être. Puisque les Américains pensaient que les Allemands étaient « tout comme eux », la seule façon d'expliquer les atrocités qu'ils avaient commis était de présumer que les Allemands avaient été asservis par un fou, Hitler, leur chef maléfique. Si le remarquable ouvrage d'Erich Fromm, *Escape from Freedom* [1] a été si important, c'est précisément parce qu'il a dénoncé cette illusion. Dans son ouvrage, Fromm prouve en long et en large que le peuple allemand ne fut asservi à Hitler que parce qu'il avait

---

1. Erich Fromm, *Escape from Freedom*, New York, Rinehart, 1941.

capitulé. Fromm reconnut certains courants profonds, propres à l'histoire, à la culture et à la société allemandes, qui devaient encourager cette capitulation. Hitler a moins enlevé aux Allemands leur liberté que ceux-ci ne lui ont délibérément tourné le dos. Dans l'ensemble, les Allemands ont pactisé avec Hitler.

Malgré la perspicacité de cette interprétation rendue publique il y a cinquante ans, nous continuons de perpétrer la notion simpliste qui veut que tous les gens soient les mêmes en croyant que les Russes sont « tout comme les Américains » et en faisant appel à la théorie des « dirigeants maléfiques » pour justifier leur comportement en tant que nation. Nous pensons donc que « tout comme les Américains » les Russes ont soif de démocratie et que seuls leurs « dirigeants maléfiques au Kremlin » les empêchent d'y accéder [2]. Mon intention n'est pas de comparer le régime de l'Allemagne nazie et celui de la Russie soviétique. Tous deux sont bien différents. Il n'empêche que nous appliquons dans les deux cas la théorie des « dirigeants maléfiques », comme si les deux gouvernements avaient à leur tête les mêmes types de dirigeants et que les Russes n'avaient pas un mot à dire sur le choix de leur gouvernement. Durant l'affaire Watergate, le correspondant du *New York Times* à Moscou, Hedrick Smith, découvrit que le peuple soviétique – « l'homme de la rue » – n'arrivait pas à comprendre pourquoi les Américains faisaient tout un plat de cette histoire et pouvaient même aller jusqu'à envisager de destituer un dirigeant aussi fort que Nixon pour une offense aussi mineure et aussi ordinaire [3]. Qu'on vienne me dire après cela que, « tout comme les Américains » les Russes ont soif de démocratie !

Ah ! si les choses pouvaient être aussi simples ! Mais s'il est vrai de dire que les gouvernements n'assujettissent pas

2. Aux États-Unis, *Au son d'un autre tambour* a paru en 1987, soit bien avant les événements qui devaient conduire à la chute du régime communiste en URSS *(N.d.T.)*.

3. Hedrick Smith, *The Russians*, New York, Ballantine Books, 1977, p. 320-334.

complètement leurs ressortissants, il est tout aussi simpliste de présumer que les gouvernements – totalitaires ou non – ne cherchent pas à influencer et, d'une certaine façon, à aveugler les citoyens. En Amérique, les dirigeants élus ont tendance à perpétuer cet aveuglement dans l'exercice de leurs fonctions, tout comme le régime totalitaire en Russie s'efforce à sa manière de perpétuer l'aveuglement de ses citoyens.

Il n'empêche qu'il serait simpliste de penser que l'interaction qui s'instaure entre le gouvernement et le peuple obéit à une dynamique identique en Russie et aux États-Unis, ou dans n'importe quel autre pays. Les relations entre ceux qui gouvernent et ceux qui sont gouvernés sont une sorte de danse culturelle permanente. Comme les gens, les cultures ne sont pas identiques mais profondément différentes ; aussi ces danses culturelles sont-elles aussi différentes que peuvent l'être des danses comme le fox-trot, la valse, la polka ou l'hora.

Mais ce serait encore simplifier à outrance que d'affirmer que des êtres humains appartenant à des cultures différentes ne présentent absolument *aucune* similitude. L'article dont j'ai déjà parlé, « Education as Transformation : Becoming a Healer Among the Kung and the Fijians [4] », décrit l'entraînement auquel les guérisseurs, dans ces deux sociétés « primitives », doivent se soumettre pendant toute leur vie. Même si, dans chacune des deux cultures, le langage et les concepts auxquels faisaient appel la religion de façon générale et, de façon particulière, la « médecine » et le processus de guérison, étaient profondément différents, les dynamiques dans l'évolution respective des guérisseurs sur plusieurs années étaient remarquablement similaires. Dans les faits, le voyage initiatique entrepris par les guérisseurs dans ces deux cultures païennes « primitives » ressemble fort à celui que connaissent les moines, les religieuses et les autres personnes en quête de spiritualité au sein de notre culture chrétienne. Je soutiens que la

4. Richard Katz, *Harvard Educationnal Review*, vol. 51, n° 1, 1981.

dynamique de l'évolution spirituelle est la même partout dans le monde. Elle est une donnée de la nature humaine et fait partie des caractéristiques complexes que nous avons en commun.

La dynamique de l'évolution spirituelle offre un autre exemple de singularité et de similitude présentes simultanément dans la nature humaine. Les hommes et les femmes sont tout à fait différents. Si les différences anatomiques sont évidentes, avec les années, j'ai également pris conscience des différences non anatomiques – qui existent non seulement entre les sexes, mais aussi entre la sexualité de chacun, entre nos différentes manières d'être. Le débat se poursuit pour savoir dans quelle mesure les psychologies féminine et masculine sont déterminées par la génétique ou par la culture. Mais tandis que fait rage le débat nature/culture, personne – et moi moins que quiconque – ne peut mettre en doute les profondes différences qui existent entre l'esprit mâle et l'esprit femelle. Pourtant, après vingt années de pratique en psychothérapie, je suis toujours frappé par le fait que, pour accéder à la maturité, hommes et femmes doivent faire face aux mêmes questions psychospirituelles et franchir les mêmes obstacles. Homme ou femme, ils doivent apprendre à prendre leurs distances vis-à-vis de leurs parents, de leur conjoint et de leurs enfants ; à développer pleinement leur autonomie et leur sens des responsabilités et, cela fait, à se soumettre ; à affronter la déchéance physique et à lutter avec le mystère de leur propre mort. D'un point de vue subjectif, je suis, en tant qu'homme, profondément différent de vous, qui êtes une femme. Et pourtant, en même temps, nous sommes tous les deux également humains.

D'un point de vue subjectif et objectif, le fait d'être américain est bien différent du fait d'être russe. Sur plusieurs sujets, les êtres humains ne pensent pas de la même manière. Mais chacun doit affronter la même réalité de la mort et se débattre avec les mêmes questions sur ce que signifie sa condition d'être humain. Homme ou femme, Russe ou Américain, porteur de tel gène plutôt que de tel autre, ayant grandi dans un foyer uni ou dans un foyer brisé, nous sommes tous à la fois corps et esprit. Le mythe du dragon exprime cette réalité. Nous sommes tous des dragons.

Par conséquent, la réponse à la question fondamentale : « Qu'est-ce que la nature humaine ? » sera une réponse paradoxale. Les êtres humains sont profondément différents et profondément semblables. Mais, sans doute parce que le monde serait beaucoup plus simple si nous étions tous semblables, les êtres humains, quelle que soit la culture à laquelle ils appartiennent, ont tendance à sous-estimer considérablement leurs différences. Dans un ouvrage intitulé *Patterns of Culture*, Ruth Benedict montre bien l'étendue de nos différences culturelles quand elle décrit trois cultures où les modes de vie dominants, les goûts, les rôles sexuels, les valeurs, les espoirs et les façons de voir le monde sont profondément différents, voire parfois diamétralement opposés [5]. De surcroît, ce qui peut être considéré comme « normal » dans une culture peut devenir complètement anormal dans une autre, et même les conceptions du bien et du mal sont dans une large mesure déterminées par la culture.

Pour donner un autre exemple de déterminisme culturel, je dirais que la plupart des maux que les Américains attribuent au communisme soviétique ont très peu à voir avec le communisme. L'exil des dissidents politiques en Sibérie est une tradition très ancienne, dont l'origine remonte à plusieurs siècles avant la naissance de Karl Marx ou l'accession de Lénine au pouvoir. Elle est moins le fait des communistes que des tsars. Les Américains critiquent les dirigeants communistes quand ils restreignent les déplacements des étrangers ou quand ils proposent à ces derniers des mises en scène prétentieuses pour vanter des « merveilles » de la société soviétique créées de toutes pièces. Mais les tsars avaient l'habitude de construire, à l'intention des touristes du XVIIIe et du XIXe siècle, de faux villages habités par d'heureux paysans (qui, la nuit venue,

---

5. Ruth Benedict, *Patterns of Culture*, Boston, Houghton Mifflin, 1961.

réintégraient leurs véritables masures). La société soviétique est bel et bien totalitaire, mais la révolution communiste a remplacé un gouvernement totalitaire par un autre. Pendant des centaines d'années, la majorité des Russes ont montré une tendance à se soumettre à la volonté de dirigeants tout-puissants. Les dirigeants des États-Unis répètent constamment qu'il est nécessaire d'être réalistes avec les Russes. Mais il est difficile de comprendre comment les Américains peuvent être réalistes s'ils n'ont pas appris à établir une distinction entre les différences politiques et celles qui sont plus profondément culturelles.

Cela ne veut pas dire que les différences culturelles sont immuables, ainsi que je devais l'apprendre un jour avec regret. Pendant mon séjour à Okinawa, je décidai de visiter les hôpitaux psychiatriques de l'endroit. D'autres Américains étaient également intéressés, et notre interprète, une Japonaise cultivée, organisa à notre intention une visite guidée d'une journée. Dans un de ces hôpitaux, un Américain vit que les patients dormaient sur un petit matelas, appelé tatami, posé sur le plancher de ciment de l'hôpital. L'homme s'écria : « C'est horrible de voir comment on traite les patients ici. Je n'aurais jamais cru que leurs hôpitaux étaient en si mauvaise condition. Ils devraient au moins donner à leurs patients un lit pour dormir! »

Pour ma part, j'avais remarqué que l'endroit était plus propre et mieux rangé que bien des hôpitaux d'État aux États-Unis, et je fus prompt à répliquer avec hauteur : « Vous ne devriez pas penser que l'hôpital est mal tenu. Dans la culture japonaise, il est normal de dormir sur un tatami. Les patients seraient sans doute effrayés par un lit. Ils ne sauraient pas quoi en faire. Ils viennent d'une autre culture et préfèrent dormir ainsi. »

À ce moment, notre interprète me répliqua *à moi* : « Vous avez raison de dire que cet hôpital n'est pas forcément mal tenu. Il est vrai également que si vous laissez un paysan japonais dans une chambre d'hôtel avec un lit, il est probable qu'il préférera dérouler son tatami pendant les premières nuits.

Mais quand un Japonais adulte a eu la chance de dormir dans un lit, il est très rare qu'il veuille encore dormir sur un tatami si on lui donne le choix. »

Quand les gens admettent volontiers que certaines différences culturelles peuvent changer, il faut presque toujours comprendre, en sous-entendu, que c'est leur culture, leur réalité, qui est bonne et supérieure et que c'est aux gens des *autres* cultures de changer leurs habitudes. Il s'agit là d'une autre illusion de la nature humaine, illusion qui peut se révéler très dangereuse lorsqu'elle est poussée à l'extrême, puisqu'elle ne se contente pas d'affirmer que tous les êtres humains sont essentiellement les mêmes ; elle ajoute qu'ils *devraient* l'être. Ceux qui ne peuvent pas changer, qui ne changeront pas ou qui ne veulent pas changer – qui refusent d'être « tout comme nous » –, ceux-là deviennent des ennemis, qu'ils appartiennent à une autre nation ou à une autre culture, ou qu'ils soient des voisins dont le mode de vie diffère du nôtre.

La réalité de la nature humaine est que nous sommes – et serons toujours – profondément différents, puisque l'une des caractéristiques majeures de la nature humaine est de pouvoir être modelée par la culture et l'expérience selon un nombre infini de possibilités. La nature humaine est souple ; elle est donc capable de changer. Mais cette façon de formuler les choses ne rend pas justice à sa grandeur. Il vaut mieux parler de sa « faculté de se transformer ». La caractéristique fondamentale de la nature humaine est sa faculté de se transformer. Encore une fois, paradoxalement, cette faculté est à la fois la raison fondamentale de la guerre et son principal remède.

LA FACULTÉ DE SE TRANSFORMER

La nature humaine est tellement subtile et ses facettes sont si nombreuses qu'on ne peut la réduire à une seule définition. Il reste que nous avons besoin de points de repère. Aussi, quand on me demande : « Dr Peck, qu'est-ce que la nature humaine ? », j'ai d'abord envie de répondre : « La nature humaine, c'est d'aller aux toilettes vêtu d'un pantalon. »

N'est-ce pas ainsi que tout a commencé, pour vous comme pour moi : faire ce qui vient naturellement, se laisser aller à ses sensations. Mais, vers l'âge de deux ans, il nous est arrivé ceci : notre mère (ou notre père) a commencé à nous dire : « Tu es vraiment un gentil garçon, et je t'adore, mais j'aimerais beaucoup que tu apprennes à faire cela proprement. » Au départ, ce genre de requête ne veut absolument rien dire pour un enfant. Ce qu'il comprend, c'est de se laisser aller quand il a envie, et qu'il en résulte toujours quelque chose d'intéressant. Pour un enfant, marcher les fesses serrées et parfois arriver à la toilette juste à temps pour voir disparaître dans un tourbillon d'eau cette chose intéressante, voilà qui lui semblera profondément contre-nature.

Mais si la relation entre la mère et l'enfant est bonne, et si la mère ne s'impatiente pas ou n'est pas dominatrice (malheureusement, il est rare que des conditions aussi favorables soient satisfaites, ce qui est la principale raison pour laquelle nous, psychiatres, devons intervenir dans l'apprentissage de la propreté), alors il se produit quelque chose d'assez fantastique. L'enfant se dit : « Tu sais, ma maman est quelqu'un de bien, et ces deux dernières années elle a été formidable avec moi. J'aimerais bien trouver une façon de lui rendre la pareille ou de lui faire une sorte de cadeau. Mais je ne suis qu'un pauvre petit enfant démuni. Quel cadeau pourrais-je lui offrir, qui lui ferait plaisir – sinon cette chose étrange qu'elle me demande ? »

Ce qui se produit alors, c'est que, pour offrir à sa mère un cadeau d'amour, l'enfant se met à faire une chose profondément contre-nature : marcher les fesses serrées et se rendre à la toilette à temps. C'est ainsi qu'à l'âge de quatre ou cinq ans, le même enfant trouve tout à fait naturel d'aller aux toilettes. À l'inverse, s'il s'oublie et a un petit « accident » parce qu'il est fatigué ou énervé, il se sentira profondément gêné par tout le gâchis. Ce qui s'est passé, dans l'intervalle de deux brèves années, c'est que, par amour, l'enfant a réussi à *changer sa nature*.

Cette faculté que nous avons de pouvoir changer – de pouvoir nous transformer – est si extraordinaire que, lorsqu'on me demande : « Qu'est-ce que la nature humaine ? », il m'arrive à d'autres moments de répondre par une boutade (car ce n'est là qu'un aspect du paradoxe) et de dire que la nature humaine n'existe pas. Ce qui nous, êtres humains, nous distingue le plus des autres créatures, ce n'est pas notre pouce opposé à la main, notre magnifique larynx ou notre énorme cortex cérébral, mais notre remarquable absence d'instinct – de schèmes de comportement hérités de l'espèce qui donnent aux autres créatures une nature plus immuable et plus prédéterminée que celle des êtres humains.

Je vis dans le Connecticut, sur les rives d'un immense lac. Chaque année, au mois de mars, à la fonte des glaces, un voilier de goélands se pose sur le lac et, chaque année, au mois de décembre, ils prennent leur envol du même lac, sans doute pour aller dans le Sud. Je ne sais pas où vont ces oiseaux, mais récemment des amis m'ont parlé de Florence, dans l'Alabama. (Mes amis ornithologues me disent que des goélands migrateurs, cela n'existe pas, mais c'est qu'ils n'ont pas rencontré mes goélands.) Quoi qu'il en soit, les hommes de science qui ont étudié les oiseaux migrateurs en sont venus à la conclusion que leur petite cervelle d'oiseau leur permettait vraiment de voler en se guidant sur les étoiles jusqu'à atteindre invariablement un point précis à Florence, dans l'Alabama. Le seul revers à cela est que leur marge de liberté est très réduite. Ou bien c'est Florence, dans l'Alabama, ou bien ce n'est rien du tout. Un oiseau ne peut pas se dire : « Cette fois, je pense bien que je vais passer l'hiver à Waco, au Texas, ou aux Bermudes. » Mais leur relative absence d'instinct fait en sorte que les êtres humains se caractérisent par une formidable liberté. Nous avons la liberté (à condition d'avoir les moyens financiers de le faire) de choisir de passer l'hiver dans l'Alabama, aux Bermudes ou à la Barbade, ou de rester à la maison, ou de faire une chose aussi inusitée que de partir dans la direction opposée, au Vermont, pour glisser sur des pentes glacées, juchés sur d'étranges planches de bois ou de fibre de verre.

Il y en a qui croient que notre liberté et la faculté que nous avons d'exercer un contrôle sur notre comportement et notre environnement sont des dons de Dieu. D'autres pensent qu'il s'agit du résultat de milliers d'années d'évolution. Les deux raisonnements sont peut-être vrais. Notre faculté de nous transformer n'est jamais aussi évidente qu'à travers les étapes de l'enfance et de l'adolescence qui conduisent à l'âge adulte. À partir de ce moment, toutefois, notre volonté de changer, pour ne pas dire notre capacité de le faire, se réduit considérablement à mesure que nous avançons en âge et devenons plus réglés dans notre façon d'agir, plus convaincus de la justesse de nos opinions, moins intéressés par la nouveauté et plus rigides. Jeune, je pensais qu'il fallait vraiment qu'il en soit ainsi. J'observais autour de moi les adultes qui entraient dans la cinquantaine, dans la soixantaine, puis franchissaient le cap des soixante-dix ans, et la « nature » de chacun me paraissait plus immuable que jamais.

Alors que j'avais vingt ans, je passai l'été en compagnie d'un auteur célèbre, John P. Marquand, lui-même âgé de soixante-cinq ans. Ce fut une « révélation ». Marquand s'intéressait à tout, y compris à moi, et jusqu'à présent jamais un homme important de soixante-cinq ans ne s'était intéressé à un jeune homme de vingt ans qui ne l'était pas. Trois ou quatre fois par semaine, nous avions de longues discussions jusque tard dans la nuit, et il m'arrivait d'avoir le dessus. Je pouvais le *faire changer d'idée*. Plusieurs fois dans la semaine, je pouvais voir qu'il changeait vraiment d'idée à la suite d'un événement quelconque. À la fin de l'été, j'avais pris conscience que cet homme, d'un point de vue intellectuel, n'avait absolument pas vieilli. On peut même aller jusqu'à dire qu'il rajeunissait, qu'il était plus souple et que, sur le plan psychologique, il évoluait plus rapidement que la plupart des adolescents. Pour la première fois de ma vie, je compris que rien ne nous obligeait à vieillir mentalement. Sur le plan physique, il est sûr que nous sommes obligés de vieillir et de connaître la décrépitude. Mais sur le plan spirituel et mental, non.

Ce qui nous amène à un autre paradoxe intéressant : ce sont les plus mûrs d'entre nous sur le plan psychologique et spirituel qui sont les moins susceptibles de vieillir mentalement. À l'inverse, ce que nous appelons la sénilité n'est en grande partie (pas complètement : d'autres facteurs biologiques peuvent entrer en ligne de compte) que le stade final d'une forme fatale d'immaturité psychologique et spirituelle. Il existe une expression courante pour qualifier les personnes séniles : nous disons qu'elles sont entrées dans leur « seconde enfance ». Elles commencent à se plaindre tout le temps, à être exigeantes, manipulatrices et narcissiques. Mais en général, ce n'est pas parce qu'elles sont entrées dans leur seconde enfance ; c'est que souvent elles n'en ont pas fini avec la première. En somme, le vernis de l'âge adulte s'est usé jusqu'à n'être plus qu'une mince couche.

Voilà pourquoi les psychothérapeutes, qui œuvrent dans le domaine de la « fabrication des adultes », savent bien que plusieurs personnes qui ont l'apparence d'adultes ne sont en réalité, sur le plan émotionnel, que des enfants ayant revêtu des vêtements d'adultes. Ce n'est pas que leurs patients soient vraiment plus immatures que la moyenne des gens. Bien au contraire, ceux qui ont vraiment décidé d'assumer le rôle humble mais honorable de patient savent pertinemment qu'ils veulent se sortir de l'immaturité, qu'ils ne veulent plus se sentir coincés, même s'ils ignorent encore la manière de s'en sortir ; ils savent qu'ils devront se transformer.

J'ai eu pour mentor un jésuite irlandais qui me dit un jour avec son merveilleux accent : « Ah ! Scotty, qu'un adulte est une chose admirable ! » Bien sûr, il voulait dire qu'un adulte est une création que l'on doit admirer ; les adultes sont si peu nombreux. Cette relative raréfaction des adultes n'est cependant pas une cause désespérée. Il existe des signes qui permettent de conclure que le nombre de gens appelés à devenir adultes augmente constamment depuis deux générations. Quoi qu'il en soit, les véritables adultes sont ceux d'entre nous qui savent constamment comment accroître et garder vivante leur capacité de se transformer. Grâce à cet exercice, les progrès sur la route qui conduit à l'âge adulte se font de plus en plus rapidement, et plus rapidement encore à mesure qu'on avance. Plus nous grandissons, plus notre faculté de faire le *vide* s'accroît – de faire le vide du vieux en nous pour faire place à ce qui est nouveau, pour que, dès lors, nous puissions être transformés.

C'est donc en partie notre capacité de nous transformer qui fait de nous des gens tellement différents. Dépourvus comme nous le sommes d'une nature déterminée et libres d'essayer ce qui est nouveau, différent, contre-nature, il est inévitable que nous, humains, soyons faits pour choisir plusieurs voies. Par conséquent, la principale caractéristique de l'espèce humaine est sa variété. Grâce à des gènes, à des enfances, à des cultures et à des expériences différentes (et, peut-être surtout, grâce à des choix différents), nous avons été transformés ou nous nous sommes transformés nous-mêmes de plusieurs façons. Ce sont ces différences profondes de tempérament, de caractère et de culture qui rendent si difficile une vie commune harmonieuse. Cependant, en faisant appel à cette même faculté de nous transformer, il est possible de transcender notre propre enfance, notre culture et notre expérience passée et, de là, sans renier quoi que ce soit, de transcender nos différences. Par conséquent, ce qui fut à l'origine une des causes de la guerre peut en être le remède.

RÉALISME, IDÉALISME ET ROMANTISME

Ceux qui croient qu'un monde de paix est impossible – les fameux faucons – se voient en général comme des réalistes. C'est une façon de se désigner étrangement fausse et qui repose sur la présomption que la guerre est inscrite dans la nature humaine. Tout au long de l'histoire, diront les faucons, les êtres humains de toutes les cultures et de toutes les époques ont été en guerre. En réalité, l'affirmation n'est pas tout à fait juste. Ainsi, la Suède et la Suisse n'ont pas connu la guerre depuis plusieurs siècles. Pour les faucons, il est assez juste de dire que faire la guerre semble correspondre à la réalité de la nature humaine. Ils soutiennent également qu'il faut être « réaliste » et s'adapter à cette réalité en faisant nous-mêmes la guerre.

Les mêmes faucons diront souvent des colombes qu'elles sont des idéalistes, ou plus souvent des « idéalistes sans cervelle » ou des « idéalistes têtes en l'air ». Ils ont raison (ils n'ont pas raison, j'espère, en ce qui concerne les sans cervelle et les têtes en l'air) parce que nous sommes bel et bien des idéalistes, car, pour moi, l'idéaliste est celui qui croit à la faculté qu'a la nature humaine de se transformer. S'il est, en effet, dans la nature humaine de faire la guerre (même si je n'arrive pas à voir dans quelle mesure l'agressivité serait un comportement inné plutôt qu'un comportement acquis), il est toujours en notre pouvoir de modifier ce comportement.

De toutes les caractéristiques de la nature humaine, c'est précisément cette faculté de transformation qui est le trait le plus saillant – la principale caractéristique responsable de l'évolution et de la survie de l'espèce humaine. Ce sont les faucons, ou les soi-disant réalistes, qui s'éloignent le plus de ce qui constitue l'essence même de la nature humaine, et c'est la façon de penser des colombes idéalistes qui est la plus conforme à la réalité de la nature humaine. Ce sont les idéalistes qui sont réalistes.

Cependant, les colombes idéalistes s'écartent de la réalité sur un point. Quand j'organise des ateliers sur le désarmement et que les participants sont tout excités à cette idée, je vois leurs visages s'allonger quand je leur dis qu'il faut compter une bonne douzaine d'années (ce qui correspond à peu près au temps qui nous reste) pour achever le désarmement de la planète. Ils croyaient que la chose pouvait se faire en six mois ! Cela parce qu'ils sont romantiques. Est romantique, pour moi, celui qui croit non seulement à la faculté qu'a la nature humaine de se transformer, mais qui croit aussi que la chose est facile. Ce n'est pas facile. Mais c'est possible.

Il y a plusieurs raisons fondamentales à cette difficulté. La meilleure façon de définir ce que nous appelons la personnalité est de dire qu'il s'agit d'un ensemble cohérent de divers éléments psychiques liés entre eux. Le mot clé de cette définition est le mot *cohérent*. La personnalité des individus a une cohérence – et la « personnalité » des cultures ou des nations en a une aussi –, une cohérence qui a son côté sombre et son côté clair, ses aspects positifs et ses aspects négatifs.

Je me permettrai de donner un exemple emprunté à ma propre pratique. Quand de nouveaux patients se présentent à moi, ils me trouvent en général vêtu d'une chemise au col ouvert et d'un pull décontracté, parfois même en pantoufles. En général, s'ils reviennent me voir et me trouvent en cravate et en veston, prêt à partir pour une tournée de conférences, tout est bien. Mais s'ils reviennent une troisième fois et me trouvent dans une sorte de tunique flottante et croulant sous les bijoux, il y a fort à parier qu'ils ne reviendront pas me voir. Une des raisons qui font que mes clients reviennent me voir, c'est que je suis presque toujours le même bon vieux Scotty. Ma personnalité a une certaine cohérence qui leur permet d'être fixés sur mon compte. Cette cohérence leur donne un endroit « où poser leur chapeau ». Notre personnalité a besoin d'un certain degré de cohérence pour que nous puissions évoluer dans le monde en tant qu'êtres humains à qui on peut se fier.

Cependant, le côté sombre de la cohérence est ce que les psychothérapeutes appellent la résistance. La personnalité – que ce soit celle d'un individu ou d'une nation – résiste naturellement au changement. Pour diverses raisons, les patients décident de suivre une psychothérapie et veulent changer. Mais dès que commence la psychothérapie, ils se mettent à se comporter comme si le changement était la dernière chose qu'ils voulaient, et souvent ils lutteront becs et ongles contre celui-ci. La psychothérapie, source de libération, fait briller sur nous la lumière de la vérité. Un adage témoigne de cette résistance : la vérité vous rendra libres –mais d'abord elle vous rendra complètement fous.

Ce n'est donc pas facile de changer. Mais c'est possible. C'est là notre fierté d'êtres humains. La conscience de cette fierté est à l'origine de ce qu'on a appelé aux États-Unis, à juste titre, l'idéalisme américain. La Déclaration d'Indépendance, la Constitution, la Charte des Droits – tous les documents qui ont présidé à la fondation de ce pays – reposent sur ces idéaux assez fondamentaux. Leur principale fonction a été de conduire à la création d'une société qui donnerait aux gens la liberté de changement la plus grande – changement de religion, changement de lieu de résidence, changement de mode de vie, changement d'opinions grâce à la libre circulation de l'information, changement de dirigeants.

Il est remarquable de penser qu'il y a deux cents ans encore cette jeune nation ne dépensait pas un sou et ne mettait aucun effort pour contrôler le comportement des autres nations de la planète. Mais, l'un après l'autre, presque une dizaine à la fois, les peuples de ces nations suivirent cet exemple spirituel et politique et se mirent en quête de la même liberté. Il est difficile de ne pas en venir à la conclusion que, depuis lors, avec les années, le leadership spirituel et politique des États-Unis s'est réduit de façon inversement proportionnelle aux sommes d'argent et aux efforts investis dans la manipulation des autres pays. Les subtilités des vertus et des vices de l'« isolationnisme » mises à part, il semble que les Amŕeicains soient véritablement en danger de renoncer à leur idéalisme au nom de leur rôle de « superpuissance » internationale. Dans l'immédiat, il peut être utile qu'ils se rappellent l'adage bien connu du mouvement des Alcooliques Anonymes – sans contredit l'agent de transformation humaine le plus efficace dans la société – : « La seule personne que tu peux changer, c'est toi-même. » Il faut peut-être aussi qu'ils se rappellent que les tentatives de convertir les autres ont tendance à conduire au chaos et à éloigner de la communauté. Je me demande si les habitants des États-Unis sont désireux d'unir tous leurs efforts – d'en faire leur unique priorité – pour faire de leur société la meilleure qui soit, de telle sorte que, par la seule vertu de leur exemple, les autres nations du monde auront envie de les imiter. Mais cela suppose de renouer, non sans risques, avec l'idéalisme qui fit un jour de cette nation une si grande nation.

CHAPITRE IX

MODÈLES DE TRANSFORMATION

L'élément clé de la communauté est l'acceptation – en réalité, la célébration – de notre individualisme et de nos différences culturelles. Cette forme d'acceptation et de célébration – qui règle le problème du pluralisme et ne peut avoir lieu qu'une fois que nous avons appris à faire le vide en nous – est également la clé qui conduit à la paix dans le monde. Tandis que nous luttons pour former une communauté, cela ne veut pas dire pour autant que tous les individus, toutes les cultures et toutes les sociétés sont également bons et ont atteint un même degré de maturité. Ce serait tomber alors encore une fois dans le piège d'une variante complexe de la même « illusion sur la nature humaine » en vertu de laquelle « nous sommes tous différents, mais tous les mêmes ou égaux dans nos différences ». C'est tout simplement faux. La réalité est que, tout comme certains individus ont atteint une plus grande maturité que d'autres, certaines cultures ont atteint des degrés divers de perfection.

Voilà pourquoi, à certains moments, il faut surmonter notre répugnance et faire l'effort d'aller vers certaines personnes ou certaines cultures. Dans son ouvrage classique portant sur les aspects les plus profonds de la croissance spirituelle, Gale Webbe a écrit que, plus on progresse sur le plan spirituel, moins on aime les gens d'amitié et plus on les aime d'un amour profond [1]. Cela s'explique par le fait que, étant capables de reconnaître nos propres imperfections et de les corriger, nous sommes naturellement capables de reconnaître les imperfections d'autrui. Il se peut que ces imperfections ou ces preuves d'immaturité fassent en sorte que nous n'aimerons pas certaines personnes, mais si nous poursuivons notre croissance spirituelle, nous serons capable d'accepter – d'aimer – les autres, pour ce qu'ils sont, y compris avec leurs imperfections. Le Christ ne commande pas d'être amis les uns avec les autres, mais de nous *aimer* les uns les autres.

Il est aussi difficile d'éprouver ce genre d'amour que de former une communauté. C'est une difficulté inhérente à l'évolution de l'esprit. Méconnaître cette évolution peut être un facteur important de division entre les êtres humains. En connaître les principes peut, en revanche, contribuer grandement à nous réunir dans la paix.

LES ÉTAPES DE LA CROISSANCE SPIRITUELLE

La croissance physique et psychologique d'un être humain passe par différentes étapes qu'il est possible d'observer. Il en va de même de son développement spirituel. Sur ce sujet, les ouvrages de James Fowler, professeur à Emory University, sont de nos jours les plus connus [2]. En ce qui me concerne,

---

1. Gale D. Webbe, *The Night and Nothing*, San Francisco, Harper & Row, 1983, p. 60.

2. James W. Fowler, *Stages of Faith: The Psychology of Human Development and the Quest for Meaning*, San Francisco, Harper & Row, 1982. Voir également : James Fowler et Sam Keen, *Life Maps : Conversations on the Journey of Faith*, Jerome Berryman (éd.), Waco, Texas, Word Books, 1978. On lira également avec profit les ouvrages de contemporains comme Jean Piaget, Erik Erikson et Lawrence Kohlberg, qui, à peu

j'ai pris conscience de ces étapes à partir de ma propre expérience.

Ma première expérience remonte à l'époque de mes quatorze ans, alors que je commençais à fréquenter quelques églises chrétiennes de mon quartier. J'y allais d'abord pour repérer les filles, mais aussi pour savoir de quoi retournait toute cette histoire de christianisme. Mon choix s'arrêta sur une église en particulier, qui avait le mérite d'être située à quelques pâtés de maison de chez moi et de recevoir le prédicateur le plus populaire de l'heure. Cela se passait bien avant l'époque de « l'église électronique », mais le sermon de cet homme était retransmis sur presque toutes les radios du pays. Mes quatorze ans ne m'empêchèrent pas de voir en lui un imposteur. En revanche, un peu plus loin dans la même rue mais dans la direction opposée, il y avait une autre église dont le ministre presbytérien était réputé – sans être aussi célèbre que le premier, il faisait tout de même partie du palmarès des trente meilleurs prédicateurs de l'époque – et portait le nom de George Buttrick. Mes quatorze ans ne m'empêchèrent pas de voir en George Buttrick un saint homme, un véritable homme de Dieu. Qui étais-je pour penser toutes ces choses avec ma jeune cervelle? Devant moi se trouvait le prédicateur chrétien le plus célèbre de l'époque, et pour autant que je pouvais en juger, à l'âge de quatorze ans j'étais bien en avance sur lui. Mais au sein de la même religion chrétienne, il y avait George Buttrick qui, selon toute évidence, me devançait de plusieurs années-lumière. Ça n'allait tout simplement pas. J'en conclus donc que cette histoire de religion chrétienne était une absurdité et lui tournai le dos pendant la génération qui allait suivre.

Je fis peu à peu une autre expérience importante du même ordre. Un étrange modèle de comportement commença à se

près dans cet ordre, viennent étayer sur le plan intellectuel les travaux de Fowler. Fowler suggère que la croissance spirituelle connaît six étapes. Pour ma part, je m'en tiens à quatre. Mais nos deux systèmes se complètent, même s'ils sont différents, et ne se contredisent en rien.

dégager d'une décennie de pratique en psychothérapie. Les croyants qui venaient me voir en raison de leurs difficultés et de leurs souffrances et qui allaient jusqu'au bout du processus thérapeutique me quittaient souvent alors qu'ils étaient devenus athées, agnostiques ou, à tout le moins, sceptiques. En revanche, les athées, les agnostiques et les sceptiques qui venaient à moi en raison de leurs difficultés et de leurs souffrances complétaient souvent leur thérapie après être devenus profondément croyants. Même thérapie, même thérapeute, même succès du point de vue thérapeutique, mais des résultats complètement différents du point de vue religieux. Encore une fois, ça n'allait pas – jusqu'au moment où j'ai compris qu'*aucun de nous n'avait atteint le même développement spirituel*.

Cette prise de conscience en entraîna une autre : les différentes étapes de la vie spirituelle d'un être humain suivent un schéma donné. Au cours de mon propre itinéraire spirituel, j'ai passé moi-même à travers ces différentes étapes. Mais je me bornerai ici à aborder ces étapes d'un point de vue général, puisque chaque personne est unique et n'entre pas toujours dans une catégorie psychologique ou spirituelle.

Cette mise en garde étant faite, voici la liste des étapes du développement spirituel des individus telles que je les conçois avec le nom que j'ai choisi de leur donner :

> étape I : chaotique et anti-sociale
> étape II : conforme et institutionnelle
> étape III : sceptique et individuelle
> étape IV : mystique et communautaire

La plupart des jeunes enfants, et peut-être un adulte sur cinq, entrent dans la première catégorie. Il s'agit essentiellement d'une étape où l'individu n'a pas atteint son plein épanouissement spirituel. Je la qualifie d'anti-sociale, parce qu'en général les adultes qui en sont à cette étape (et au premier chef ceux que j'ai osé appelé les « gens du mensonge ») semblent incapables de s'aimer entre eux. Ils auront beau dire qu'ils s'aiment les uns les autres (et croire que c'est ainsi qu'ils agissent), ils ne cherchent essentiellement qu'à manipuler leurs congénères humains dans un but égoïste. Ils ne lèveront le petit doigt pour personne. Je dis de cette étape qu'elle est chaotique, parce que ces gens sont fondamentalement dépourvus de principes. Ils ne sont gouvernés par rien d'autre que leur propre volonté. Mais puisque leur volonté va çà et là selon l'humeur du moment, leur personne manque d'intégrité. Par conséquent, ils finissent souvent en prison ou aux prises avec quelque autre forme de difficulté sociale. Cependant, certains d'entre eux peuvent faire preuve d'une grande discipline qu'ils mettent au service de leur intérêt personnel et de leur propre ambition ; ils pourront ainsi s'élever très haut dans les sphères du pouvoir et occuper des postes prestigieux ; ils pourront même devenir président ou être des prédicateurs influents.

De temps à autre, il arrive que les gens qui en sont à cette étape prennent conscience du chaos qui règne dans leur propre vie et, quand cela se produit, je crois qu'il s'agit de l'expérience la plus douloureuse qu'il leur soit donné de vivre en tant qu'être humain. La plupart du temps, ils se contentent de fuir cette réalité, tout en restant les mêmes. Je suppose que quelques autres, incapables d'envisager de changer, choisiront de mettre fin à leurs jours. Il arrive aussi, à l'occasion, que d'autres passent à l'étape II.

En général, de telles conversions sont aussi soudaines que tragiques et, je crois, le fruit d'une intervention divine. Tout se passe comme si Dieu s'était abaissé jusqu'à cette âme, l'avait empoignée et tirée à lui pour lui faire franchir un énorme bond quantique. Il semble aussi qu'il s'agisse d'un processus inconscient. On dirait qu'il ne fait qu'avoir lieu. Si on pouvait le rendre conscient, on pourrait imaginer que la personne se dit : « N'importe quoi, n'importe quoi plutôt que le chaos. Je suis prêt à faire n'importe quoi pour me sortir du chaos ; je suis même prêt à me soumettre à la volonté d'une institution. »

Pour certaines personnes, l'institution est une forme de

prison. La plupart des gens qui ont travaillé dans les prisons ont tous connu le type du « prisonnier modèle » – coopératif, obéissant, bien discipliné, apprécié de ses camarades et des autorités. Son comportement de prisonnier modèle lui vaudra sans doute bientôt d'être libéré sur parole ; trois jours après sa libération, il aura dévalisé sept banques et commis dix-sept autres crimes ; le voilà donc de retour en prison, où, gouverné par les bornes de l'institution, il redevient un « prisonnier modèle ».

Pour d'autres personnes, l'institution peut être l'armée, qui règle le chaos de leur vie grâce aux douces et paternelles – voire maternelles – structures de la société militaire. Pour d'autres encore, l'institution peut prendre le visage de l'entreprise ou de quelque autre organisme rigoureusement structuré. Mais dans la gouverne de leur vie, la plupart des gens s'en remettent à cette institution qu'est l'Église.

Le comportement des hommes et des femmes qui en sont à l'étape II de leur croissance spirituelle présente plusieurs caractéristiques, cette étape étant celle de la majorité des croyants et des gens qui vont à l'église (de même que celle des enfants équilibrés qui connaissent une période « latente » sur le plan émotif). L'une de ces caractéristiques est un attachement aux formes de la religion (plutôt qu'à son essence), ce que j'appelle l'étape « conforme » et « institutionnelle ». Ces personnes vouent parfois un attachement si grand aux canons et à la liturgie que le moindre changement dans les paroles, dans la musique ou dans le déroulement traditionnel des cérémonies les bouleverse. C'est ce qui explique que l'adoption d'un Nouveau Livre commun des prières par l'Église épiscopale ou les réformes de Vatican II au sein de l'Église catholique ont causé tout un émoi. Les mêmes émois sont ressentis au sein d'autres confessions religieuses pour des raisons similaires. Aux yeux des gens, ce sont précisément ces formes qui les ont tirés du chaos ; il ne faut donc pas s'étonner qu'ils se sentent menacés, à cette étape de leur développement spirituel, quand certains semblent prendre toutes les libertés avec les règles.

Le comportement religieux des gens qui en sont à l'étape II se caractérise également par une conception de l'Être Suprême qui fait de Dieu un Être presque uniquement extérieur et transcendant. Ces gens semblent ignorer complètement l'existence d'un Dieu immanent, présent partout – le Dieu de l'Esprit-Saint, que les Quakers appellent la Lumière intérieure. Même si ces gens croient à Son amour, ils pensent aussi, en général, qu'Il a le pouvoir de punir – et l'utilisera. Encore une fois, ce n'est pas un hasard si ces gens ont une vision de Dieu qui fait de lui le Grand Gendarme gentil du Ciel : c'est la sorte de Dieu dont ils ont exactement besoin – tout comme ils ont besoin de régler leur vie sur une religion de type légaliste.

Imaginons maintenant que deux adultes, profondément enracinés dans l'étape II de leur développement spirituel, décident de se marier et d'avoir des enfants. Il y a fort à parier qu'ils élèveront leurs enfants dans un foyer stable, parce que la stabilité est la principale qualité des gens qui en sont à cette étape. Ils traiteront leurs enfants avec dignité et les considèreront comme des êtres importants, parce que l'Église dit que les enfants sont importants et qu'il faut les traiter avec dignité. Leur amour sera peut-être un peu trop légaliste et manquera peut-être parfois d'imagination, ils n'en seront pas moins des parents aimants, parce que l'Église leur recommande d'être tels et que ses enseignements précisent un peu comment agir. Les enfants élevés dans un foyer stable et aimant de la sorte, ceux qu'on aura traités avec dignité et comme des êtres importants (et qu'on aura également conduits à l'école du dimanche) auront donc tété les principes du christianisme avec le lait de leur mère – ou les principes du bouddhisme s'ils ont grandi dans un foyer bouddhiste, ou ceux de l'islam s'ils ont grandi dans un foyer musulman, et ainsi de suite. Les principes de la religion de leurs parents sont littéralement gravés dans leur cœur ou sont « intériorisés », comme disent les psychothérapeutes.

Entre le moment où ces principes sont enseignés et où ils sont intériorisés, les enfants sont souvent devenus de grands adolescents autonomes. En tant qu'êtres humains, ils ne dépendent plus d'aucune institution pour gouverner leur vie. Par conséquent, ils en viennent à se dire : « Qui a besoin de ce vieux machin qu'est l'Église avec ses superstitions stupides ? » Parvenus à ce moment de leur évolution spirituelle, ils passent à l'étape III – l'étape sceptique et individuelle. Pour le plus grand malheur de leurs parents, qui ne devraient pas s'en inquiéter, ils deviennent souvent athées ou agnostiques.

Même s'ils sont souvent des « non-croyants », les gens qui en sont à l'étape III ont en général atteint un plus grand développement spirituel que plusieurs personnes confinées à l'étape II. Leur individualisme ne fait pas d'eux des êtres anti-sociaux. Bien au contraire, ils s'engagent souvent à fond dans des causes sociales pour lesquelles ils se dévouent corps et âme. Sur certains sujets, ils ont adopté une position ferme qui ne les dispose pas plus à croire tout ce qui s'écrit dans les journaux qu'à croire que le salut d'une personne consiste à reconnaître Jésus comme son Seigneur et Sauveur (plutôt que Bouddha, Mao ou Socrate). Ces personnes font de bons parents, aimants et tout dévoués à leurs enfants. Leur scepticisme fait en sorte qu'ils ont souvent un esprit scientifique, au nom duquel, encore une fois, ils sont entièrement soumis à certains principes. La méthode scientifique est un ensemble de conventions et de procédures conçues pour lutter contre notre extraordinaire faculté d'illusion dans le but de nous soumettre à quelque chose qui dépasse notre propre confort immédiat sur le plan intellectuel ou émotionnel – en clair, de nous soumettre à la vérité. Les hommes et les femmes qui sont avancés dans l'étape III sont activement à la recherche de la vérité.

« Cherchez et vous trouverez », dit le proverbe. Les gens qui en sont à l'étape III et qui cherchent la vérité avec assez de constance et de profondeur finissent par trouver ce qu'ils cherchent – suffisamment de pièces pour commencer à les assembler, mais jamais assez pour terminer le puzzle. Ils sont cependant capables d'avoir un aperçu de « tout le tableau » et de voir qu'il est en effet très beau – et qu'il ressemble étrangement à ces « mythes primitifs et à ces superstitions » auxquels croyaient leurs parents et leurs grand-parents qui en étaient à l'étape II. C'est à ce moment qu'ils passent à l'étape IV, qui est l'étape mystique et communautaire du développement spirituel.

« Mysticisme » est un mot plein de pièges et qu'il n'est pas aisé de définir. Il revêt plusieurs formes. Mais les mystiques de toutes les époques, quelle que soit la confession religieuse à laquelle ils appartiennent, ont tous parlé d'unité, d'un réseau souterrain de liens qui se tissent entre les choses – entre les hommes et les femmes, entre nous et les autres créatures et aussi bien avec les êtres inanimés. Ils ont tous parlé d'un portrait d'ensemble calqué sur l'ordre invisible qui régit le cosmos. Rappelez-vous l'expérience de la communauté que j'ai vécue quand j'ai compris que mon voisin, que jusque-là je détestais, était un autre moi-même. Je sentais les mégots éteints de ses cigares, j'entendais ses ronflements gutturaux, toute sa personne me révulsait jusqu'à cet étrange moment mystique où je me suis vu assis sur sa chaise, et où j'ai compris qu'il était la partie de moi qui dormait tandis que j'étais la partie de lui qui était éveillée. Tout à coup, nous étions liés. Mieux que liés, nous étions partie intégrante d'une même unité.

Il va de soi que le mysticisme recèle également une certaine part de *mystère*. Les mystiques admettent qu'une grande partie de l'univers est encore inconnue, mais, loin de s'en effrayer, ils cherchent à y pénétrer encore plus profondément pour pouvoir comprendre davantage de choses – même s'ils savent pertinemment que leur plus grande compréhension des choses accroîtra le mystère. Les mystiques aiment le mystère, ce en quoi ils s'opposent tout à fait aux gens de l'étape II, qui ont besoin de structures dogmatiques simples et nettes et ont peu de goût pour l'inconnu et pour ce qu'on ne peut connaître. Les gens de l'étape IV entrent en religion pour s'approcher du mystère, tandis que les gens de l'étape II entrent en religion pour y échapper dans une large mesure. Il en résulte donc une confusion entre les gens qui entrent dans la même religion – et font parfois partie de la même confession religieuse – pour des motifs qui sont non seulement différents, mais aussi tout à fait opposés. C'est à n'y rien comprendre, jusqu'au moment où nous pouvons expliquer le pluralisme religieux en termes d'étapes dans le développement des individus.

Enfin, les mystiques de toutes les époques n'ont pas seulement évoqué le vide, ils ont aussi vanté ses vertus. J'ai qualifié l'étape IV de communautaire et de mystique, non seulement parce que tous les mystiques, ou même seulement la majorité d'entre eux, vivent en communauté, mais aussi parce que, de tous les êtres humains, ils sont les plus conscients du fait que la terre entière *est* une communauté et que c'est précisément ce *manque* de conscience qui nous divise en camps opposés. Ayant appris à faire abstraction de leurs notions préconçues et de leurs préjugés et à percevoir le tissu invisible et souterrain qui lie chaque chose, ils ne pensent pas en termes de factions et de camps, ni même en termes de frontières nationales : ils *savent* que ce monde n'est qu'un.

Il va de soi qu'il existe toute une gamme de degrés divers entre les quatre étapes de croissance spirituelle de même qu'à l'intérieur de chacune d'entre elles. Il existe même un nom pour qualifier celui qui se trouve à mi-chemin entre l'étape I et II : il s'agit du récidiviste. Le récidiviste est un homme (nous disons un homme pour plus de simplicité ; les femmes peuvent également se situer entre les deux, mais elles ont tendance en général à adopter une manière plus subtile de le faire) qui boit, qui s'adonne au jeu et qui mène dans l'ensemble une vie dissolue jusqu'au moment où vient à lui quelque personne bien intentionnée de l'étape II, qui lui parle sérieusement et lui sauve la vie. Pendant deux années, il mène une vie sobre, dans la crainte de Dieu, jusqu'au jour où on le retrouve au fond d'un bar, d'un bordel ou sur les gradins d'un hippodrome. Il est sauvé une seconde fois, mais récidive et continue ainsi de rebondir entre les étapes I et II.

Pareillement, certaines personnes oscillent entre l'étape II et l'étape III. Ce pourra être cette sorte d'hommes qui se dit par exemple : « Ce n'est pas que je ne croie plus en Dieu. Les arbres, les fleurs et les nuages sont si magnifiques qu'aucune intelligence humaine ne pourrait décemment les avoir créés ; quelque intelligence divine a sans doute réglé tout cela il y a des milliards d'années. Mais, le dimanche matin, je trouve autant de beauté sur un terrain de golf qu'à l'église, et je peux y prier Dieu de la même manière. » C'est ce que fait cet homme pendant quelques années, jusqu'au moment où ses affaires subissent quelques revers et où, pris de panique, il se dit : « Oh! Mon Dieu ! voilà des années que je n'ai pas prié ! » Il va donc de nouveau à l'église pendant une ou deux années, ou davantage s'il le faut, jusqu'à ce que ses affaires aillent mieux (ce qui était à prévoir, étant donné ses prières) et il retourne donc peu à peu vers le terrain de golf de l'étape III.

Pareillement, il y a des gens qui rebondissent entre les étapes III et IV. J'avais un voisin qui était ce genre d'individus. Durant le jour, Michael faisait appel avec beaucoup de justesse et de précision à son esprit brillant et analytique, il était alors l'être le plus ennuyeux qu'il m'ait jamais été donné d'entendre. Mais, certains soirs, dès qu'il avait bu un peu de whisky ou fumé un ou deux joints, il lui arrivait de parler de la vie, de la mort, du sens de l'existence et de la gloire. Il devenait alors « inspiré » captivant. Je demeurais assis à ses pieds pour l'écouter [3]. Mais le jour suivant, il pouvait dire, l'air de s'excuser : « Mon Dieu, je ne sais pas ce qui m'a pris hier soir ; j'ai dit des choses complètement stupides. J'ai besoin d'arrêter de boire ou de fumer de la mari. » Mon intention n'est pas de bénir l'usage de stupéfiants à ce genre de fins, mais simplement de dire que, dans ce cas, la drogue a permis à Michael de se laisser aller dans la direction qui était la sienne et que, dans la lumière crue du matin, terrorisé, il s'est replié sur la « raison » sécurisante de l'étape III.

3. Pour une description du rôle joué par les drogues psycho-actives dans le passage de l'étape III à l'étape IV, voir les premiers ouvrages que Carlos Castenada a consacré à « Don Juan ». Le premier s'intitule *The Teaching of Don Juan : A Yaqui Way of Knowledge*, 1973.

On peut penser aussi que les gens qui en sont à différentes étapes de leur développement religieux se sentent menacés. En règle générale, on peut dire que nous nous sentons menacés par les gens qui sont en avant de nous. Sous l'apparence « décontractée » de ceux qui « dominent la situation », les gens de l'étape I se sentent menacés par à peu près tout le monde et n'importe quoi. Les gens de l'étape II ne se sentent pas menacés par les « pécheurs » de l'étape I. On leur a dit d'aimer les pécheurs. Ils se sentent très menacés par les individualistes et les sceptiques de l'étape III, et plus encore par les mystiques de l'étape IV, qui ont l'air de croire aux mêmes choses qu'eux mais avec une liberté qui leur semble tout à fait effrayante. Pour leur part, les gens de l'étape III ne se sentent menacés ni par les gens de l'étape I ni par ceux de l'étape II (qu'ils jugent simplement superstitieux) mais ont peur des gens de l'étape IV, qui ont l'air d'avoir le même esprit scientifique qu'eux et savent écrire de belles notes en bas de page et qui, pourtant, ont l'air de croire en quelque sorte à cette stupide histoire de Dieu.

Il est de toute première importance que les éducateurs, les thérapeutes et les ministres (et, que cela nous plaise ou non, nous sommes tous des éducateurs, des thérapeutes et des ministres ; notre choix se borne à décider si nous serons de bons éducateurs, de bons thérapeutes et de bons ministres, ou de mauvais) soient conscients de ce sentiment de menace qui pèse sur les gens qui se situent à des étapes différentes de leur croissance spirituelle. L'art d'être un bon professeur, un bon thérapeute ou un bon ministre consiste la plupart du temps à marcher un pas en avant des patients, des clients ou des élèves. Si vous ne marchez pas en avant d'eux, il est peu probable que vous soyez en mesure de les conduire quelque part. Si vous marchez deux pas en avant d'eux, il est probable que vous les perdrez de vue. En général, nous admirons les gens qui se trouvent un pas en avant de nous. Quand ils sont deux pas plus loin, nous pensons le plus souvent qu'il s'agit d'êtres maléfiques. Voilà pourquoi Socrate et Jésus furent mis à mort ; on croyait qu'ils étaient maléfiques.

Pareillement, il est très difficile de retourner deux pas ou plus en arrière. Pour cette raison, aussi avancée qu'elle soit dans son évolution spirituelle, une personne qui en est à l'étape IV ne saurait être le meilleur thérapeute dans plusieurs des cas. De façon générale, les gens et les programmes de l'étape II sont la meilleure thérapie possible pour les gens de l'étape I. Les psychiatres et les psychologues de ce pays – qui forment essentiellement le groupe de l'étape III – ont en général mis leur culture à profit pour guider ceux qui avaient décidé de se sortir de la mentalité dépendante de l'étape II. Les thérapeutes de l'étape IV excellent à amener les esprits forts à reconnaître l'interdépendance mystique qui règne en ce monde. La plupart d'entre nous entraînons quelqu'un par la main tout en étant nous-mêmes entraînés par quelqu'un d'autre.

Pour former une communauté, il est important de bien comprendre ces étapes du développement spirituel. Un groupe formé uniquement de gens de l'étape IV, ou uniquement de l'étape III, ou uniquement de l'étape II est moins une communauté qu'une clique. La véritable communauté inclura vraisemblablement des gens de toutes les étapes. Une fois que ceux-ci auront compris comment les choses se passent, il leur sera possible de transcender le sentiment de menace qui les divise pour former une véritable communauté.

Il y a quelques années, j'ai fait l'expérience la plus déterminante de ma vie à cet égard, alors que j'animais un groupe de formation de la communauté relativement modeste. À ce groupe de deux jours formé de vingt-cinq personnes se joignirent dix chrétiens fondamentalistes de l'étape II, cinq athées de l'étape III avec leur propre gourou – un brillant avocat à l'esprit très rationnel – et dix chrétiens mystiques de l'étape IV. Il y eut des moments où j'ai désespéré de jamais pouvoir faire de ce groupe une communauté. Les fondamentalistes étaient furieux de me voir, moi, soi-disant le chef de ce groupe, en train de boire et de fumer et s'appliquèrent à me corriger vigoureusement de mes mauvaises habitudes et de mon hypocrisie. Les mystiques s'en prenaient avec une même vigueur au sexisme des fondamentalistes, à leur intolérance et à leurs autres principes stricts. Il va de soi que les deux catégories étaient décidées à convertir les athées. De leur côté, les athées s'en prenaient à notre arrogance de chrétiens qui croient posséder une parcelle de vérité. Après douze heures environ d'une lutte des plus intenses pour en venir à faire abstraction de notre intolérance, nous fûmes néanmoins capables de laisser chacun être ce qu'il était, selon l'étape de son développement. Alors nous avons formé une communauté. Nous aurions été incapables d'en arriver là sans une réelle connaissance des étapes du développement spirituel et sans avoir admis que nous n'étions pas tous « au même endroit », et que c'était très bien ainsi.

Mon expérience me donne envie de penser que cette évolution dans le développement spirituel est vraie dans toutes les cultures et dans toutes les religions. En réalité, une des caractéristiques de toutes les grandes religions – le christianisme, le bouddhisme, le taoïsme, l'islam, le judaïsme et l'hindouïsme – semble être leur faculté de pouvoir s'adresser à la fois aux gens de l'étape II et à ceux de l'étape IV. Je pense, à vrai dire, que c'est la raison d'être de ces grandes religions. Tout se passe comme si les mots utilisés par les gens à chacune de ces étapes revêtaient deux significations différentes. Prenons un exemple emprunté au christianisme : « Jésus est mon Sauveur ». À l'étape II, cette phrase signifie souvent que Jésus est une sorte de déesse-mère mythique qui viendra à mon secours chaque fois que j'aurai besoin de lui, à condition de me souvenir d'invoquer son nom. Et c'est vrai. C'est exactement ce que fera le croyant de l'étape II. À l'étape IV, la phrase « Jésus est mon Sauveur » devient « Par l'exemple de sa vie et de sa mort, Jésus m'a montré la voie que je dois suivre pour mon propre salut ». Ce qui est également vrai. Deux façons différentes de traduire, deux sens différents, mais tous les deux sont également vrais.

Si j'en juge encore une fois par mon expérience, les

quatre étapes du développement spirituel représentent également le paradigme d'une saine croissance psychologique. À notre naissance, nous sommes naturellement des créatures de l'étape I. Si nous sommes nés dans un foyer stable et sécurisant, nous deviendrons des enfants obéissants et soumis aux règles. Si notre foyer supporte et encourage notre singularité et notre indépendance, à l'adolescence, nous serons des apprentis sceptiques qui remettront périodiquement en question les lois, les règles et les mythes. Si les forces naturelles de la croissance qui nous ont conduits à tout remettre en question ne sont pas trop brimées par les menaces de damnation de la part de l'Église ou des parents, après un certain temps, parvenus à l'âge adulte, nous commençons peu à peu à comprendre le sens et l'esprit qui se cachent derrière la lettre du mythe et de la loi. Cependant, il peut exister, au sein de l'environnement familial, des forces destructrices qui feront en sorte que les gens demeurent « fixés » à une étape ou à une autre. Inversement, il peut se produire de ces cas rares et inexpliqués de croissance accélérée qui entraînent les gens bien plus loin que ce qu'ils auraient pu imaginer. Ainsi, le livre magnifique et sans doute véridique intitulé *Mister God, This Is Anna* raconte l'histoire d'une petite fille de sept ans déjà parvenue à l'étape IV, en dépit d'une première enfance plutôt chaotique [4].

Il importe également de se rappeler que, quel que soit le degré de développement spirituel que nous puissions atteindre, nous portons en nous les traces des étapes antérieures que nous avons traversées, un peu à la manière de notre appendice, vestige lui aussi. Je suppose que je serais incapable d'écrire ceci si je n'étais pas fondamentalement une personne de l'étape IV. Mais je peux vous certifier qu'il existe un Scott Peck de l'étape I qui, au premier signe de stress véritable, est plutôt tenté de mentir, de tricher et de voler. Je pense l'avoir enfermé dans une cellule assez confortable qui l'empêchera de courir le

---

4. Fynn, *Mister God, This Is Anna*, New York, Ballantine Books, 1976.

monde. (Je suis capable d'agir ainsi pour la seule raison que j'ai admis son existence, ce que les psychologues disciples de Jung appellent « l'intégration de l'Obscur ». En réalité, mon intention n'est pas de le faire disparaître, pour la simple raison que j'ai parfois besoin de descendre dans le donjon pour, bien à l'abri derrière les barreaux, lui demander son avis quand j'ai besoin de « faire le malin » d'une manière ou d'une autre.) Il existe pareillement un Scott Peck de l'étape II, qui, dans les moments de stress et de lassitude, aimerait bien avoir à ses côtés un Grand Frère ou un Papa tout-puissant qui lui fournirait des réponses toutes prêtes et précises aux dificultés de la vie et aux choix ambigus qu'elle demande de faire, de même que quelques formules qui lui diraient quelle attitude adopter, le soulageant, du coup, de la nécessité de trouver par lui-même. Et il existe un Scott Peck de l'étape III qui, énervé à l'idée de prononcer une conférence devant quelque assemblée d'hommes de science prestigieux, a envie de retourner en arrière et de penser : « Ouais, je ferais mieux de leur parler d'études statistiques soigneusement contrôlées et ne pas dire un mot de toute cette affaire de Dieu. »

La progression de l'individu à travers ces différentes étapes spirituelles ou religieuses est un processus auquel nous donnons à juste titre le nom de conversion. J'ai déjà signalé que les conversions de l'étape I à l'étape II sont habituellement soudaines et dramatiques. Les conversions de l'étape III à l'étape IV se font en général progressivement. J'ai parlé pour la première fois de ces différentes étapes lors d'un symposium organisé de concert avec le psychologue Paul Vitz, auteur de *Psychology as Religion* [5]. Au cours de la période de questions et de réponses qui suivit son exposé, on demanda à Paul quand il s'était converti à la religion chrétienne. Il se gratta le crâne pendant un moment et répondit à la stupéfaction de tous : « Voyons voir ; cela se passait quelque part entre 1972 et

5. Paul C. Vitz, *Psychology as Religion : the Cult of Self-Worship*, Grand Rapids, Mich., Eedermans, 1977.

1976. » Il n'y a qu'à comparer cette réponse à l'image plus familière de l'homme qui vous dira : « Cela s'est passé le 17 août, à vingt heures trente du soir ! »

C'est en général au cours du passage de l'étape III à l'étape IV que les gens deviennent conscients de l'existence d'une chose comme la croissance spirituelle. Cependant, cette prise de conscience comporte un piège : certains pensent qu'ils peuvent *diriger* le processus. Ces gens auront envie de se dire : « Je n'ai qu'à faire un peu de danse soufi par-ci, à visiter un monastère trappiste par-là, à ajouter un peu de méditation zen et un brin de fondamentalisme, pour atteindre le nirvana. » Mais ce n'est pas ainsi que les choses se passent, comme nous l'enseigne le mythe d'Icare. Icare voulait atteindre le soleil (qui symbolise Dieu). Il se construisit donc une paire d'ailes à l'aide de plumes et d'un peu de cire. Mais dès qu'il s'approcha du soleil, la chaleur fit fondre ses ailes et le précipita à sa perte. Je crois qu'une des significations de ce mythe est que nous ne pouvons pas atteindre Dieu de notre propre chef. Nous devons permettre à Dieu de guider nos pas.

Quoi qu'il en soit, soudaines ou progressives, et si différentes qu'elles soient à d'autres égards, les conversions de l'étape I à II et de l'étape III à IV ont une chose en commun : les personnes converties ont le sentiment que leur conversion n'est pas le fruit de leurs propres efforts, mais un don de Dieu. En ce qui concerne ma propre conversion progressive de l'étape III à l'étape IV, je puis dire certainement que je n'étais pas assez intelligent pour trouver la voie tout seul.

Le passage de l'étape II à l'étape III, qui est un élément de la croissance spirituelle, est également une conversion. Nous pouvons nous convertir à l'athéisme, à l'agnosticisme, voire au scepticisme. J'ai toutes les raisons de croire que Dieu joue également un rôle dans tous ces processus de conversion. Un des plus grands défis auquel l'Église doit faire face est en effet de faciliter le passage de ses membres de l'étape II à l'étape IV, sans les obliger à vivre toute leur vie adulte à l'étape III. L'Histoire enseigne que c'est un défi que l'Église a cherché à éviter plutôt qu'à affronter. Pour autant que je puisse en juger, l'un des deux plus grands péchés commis par notre Église chrétienne et pécheresse fut, tout au cours de son histoire, de décourager l'expression du doute. Ce faisant, la communauté de l'Église s'est constamment aliéné des gens en pleine croissance spirituelle qu'elle a souvent condamnés à une résistance perpétuelle aux intuitions d'ordre spirituel. À l'inverse, l'Église ne pourra jamais faire face à ce défi si elle n'en vient pas à considérer carrément le doute comme une vertu chrétienne – pour tout dire, une responsabilité chrétienne. Notre croissance ne peut et ne devrait pas faire l'économie de cette remise en question.

En réalité, ce n'est qu'à travers le processus de remise en question que nous pouvons commencer à prendre conscience, ne serait-ce qu'un peu, du fait que l'existence n'a d'autre but que le développement de l'âme. Comme je l'ai dit, croire que nous pouvons entièrement diriger ce développement est le piège qui guette cette prise de conscience. Mais le piège est largement compensé par la beauté, cette prise de conscience qui veut que nous soyons toujours en train d'avancer dans notre voyage spirituel et que notre conversion soit sans limites. Dès que nous sommes conscients d'être engagés dans un voyage – que nous sommes des pèlerins –, nous pouvons alors, pour la première fois, commencer à collaborer activement avec Dieu dans le processus. Voilà pourquoi Paul Vitz, lors du symposium dont j'ai parlé, a fait remarquer à l'auditoire avec beaucoup de justesse : « Je pense que les étapes mises au point par Scott ont toutes les chances d'être vraies, et j'ai envie de penser que je devrais y avoir recours dans ma pratique, mais je vous demande de ne pas oublier que ce que Scotty appelle l'étape IV n'est qu'un début. »

TRANSCENDER LES CULTURES

Le processus de développement spirituel que je viens de décrire ressemble tout à fait au processus de développement de la communauté. Les gens de l'étape I font souvent semblant; ils font semblant d'aimer et d'être pieux et se dissimulent à eux-mêmes leur manque de principes. L'étape première et primitive de la formation d'un groupe – la pseudo-communauté – se caractérise par la même volonté de faire semblant. Le groupe s'efforce de ressembler à une communauté sans rien faire du travail qu'elle exige.

Les gens de l'étape II ont commencé le travail de soumission aux principes – à la loi. Mais ils n'ont pas encore compris l'esprit de la loi. Par conséquent, ils sont légalistes, dogmatiques et ont l'esprit de clocher. Ils se sentent menacés par quiconque pense différemment d'eux et considèrent donc de leur devoir de convertir ou de sauver les 90 ou 99 p. cent de l'humanité qui ne sont pas « d'authentiques croyants ». Le même mode de fonctionnement caractérise la seconde étape du processus de formation de la communauté, au cours de laquelle les membres du groupe cherchent avidement à se définir les uns les autres plutôt qu'à s'accepter tels qu'ils sont. Le chaos qui en résulte n'est pas différent de celui qui existe parmi les différentes confessions religieuses et les sectes, ou entre les différentes religions du monde ou au sein de chacune d'entre elles.

L'étape III, qui est une étape de remise en question, ressemble à l'étape cruciale du vide dans la formation d'une communauté. Pour en venir à former une communauté, les membres d'un groupe doivent se remettre en question. Ils pourront se dire : « Ma théologie bien à moi est-elle si sûre – si vraie et si complète – qu'elle puisse justifier mes conclusions voulant que tous ces autres gens ne soient pas sauvés? » Ou encore : « Je me demande dans quelle mesure ma façon de voir les homosexuels n'appartient pas à des préjugés qui ne correspondent à rien dans la réalité. » Ou encore : « Est-ce que par hasard je ne serais pas trop conforme à la ligne du parti en pensant que tous les gens religieux sont des fanatiques? » En réalité, une telle remise en question est un pré-requis nécessaire au processus d'abstraction. Nous ne pouvons faire abstraction de nos idées préconçues, de nos préjugés, de notre besoin de contrôler et de convertir, etc., si nous ne faisons d'abord preuve d'un certain scepticisme à leur égard et ne doutons de leur nécessité. À l'inverse, les individus demeurent coincés à l'étape III précisément parce qu'ils ne doutent pas assez profondément. Pour accéder à l'étape IV, ils doivent commencer à s'abstraire de quelques-uns des dogmes du scepticisme, par exemple, qu'on ne peut connaître que ce que l'on peut mesurer scientifiquement et que seul ce qui peut être étudié scientifiquement vaut la peine d'être étudié. Il leur faut donc commencer à douter de leurs propres doutes.

Cela veut-il dire pour autant que la véritable communauté n'est possible qu'entre gens appartenant à l'étape IV? Paradoxalement, la réponse est oui et non. Non, parce que des individus sont difficilement capables d'une croissance aussi rapide, tout en étant prêts à rompre complètement avec ces modes de vie et de pensée dès qu'ils quittent le groupe et réintègrent leur univers familier. Mais la réponse est oui, parce que la communauté a enseigné à ses membres à se comporter entre eux d'une façon qui caractérise l'étape IV. Dans leurs rapports, tous pratiquent la même sorte d'abstraction, d'acceptation et d'ouverture qui caractérise le comportement des mystiques à différentes époques. En tant qu'individus, leur identité fondamentale demeure la même à travers les étapes I, II, III et IV. Voilà qui explique en partie pourquoi la connaissance de ces étapes est si importante pour faciliter l'acceptation des uns et des autres en tant qu'individus se situant à des étapes différentes – à des endroits différents sur le plan spirituel. Cette acceptation est un préalable à la communauté. Fort heureusement, une fois qu'elle est faite – et pour cela elle doit passer par le vide –, les hommes et les femmes de l'étape I, II et III ont la faculté de pouvoir se comporter régulièrement les uns envers les autres comme s'ils en étaient à l'étape IV de leur développement. En d'autres mots, forts de l'amour et de l'engagement envers l'ensemble, nous sommes presque tous capables de transcender nos origines et nos limites. Voilà pourquoi une authentique communauté est beaucoup plus que la somme de ses parties. Elle est en réalité un corps mystique.

Le voyage de chacun à travers les étapes de son développement spirituel est également un voyage à l'intérieur et en dehors de sa culture. Erich Fromm a défini un jour le processus de socialisation comme le processus qui consiste à « apprendre à aimer ce que nous sommes dans l'obligation de faire [6] ». C'est ce qui se produit lorsque nous apprenons à aller naturellement à la toilette. Le passage de l'étape I à l'étape II est essentiellement un bond vers la socialisation ou vers la culture. C'est l'étape où nous adoptons pour la première fois les valeurs culturelles de notre tribu et de notre religion, que nous commençons à faire nôtres. Mais comme les croyants de l'étape II qui se sentent menacés par toute remise en question du dogme religieux, les gens sont « limités par leur culture » – et parfaitement convaincus que la façon de faire les choses dans leur culture est la seule et bonne façon d'agir. De même, dès que les gens accèdent à l'étape III et commencent à remettre en question les doctrines religieuses qu'on leur a enseignées, ils commencent du coup à remettre également en question l'ensemble des valeurs culturelles de la société qui les a vus naître. Finalement, tandis qu'ils abordent l'étape IV, ils commencent aussi à prendre conscience de la notion de communauté mondiale et de la possibilité de transcender les cultures ou – si on préfère formuler ainsi les choses – d'appartenir à une culture planétaire.

Aldous Huxley a dit du mysticisme qu'il était une « philosophie éternelle [7] », parce que le mode d'être et de penser mystique a existé dans toutes les cultures, à toutes les époques et depuis l'aube des temps. Même s'ils forment une faible mino-

6. Erich Fromm, *The Sane Society*, New York, Fawcett Premier Books, 1977, p. 77.

7. Aldous Huxley, *The Perennial Philosophy*, New York, Harper & Row, 1970.

rité, les mystiques de toutes les religions du monde présentent des traits communs et une singulière unité. Aussi singuliers qu'ils puissent être dans leur personnalité, ils ont échappé dans une très large mesure aux différences culturelles entre les humains – ils les ont transcendées.

Le voyage à travers ce que nous appelons la culture peut être parfois effrayant. Le mien a commencé à l'âge de quinze ans, alors que, contre toute attente de mes parents, j'ai quitté le lycée de Nouvelle-Angleterre que je fréquentais. Je faisais ainsi, sans le savoir, un premier bond de géant hors de cette culture WASP qui semble dominer en Amérique et qui met tout l'accent sur le succès matériel, le conformisme, le « bon goût » et la « bonne vie ». Qu'allait-il advenir de moi ? Je ne pouvais pas devenir irlandais, italien ou catholique polonais. Je ne pouvais pas non plus devenir un bon vieux gars du Sud. Ni un juif newyorkais. Je n'avais pas la peau noire. Où donc sur terre pouvais-je aller ? J'étais terrifié – si terrifié que j'accueillis avec reconnaissance ce sanctuaire que me proposait temporairement l'hôpital psychiatrique. L'hôpital me donnait une place où rester. Je ne pouvais pas soupçonner à l'époque que des hommes et des femmes avaient régulièrement recours à la psychothérapie pour combattre leur anxiété, précisément parce qu'ils avaient déjà commencé leur voyage hors de leur culture.

De nos jours, je continue d'être nulle part du point de vue de ce que nous appelons généralement la culture. Mais je suis loin d'être le seul. Peu à peu, ici et là, j'ai découvert que plusieurs personnes étaient dans la même situation. Notre situation ne relevait pas de la triste histoire de « l'homme sans pays », condamné à errer sans fin sur les mers dans un frêle esquif. Bien au contraire, débarrassés de nos limites culturelles, nous étions bien plus libres d'aller et de venir parmi toutes les nations de la terre. Il fut une époque où nous nous sentions plutôt seuls, mais, ces dernières années, des hommes et des femmes sans culture se sont joints à moi par dizaines de milliers. Même si nous le pouvions, aucun d'entre nous ne voudrait retourner en arrière, mais il nous arrive d'éprouver une certaine tristesse à l'idée que nous, éternels pèlerins, « ne pourrons jamais retourner à la maison ». C'est ce qui s'est produit avec Ralph, mon cher collègue, patient et ami.

Ralph a fait tout le voyage. Né dans une famille pauvre de la région des Appalaches, il passa de l'étape I à l'étape II à la fin de l'adolescence et devint un prédicateur fondamentaliste dans le Sud du pays. Le mouvement pour le respect des droits civiques et celui de protestation contre la guerre du Viêt-Nam l'obligèrent à entamer le pénible processus de remise en question de chacune de ses valeurs. La grâce ne l'a pas quitté à mesure qu'il grandissait en amour et allait plus loin dans son évolution spirituelle. C'est maintenant un saint homme doté d'un pouvoir spirituel très grand ; récemment, il a eu la chance de renouer avec ses racines appalachiennes. Une de ses nièces faisait partie des six candidates à l'élection d'une reine dans le cadre d'un concours auquel participaient un certain nombres d'écoles secondaires. Un des moments forts du concours était une cérémonie où chacune des candidates devait recevoir une rose de son père. La jeune fille, qui avait perdu son père à la suite d'un accident de la ferme, avait demandé à son oncle Ralph de jouer ce rôle. Enchanté de la proposition, Ralph avait pris l'avion pour les Appalaches afin d'assister à la cérémonie.

Quand je le revis, Ralph me décrivit la cérémonie dans les moindres détails. Avec le regard sûr d'un anthropologue, il me raconta qu'au moment culminant du rite chacune des six candidates portait une robe de même coupe mais de couleur différente. On en était alors au mi-temps de la rencontre, et les candidates firent alors quatre fois le tour du terrain de football dans une Chevrolet Impala décapotable, dont la couleur était assortie à leur robe. D'autres cérémonies eurent lieu. En réalité, chaque candidate avait dû changer quatre fois de vêtements au cours de l'après-midi et de la soirée. Ralph expliqua qu'une matrone supervisait avec une efficacité toute teutonne ces changements de vêtements qui avaient lieu dans un vestiaire du stade et selon un procédé qui avait été réglé dans ses moindres détails des mois à l'avance. Ralph me décrivait ces rites, et je demeurais assis, fasciné par l'atmosphère, la solennité et la richesse de l'ensemble.

Au moment de conclure le récit de ce week-end, Ralph changea de ton et me dit : « Pour une raison que j'ignore, je me sens déprimé depuis mon retour. J'ai même commencé à me sentir ainsi dans l'avion qui me ramenait à la maison. »

Je commentai : « La tristesse et la dépression sont sœurs, mais je pense que tu es triste avant tout. »

Ralph s'exlama : « Tu as raison. C'est de la tristesse que je ressens, bien que j'ignore pourquoi. Je n'ai aucune raison d'être triste. »

« Si, tu en as », ajoutai-je.

« Moi ? Pourquoi serais-je triste ? »

« Parce que tu as perdu ton foyer. »

Ralph me regarda, intrigué. « Je ne suis pas sûr de comprendre. »

« Avec l'objectivité des plus grands anthropologues, tu viens juste de finir de m'expliquer un rite compliqué de la culture appalachienne, expliquai-je. Tu en aurais été incapable si tu avais fait encore partie de cette culture. Tu t'en es séparé, tu t'es coupé de tes racines. C'est ce que j'ai voulu dire quand j'ai dit que tu avais perdu ton foyer. J'ai l'impression que ce voyage t'a fait prendre conscience des années-lumière que tu as parcourues depuis. »

Un larme glissa sur la joue de Ralph. « Tu as visé juste, reconnut-il. Ce qu'il y a de drôle à ce sujet, c'est que ma tristesse s'accompagne d'une certaine joie. Je suis content de t'avoir retrouvé, d'avoir retrouvé ma femme et mes patients. Je n'ai aucune envie de demeurer là-bas. Maintenant, j'appartiens tout à fait au milieu où je suis. Mais il ne s'agit pas de cette sorte d'appartenance, simple et inconsciente, que les gens de là-bas connaissent. J'ai envie de regretter la perte de cette simplicité, de cette innocence. Mais je sais que leur innocence n'est pas pure ; elle n'est qu'innocence. Les gens de là-bas ont leur part de souffrances et d'inquiétudes et elles sont bien pires que les miennes. Mais ils n'ont pas besoin de se préoccuper du sort du monde [8]. »

Les Évangiles offrent, dans toute la littérature, le meilleur exemple de quelqu'un qui a su transcender sa culture. Avant la venue de Jésus et depuis lors, il s'est trouvé parfois des saints qui avaient transcendé leur culture et qui n'avaient pas, eux non plus, « d'endroit où reposer leur tête ». Mais ces gens pouvaient représenter une personne sur dix mille, et encore. Les choses sont bien différentes de nos jours. De multiples facteurs – plus particulièrement les communications de masse instantanées et un plus large accès à la psychothérapie – font en sorte que le nombre de gens qui accèdent à l'étape mystique de leur développement spirituel et sont capables de transcender leur culture d'origine semble s'être multiplié par milliers en l'espace d'une génération ou deux. De telles personnes demeurent une minorité – dans les faits, elles ne représentent pas plus qu'une personne sur vingt. Il n'empêche qu'on peut se demander si l'explosion de leur nombre ne signifie pas que nous avons fait un pas de géant dans l'évolution de la race humaine, un bond vers une conscience non seulement mystique mais globale et vers la communauté mondiale [9].

ISRAËL

Certaines personnes se demandent avec inquiétude si le fait de catégoriser les gens selon les différentes étapes de leur croissance spirituelle peut avoir un effet de fragmentation – si le fait de distinguer différentes espèces de croyants peut avoir un effet destructeur sur la communauté en général, en particulier sur la « communauté des croyants ». Je suis sensible à ces questions de hiérarchie et à leur potentiel élitiste, mais je ne

8. L'auteur a évoqué brièvement cette anecdote dans l'introduction à l'édition de luxe de son ouvrage, *Le chemin le moins fréquenté*, paru à New York, en 1985, chez Simon and Schuster.

9. Le plus grand prophète à cet égard fut peut-être Teilhard de Chardin.

pense pas qu'il y ait lieu de s'inquiéter. La soi-disant « communauté » des croyants s'est distinguée au cours de son histoire par sa façon d'exclure, de punir, souvent même de mettre à mort ceux qui doutaient, qui étaient sceptiques ou qui ne se conformaient pas au moule. À plusieurs reprises, j'ai pu vérifier cette affirmation selon laquelle nous sommes tous à différentes étapes de notre développement spirituel, et, loin d'être nuisible, le fait facilite la mise sur pied et la prolongation de véritables communautés. Il reste qu'il peut être utile de se rappeler que les gens les plus simples sont capables de former une communauté et que les plus avancés d'entre nous gardent encore les traces de leur passage à des étapes antérieures. Edward Martin l'a dit dans un poème intitulé « Mon nom est légion [10] » :

La foule se presse dans mes temples ici-bas
Les uns sont humbles, les autres fiers
L'un se repent de ses fautes
L'autre n'en fait rien et grimace
L'un aime son prochain comme lui-même
Un autre l'ignore et n'en a que pour la gloire
et la richesse
Tous ses soucis me minent et je pourrais m'en libérer
Si seulement je savais lequel parmi eux est moi.

Il peut être utile de se rappeler le sens premier du mot « Israël ». Le nom de Jacob apparaît très rapidement dans les histoires de l'Ancien Testament. Il est évident que Jacob était un type de l'étape I – menteur, voleur et manipulateur qui a trompé son frère sur une question d'héritage. Au début du mythe ou de l'histoire, Jacob, comme bien des gens de l'étape I, est troublé. Fuyant son frère, errant dans le désert, il quitte

10. Edward Sanford Martin, « My Name Is Legion », *Masterpieces of Religious Verse*, James Dalton Morrison (éd.), New York, Harper & Row, 1948, p. 274.

un soir sa famille pour dormir à l'écart. Au cours de la nuit, il est accosté par un robuste étranger. Les deux hommes luttent dans le noir. C'est une lutte sans merci, qui se prolonge d'heure en heure. Finalement, tandis que les premières lueurs du jour se montrent à l'horizon, Jacob sent qu'il commence à avoir le dessus. Exultant, il met sa dernière énergie à vaincre cet étranger qui l'a agressé sans raison apparente. Il se produit alors un fait extraordinaire. L'étranger touche légèrement Jacob à la cuisse, et aussitôt l'os se rompt sans effort. Blessé, Jacob s'agrippe alors à son adversaire. Jacob ne cherche plus à poursuivre une bataille que, selon toute évidence, il a perdue – il est un homme complètement défait et brisé. Il agit ainsi parce qu'il sait maintenant qu'il est en présence d'un être divin. Dans la lueur pâle de l'aube, Jacob supplie son adversaire de ne pas le quitter sans d'abord lui donner sa bénédiction. L'étranger accepte, et non seulement bénit Jacob, mais lui dit aussi : « Ton nom sera désormais Israël, lequel signifie que tu as lutté avec Dieu ». Et c'est ainsi que Jacob entre dans la postérité en boitant.

Aujourd'hui, il existe trois définitions du mot « Israël ». La première renvoie à une petite portion de terre, située sur la côte est de la Méditerranée, ayant accédé depuis peu au statut d'État-nation et dotée d'une histoire brève et tourmentée. La seconde renvoie au peuple juif dispersé dans le monde et à son histoire longue et tourmentée. Mais fondamentalement, le mot renvoie aux personnes qui ont lutté avec Dieu. Dans cette acception, le terme comprend tous les gens de l'étape I, qui n'ont fait que commencer à lutter, qui ne savent pas encore le nom de leur assaillant, qui sont encore dans les ténèbres les plus profondes, qui n'ont pas encore aperçu le premier rayon de l'aube, n'ont même pas reçu leur première blessure et leur première bénédiction. Le mot « Israël » inclut aussi les gens qui ont déjà été blessés et ont déjà été bénis ; ce sont les hindous, les musulmans, les juifs, les chrétiens et les bouddhistes de partout à travers le monde qui en sont à l'étape II. Le mot « Israël » comprend également ceux qui furent blessés et bénis à deux reprises ; ce sont les athées, les agnostiques et les sceptiques, qu'ils soient de ce pays, de Russie, d'Angleterre ou d'Argentine, qui s'interrogent et qui poursuivent, par conséquent, leur longue lutte. Le mot « Israël » comprend enfin ceux qui furent trois fois blessés et trois fois bénis ; ce sont les mystiques de toutes les cultures de la planète qui en appellent à d'autres blessures. Ils savent qu'elles seront suivies d'autres bénédictions.

Israël comprend la totalité de notre humanité encore dans son enfance et qui lutte. Il est la communauté potentielle qui réunit toute la planète. Nous sommes Israël.

CHAPITRE X

LE VIDE

L'étape du vide est une étape sacrificielle qui fait le pont entre le chaos et la communauté. Parce qu'elle appartient précisément au vide, elle donne davantage l'impression de sauter dans le néant que de franchir un pont. Il n'en demeure pas moins que la communauté mondiale, qui est la seule façon de sauver la planète, ne pourra se développer que dans la mesure où nous aurons appris à faire le vide en nous.

Il y a vingt ans, dans un livre intitulé *Freedom from the Known,* le mystique hindou Krishnamurti a affirmé clairement la responsabilité que nous avons en tant qu'individus de faire le vide en nous pour pouvoir réaliser la paix :

> Pour chaque guerre qui a lieu, nous sommes tous responsables, à cause de l'agressivité qui règne dans nos propres vies, à cause de notre nationalisme, de notre égoïsme, des dieux auxquels nous croyons, de nos préjugés, de nos idéaux, qui tous cherchent à nous diviser. Ce n'est que lorsque nous aurons compris, non pas d'un point de vue théorique mais réel, réellement compris que nous

souffrons ou avons faim, que vous et moi sommes responsables de tout le *chaos* qui existe, de toute la misère
qui règne dans l'univers entier, parce que nous y avons
contribué dans notre vie de tous les jours et que nous
faisons partie de cette société monstrueuse, avec ses
guerres, ses divisions, sa laideur, sa vulgarité et sa
cupidité – alors seulement nous agirons [1].

Pour décrire le comportement de groupe primitif qui est
habituellement le nôtre, Krishnamurti utilise également le mot
« chaos ». Il y a d'autres possibilités. Voici ce que rapporte un
membre qui faisait partie d'un groupe qui, dans la soirée, passa
de l'étape du chaos au vide et forma une communauté le lendemain matin :

La nuit dernière, j'ai rêvé que j'étais dans un magasin.
Les vendeurs me proposaient trois choses. La première
était une voiture exceptionnellement luxueuse. La seconde
était un collier de diamants. La troisième était une feuille
de papier où rien n'était écrit. Quelque chose me disait
que je devais choisir la feuille de papier. L'argent ne
semblait pas entrer en ligne de compte. J'aurais pu tout
aussi bien choisir la voiture ou le collier. Au moment de
quitter le magasin, j'eus le sentiment que j'avais fait le
bon choix. Mon rêve se borna à cela. Ce matin, quand je
m'en suis souvenu au réveil, je me suis demandé pourquoi j'avais été aussi stupide et avais choisi la feuille de
papier. Maintenant que je vois comment nous avons pu
former une communauté, je comprends que j'avais vraiment fait le bon choix.

N'est-ce pas bizarre, d'un point de vue matériel, de choisir une feuille de papier où rien n'est écrit? Tout au long de

1. J. Krishnamurti, *Freedom from the Known*, New York, Harper
& Row, 1969, p. 14.

l'Histoire, les mystiques n'ont pas seulement chanté les vertus du vide, mais aussi celles de la méditation. La meilleure définition que l'on puisse donner de la méditation est de dire qu'il s'agit du procédé par lequel nous faisons le vide dans notre esprit. En effet, la forme de méditation la plus sophistiquée est celle que les Bouddhistes zen appellent « L'absence d'esprit ». Son but est de faire de l'esprit une page blanche.

Mais pourquoi? Pourquoi l'esprit doit-il être vide? Aux gens effrayés par l'idée du vide, il est important de rappeler que la méditation – le vide – n'est pas une fin en soi, mais seulement le moyen de parvenir à ses fins. On dit que la nature a horreur du vide. Ce qui fait que, dès que nous avons fait le vide en nous, quelque chose s'installe dans ce vide. Le mérite de la méditation est que tout ce qui s'installe dans le vide échappe à notre contrôle. C'est le jamais vu, l'inattendu, le nouveau. Et nous ne pouvons apprendre que par le jamais vu, l'inattendu et le nouveau.

Tout au long de l'Histoire, les mystiques ont également eu la réputation d'être des « contemplatifs ». La contemplation et la méditation sont étroitement liées. La contemplation est le procédé selon lequel nous pensons – nous ruminons et réfléchissons – aux choses inattendues qui nous arrivent dans les moments de méditation et de vide. La véritable contemplation passe donc par la méditation. Elle nous oblige à arrêter de penser jusqu'au moment où nous serons capables de penser de façon originale.

La contemplation peut être entendue au sens étroit et au sens large du terme. Au sens étroit, la définition de la contemplation renvoie purement à une réflexion sur les événements survenus dans notre vie. La définition au sens large comprend tout autant la prière et la méditation qu'une réflexion sur les événements inattendus qui surviennent dans notre vie ainsi que dans notre relation avec la vie. Il ne faut pas séparer les trois choses d'une façon rigide ou arbitraire; dans les faits, les trois sont inextricablement mêlées. Pour ma part, j'emploie le mot « contemplatif » dans son sens large, qui renvoie à une manière de vivre riche en réflexion, en méditation et en prières. *Il s'agit d'un mode de vie tourné vers une conscience maximale.*

Les gens qui ont fait de la religion une profession sont souvent les plus grands experts en matière de contemplation ; cependant on peut mener une vie contemplative sans être une religieuse ou un moine. En réalité, on n'est même pas obligé de croire en Dieu. Ainsi, un théologien a défini la prière comme n'étant rien de plus – et rien de moins – qu'une réponse radicale à la vie et à ses mystères [2]. Si cela vous convient mieux, remplacez le mot « Dieu » par le mot « vie ». Quand vous vous interrogez constamment sur la vie et que vous cherchez sans cesse à faire preuve d'ouverture d'esprit et à faire suffisamment le vide pour être capable d'entendre les réponses de la vie et d'en soupeser le sens, vous êtes un contemplatif.

Les véritables communautés sont obligatoirement contemplatives ; elles sont conscientes d'elles-mêmes. C'est là une caractéristique fondamentale de la communauté. Encore une fois, je ne veux pas dire que les communautés doivent être religieuses au sens habituel du mot. Cependant un groupe d'individus ne peut former une communauté que si ces derniers veulent, sur le plan individuel, et dans une certaine mesure du moins, faire le vide et être contemplatif. En tant que communauté, ils ne peuvent prolonger leur existence s'ils ne réfléchissent pas sans cesse à leur existence en tant qu'organisme. Pour survivre, une communauté doit sans cesse être prête à interrompre telle ou telle activité pour se demander *comment* elle procède à sa réalisation. Elle doit également être prête à réfléchir à son orientation et à faire le vide pour être capable d'entendre les réponses.

Dès lors, le vide a pour fonction ultime de faire de la place. Mais faire place à quoi ? Faire place à Dieu, vous diront les croyants. De tout à rien, la signification du mot « Dieu » varie tellement d'une personne à l'autre qu'en règle générale

2. Matthew Fox, *On Becoming a Musical Mystical Bear : Spirituality American Style*, Ramsey, N.J., Paulist Press, 1976.

je préfère dire que le vide fait place à l'Autre. Mais qui est l'Autre ? Ce peut être à peu près n'importe quoi : un récit emprunté à une culture étrangère, quelque chose de différent, d'inattendu, de nouveau, quelque chose de mieux. Chose plus importante encore, pour la communauté, l'Autre, c'est l'Étranger, l'autre personne. Nous ne pouvons laisser entrer l'Autre dans notre cœur et dans notre esprit à moins de faire d'abord le vide en nous. Seul le vide nous permet de vraiment écouter celui-ci ou de vraiment entendre celle-là. Au sujet du vide qu'exige l'écoute, Sam Keen écrivit un jour : « Cette discipline de mise entre parenthèses, de compensation, de réduction au silence exige une très grande connaissance de soi et une honnêteté courageuse. Sans cette discipline, chaque moment présent n'est que la répétition d'une chose déjà vue ou déjà connue. Pour qu'apparaisse la véritable nouveauté, pour que la présence unique des choses, des êtres et des événements prenne racine en moi, il me faut passer par une décentralisation de l'ego [3]. »

Keen parle aussi de « faire taire le familier et d'accueillir l'inusité ». Le silence est donc le principal ingrédient du vide, qu'il vienne à la suite d'une « mise entre parenthèses », d'une « compensation » ou d'une « décentralisation de l'ego ». Ce n'est donc pas un hasard si nous faisons régulièrement le silence dans les groupes de formation de la communauté afin de leur permettre d'accéder à l'étape du vide. Les mystiques chrétiens évoqueront parfois « le silence qui régnait avant l'avènement de la Parole ». En effet, nous pouvons dire que la Parole est née du silence. Il était nécessaire qu'il en soit ainsi. Un grand ténor réputé que je recevais récemment chez moi me dit un jour, sans même connaître mon intérêt pour la question, que « plus de la moitié de l'œuvre de Beethoven est faite de silences ». Sans le silence, il n'y a pas de musique ; il n'y a que du bruit.

3. Sam Keen, *To a Dancing God*, New York, Harper & Row, 1970, p. 28.

Notre objectif étant l'avènement de la paix, je me permettrai de donner un exemple de malentendu culturel qui se produit lorsque l'esprit est encombré de désordre et de bruit, mais qui fut finalement réglé grâce au silence et au vide. Cela se passait lors d'un symposium international réunissant des théologiens des quatre coins de la planète. Après une des sessions plénières, nous nous étions réunis en petits groupes pour discuter. Un Ghanéen, qui était aussi un praticien et un enseignant de ce qu'on appelle la religion traditionnelle en Afrique, ouvrit la discussion en disant qu'il ne comprenait pas un mot de toute cette histoire de « Dieu souffrant » qui avait fait l'objet de la communication précédente. « C'est la chose la plus ridicule que j'aie jamais entendue, s'exclama-t-il. Dieu ne souffre pas. »

« Bien sûr que si, Il souffre », objecta le groupe presque à l'unanimité, fort de la pensée de Dietrich Bonhoeffer ou de telle autre autorité. Chaque objection ne faisait que s'entêter davantage l'Africain, qui protestait avec encore plus de véhémence : « De toute ma vie, je n'ai jamais rien entendu d'aussi stupide. » Plus il s'entêtait, plus le groupe cherchait à le faire changer d'idée. La rumeur s'enfla jusqu'à ce que notre petit groupe d'adultes devînt aussi bruyant qu'une classe de quatrième après une heure d'absence du professeur.

Tout à coup, je criai : « Stop! Le quotient intellectuel moyen de cette salle se situe probablement autour de cent soixante. Il y a certainement une meilleure façon de communiquer entre nous. Arrêtons de discuter et observons le silence pendant trois minutes, histoire de voir ce qui va se passer. »

Le groupe obéit. Après la période de silence, un des Américains commença à raconter à quel point il aimait ses enfants. Pour tout dire, ajouta-t-il, ils lui manquaient énormément en ce moment même, et il en souffrait. Il souffrait quand ils étaient malades ou blessés. Leurs soucis et leurs déboires le faisaient souffrir. Il s'inquiétait de leur avenir, et cela aussi était pour lui une source de souffrances. Dans sa vie, nous dit-il, ses enfants étaient ce qui comptait le plus, et il ne pouvait imaginer qu'il en soit autrement, mais, d'une certaine façon, son amour pour eux lui rendait l'existence beaucoup plus difficile qu'elle ne l'aurait été autrement.

« Ah ! Maintenant, je comprends !, s'exclama l'Africain avec un plaisir évident. Bien sûr, l'amour s'accompagne de la souffrance, et bien sûr Dieu nous aime, donc Il souffre pour nous, de la même manière que nous souffrons pour nos enfants. Le problème, voyez-vous, c'est que, dans notre langue, le mot « souffrir » s'applique uniquement au fait de souffrir dans son corps, à la souffrance physique. Et nous ne croyons pas que Dieu a un corps. Il est un pur esprit. Voilà pourquoi il me semble absurbe de parler de Lui comme d'un être en train de souffrir dans son corps. Par ailleurs, Dieu peut-il avoir mal ? Oh ! oui, bien sûr, Dieu a mal. »

On peut se demander combien de milliers – combien de millions – de fois par jour de tels malentendus peuvent s'installer entre les gens appartenant à des cultures différentes, voire entre gens d'une même culture, parce nous oublions de mettre en parenthèses, de « faire taire le familier », de faire abstraction de nos images sémantiques traditionnelles. Je me rappelle la visite au États-Unis du chef d'État soviétique Nikita Khroutchev ; avant de commencer un de ses discours, il avait croisé les mains derrière la tête et avait fait le geste de s'étirer. Les Américains étaient furieux. Cet homme venait juste de dire que l'URSS les enterrerait, et voilà qu'il s'étire comme un aspirant arrogant qui vient de remporter un match de boxe ! Des années après, un homme, qui connaissait bien la culture russe, m'expliqua que Kroutchev avait fait là un geste russe traditionnel qui signifiait « les mains croisées au-dessus de l'océan en signe d'amitié ».

À moins de faire abstraction des conceptions culturelles et intellectuelles aussi préconçues, nous sommes incapables de comprendre l'Autre, voire de l'entendre. En réalité, nous sommes même incapables d'éprouver un sentiment d'empathie à son endroit. Dans un article sur le vide et sur la mise entre parenthèses intitulé « Toward Empathy : The Uses of Wonder », le psychiatre Alfred Margulies écrivait récemment :

> En ce qui concerne l'empathie, Freud écrivit qu'elle « était déterminante pour notre compréhension de ce qui était fondamentalement étranger à notre ego ».
>
> (...) Dans une lettre désormais célèbre à ses frères, Keats écrivit que Shakespeare jouissait de cette qualité appelée la « *capacité négative,* qui fait qu'un homme est capable de vivre dans l'incertitude, le mystère et le doute sans se lancer dans une quête épuisante des faits et de la raison ». Quelle justesse dans la compréhension du dilemme auquel le poète et le thérapeute sont confrontés ! Cette « quête épuisante » est précisément ce contre quoi Husserl et Freud nous mettent en garde ; la faculté de garder son attention sans cesse en éveil, de laisser l'univers en suspens, exige d'avoir une capacité négative, la capacité d'aller à l'encontre de notre besoin de savoir.
>
> (...) La négation de ce qui est connu, la capacité négative, fait basculer l'univers familier et, en ce sens, est un acte de la volonté, voire un geste d'agression (...) Cette négation du moi par le thérapeute exige une sorte d'auto-agression : se jeter dans l'inconnu, s'y soumettre et faire abstraction de soi. Il s'agit peut-être d'une des composantes de la nature éprouvante du travail thérapeutique – puisque le thérapeute ne se contente pas de provoquer des réactions intenses, mais nie également le moi dans la quête de l'autre [4].

Le processus qui permet d'accéder au vide – d'exercer ce que Keats appelle la « capacité négative » – est obligatoirement un processus permanent. Jésus possédait cette faculté qu'il a utilisée pour vaincre les préjugés et accroître l'empathie et

4. Alfred Margulies, « Toward Empathy : The Uses of Wonder », *American Journal of Psychiatry*, vol. 141, n° 9, septembre 1984, p. 1025-1030.

l'amour qui transcendent les cultures. Il m'est venu l'idée d'imaginer un dialogue que Jésus aurait pu se tenir à lui-même au cours d'un des nombreux incidents étranges racontés dans les Évangiles [5].

Jésus s'était installé avec ses disciples près des villes de Tyr et de Sidon. Il était « entre deux contrats » et, fatigué, il avait besoin de reprendre des forces. Tandis que ses disciples étaient occupés aux corvées – ils le connaissaient assez pour savoir qu'il valait mieux le laisser seul dans ces moments-là –, Jésus était assis au soleil ; il prenait plaisir à la chaleur qui l'engourdissait et goûtait le calme et la solitude du moment, en communion avec Dieu, comme il se devait, mais avec le sentiment d'une détente sereine. Tout à coup, venant d'une petite colline, une femme trottina jusqu'à lui. Par ses vêtements, il constata qu'elle n'était pas une israélite, mais une étrangère, une intouchable et répugnante Cananéenne. Jésus recula de dégoût. La femme commença à bavarder avec un horrible accent. Des vagues de rage submergèrent Jésus. De quel droit venait-elle interrompre l'un de ses rares moments de tranquillité ? Il avait envie non pas de fuir, mais de se jeter sur elle et de la gifler, de la frapper et, de rage, de la chasser au loin. Mais l'habitude de faire le vide reprit le dessus. Jésus descendit en lui-même. Je suis dans la confusion, pensa-t-il. Je me sens accablé. Je ne sais plus ce que je fais. J'ai besoin de m'éloigner et d'être calme pour faire le vide.

Jésus tourna le dos à la femme et rentra dans sa tente. Il se blottit dans le coin le plus reculé. « Pourquoi est-ce qu'on ne me laisse pas seul ? demanda-t-il à Dieu. Tu ne vas pas me demander de voir cette femme, n'est-ce pas ? Je T'ai posé une question, Abba. Aide-moi à faire le vide. Laisse-moi T'écouter. »

Mais Jésus n'arrivait pas à entendre Dieu. Tout ce qu'il entendait, c'était la femme qui bavardait dehors avec les

---

5. Matthieu, 15,21-28.

disciples, juste à côté de la tente. Il espérait que ceux-ci la chasseraient. Il les entendit qui essayaient, mais la femme refusait de partir. Deux disciples entrèrent finalement dans la tente. « Maître, nous n'arrivons pas à nous débarrasser de cette femme juste en lui disant que tu es occupé. Mais, si tu nous en donnes l'ordre, nous trouverons une façon ou une autre de l'éloigner. »

Jésus les regarda et répondit spontanément : « Je suis ici pour être le pasteur de la brebis égarée de la maison d'Israël. » Mais l'habitude reprit aussitôt le dessus. « Est-ce vrai, Abba ? Est-ce pour cela que Tu m'as envoyé ici ? Voilà que j'ai posé une autre question. Écoute. Fais le vide. »

« Alors, veux-tu en être débarrassé ? » demanda le disciple à Jésus.

« Et, si Tu m'as envoyé ici, n'est-ce pas uniquement pour être le pasteur des Israélites, Abba ? Fais le vide. Oh ! non, mon Dieu, Tu ne vas pas me demander d'être le pasteur de tout le monde ? De tous et de chacun ? Fais le vide. Écoute. »

« Alors ? » Les disciples attendaient sa réponse en silence. Mais le silence se prolongeait et l'esprit de Jésus était toujours vide. Son visage se contracta d'angoisse comme les ombres couvrent les nuages, les jours de grand vent. Finalement, Jésus dit : « Faites-la entrer. »

Étonnés, les disciples se regardèrent, stupides, immobiles. Jésus répéta avec impatience : « Je vous ai dit de la faire entrer. » Puis il pensa : « Très bien. Maintenant, je l'ai fait. Je me suis engagé. Fais les choses comme il faut. Fais le vide. Écoute. Écoute-la malgré son accent. Fais le vide. Écoute ce qu'elle a à te dire. »

La porte de la tente s'écarta et la créature intouchable fit son entrée. Même s'il se sentait de nouveau envahi par le dégoût, Jésus se rappela à lui-même : « Fais le vide ».

« Maître, dit la femme en se prosternant à ses genoux, ma fille est tourmentée par un démon. Soigne-la, je t'en prie. »

« Oh ! mon Dieu, encore une autre de ces histoires de possession, pensa Jésus. Je n'ai plus la force. Je suis si fatigué,

Abba. Et maintenant Tu m'envoies un démon cananéen pour que je le chasse. Fais le vide. Après tout, il s'agit d'une enfant. Pauvre enfant. N'empêche qu'il s'agit d'une enfant cananéenne. Je ne peux pas me sentir responsable de la terre entière. »

« Il n'est pas bien, dit Jésus à la femme, en faisant peser sur elle tout le poids négatif de ses sentiments ambivalents, de prendre la nourriture destinée aux enfants et de la donner aux chiens. » Il n'avait pas fini de parler que l'habitude reprit le dessus et, de nouveau, Jésus rentra en lui-même. « Ce que tu viens de dire n'était pas vraiment nécessaire, et ce n'était pas très gentil, pensa-t-il. Fais le vide. Écoute la femme. Oublie ses vêtements. Essaie de comprendre son accent. Fais preuve d'ouverture, fais le vide et écoute. »

« Tu as raison, Maître, dit la femme, mais même les chiens sont capables de manger les miettes qui tombent de la table des enfants. »

Les yeux de Jésus se remplirent de larmes. L'humilité, pensa-t-il, l'humilité, mon Dieu. Je ne pourrais pas me renier pour quelqu'un d'aussi humble. Les Israélites seraient-ils capables, dans leur ensemble, d'autant d'humilité ? Encore une fois, Tu m'as enseigné quelque chose, Abba. Pour cela, Tu as eu recours à cette femme, n'est-ce pas ? Je suis le pasteur de toute la terre.

Les yeux encore mouillés de larmes, Jésus se sentit débordant d'amour. « Femme, s'exclama-t-il avec joie, ta foi est grande ; qu'il en soit fait comme tu veux. »

Le vide exige un effort. Il est une forme de discipline et constitue toujours la partie la plus difficile du processus auquel un groupe doit se soumettre s'il veut former une communauté. Comme toute discipline, elle peut être facilitée à partir du moment où, à l'instar de Jésus, ainsi que je l'ai montré, nous en faisons une habitude. Mais même si elle devient une habitude, la discipline est toujours quelque chose de douloureux, car le vide exige toujours de renier sa personnalité et son besoin de savoir ; il exige toujours un sacrifice.

Une charmante histoire hassidique raconte comment un rabbin, dans une petite ville russe au début du siècle, réussit à « se soumettre à l'absence de connaissance » et apprit à vivre dans le vide. Pendant des années, il avait réfléchi aux mystères de l'univers et soupesé les plus graves questions religieuses. Il en avait fini par conclure que, lorsque l'on remonte aux racines mêmes des choses, on découvre qu'on ne sait tout simplement pas. Puis, un matin, peu de temps après en être venu à cette conclusion, alors qu'il traversait le square de la ville, un policier municipal – un cosaque – l'aborda. Le cosaque était de mauvaise humeur et il eut envie de passer son mécontentement sur le rabbin. « Hé ! Rabbin, lui demanda-t-il, où penses-tu aller ainsi ? »

« Je ne sais pas », répondit le rabbin.

La réponse mit le cosaque dans une fureur profonde. « Qu'est-ce que ça veut dire "je ne sais pas" ? hurla-t-il. Depuis vingt ans, tous les matins, à onze heures, tu traverses ce square pour te rendre à la synagogue et prier. Il est onze heures, ce matin, tu te diriges vers la synagogue et tu me dis que tu ne sais pas où tu vas. Tu veux te moquer de moi, voilà ce que tu veux faire, et je vais te donner une leçon qui t'en fera passer l'envie. »

Le cosaque s'empara du rabbin et le jeta en prison. Juste au moment où il allait le pousser dans sa cellule, le rabbin se tourna vers lui et dit : « Tu vois, on ne peut jamais être sûr. »

Seuls quelques-uns d'entre nous sont capables de tolérer le vide qui résulte du fait de ne pas savoir. La connaissance du passé, celle du présent et même celle du futur – par-dessus tout la connaissance de soi – sont présentées comme les fins ultimes de l'expérience humaine. Voilà pourquoi on me pose souvent la question suivante : « Dites-nous, Dr Peck, comment nous pouvons *savoir* que nous prenons la bonne décision ? »

Il me faut alors répondre qu'il n'existe pas de recette à cet égard et, de nouveau, j'évoque Jésus qui, tout comme chacun d'entre nous (bien qu'il semble que ce soit dans des proportions différentes) voyait son esprit partagé entre le divin et l'humain. Il semble que sa part divine lui ait permis non seulement de savoir qu'il serait crucifié (ce que quiconque doté d'un peu de jugeotte politique pouvait imaginer), mais aussi qu'il ressusciterait le troisième jour, que Pierre construirait une Église et que, tragique au départ, toute l'histoire se terminerait plutôt bien. Toutefois la partie humaine de son esprit semblait ne rien savoir de tout cela. C'est le Jésus du jardin de Gethsémani, dont la sueur est de sang. L'heure était venue de décider, et il ne savait tout simplement pas ce qu'il fallait faire. S'il avait pu savoir sans l'ombre d'un doute, qu'il ressusciterait le troisième jour, que Pierre construirait une Église, et qu'aujourd'hui nous serions des milliers à prier Son Nom, être crucifié n'aurait représenté qu'un faible sacrifice. Trois, voire six heures d'agonie, seraient un faible prix à payer pour obtenir une gloire garantie à cent pour cent. Mais c'est précisément parce qu'il ne savait pas, parce qu'il a plongé dans les Nuées de l'Inconnu et qu'il a remis sa destinée entre les mains d'un Dieu inconnu, même pour lui, que son sacrifice compte vraiment.

Il en est de même pour chacun d'entre nous. Notre amour, nos sacrifices deviennent manifestes par notre volonté de ne pas savoir. Prenons un exemple emprunté à la vie de tous les jours : l'éducation d'un enfant. Supposons qu'une adolescente de seize ans demande à ses parents : « Maman, papa, puis-je rentrer à deux heures du matin dans la nuit de samedi ? » Les parents peuvent répondre à ce genre de requête courante de trois façons. La première est de dire : « Bien sûr que non, tu ne peux pas ; tu sais très bien qu'en ce qui te concerne le couvre-feu est fixé à dix heures. » À l'opposé, il se trouvera des parents pour répondre : « Bien sûr, ma chérie, tout ce que tu veux. » Ce qui caractérise ces deux types de réponses – qui semblent toutes deux le fruit de certitudes absolues – est la facilité avec laquelle elles sont faites. Ce sont des réactions spontanées, qui viennent immédiatement à l'esprit de ces mères et de ces pères, sans qu'ils aient besoin de penser ou de faire un effort.

En revanche, de bons parents prendront la question au sérieux. « Devrait-elle ou ne devrait-elle pas ? se demanderont-ils. Nous ne savons pas. C'est vrai que, pour elle, le couvre-feu est fixé à dix heures du soir, mais nous avons pris cette décision alors qu'elle avait quatorze ans, cela ne correspond sans doute plus à la réalité. D'un autre côté, il y aura de l'alcool à la fête où elle doit se rendre, et cela nous cause des soucis. Toutefois, elle travaille bien en classe et sait planifier son travail scolaire. Nous devrions peut-être lui témoigner notre estime et montrer que nous avons confiance en son sens des responsabilités. Par ailleurs, elle fréquente un garçon qui semble manquer de maturité. Que faire ? Faut-il en venir à un compromis ? Quel serait le meilleur compromis ? Nous ne savons pas. Faut-il dire minuit ? Une heure du matin ? Onze heures ? Nous ne savons pas. Quelle décision faut-il prendre ? »

Au bout du compte, ce que décideront des parents de ce genre n'a pas tellement d'importance, puisque, quelle que soit leur décision, elle sera mûrement réfléchie. Leur fille pourra peut-être ne pas être entièrement satisfaite de cette décision, mais elle saura du moins que la question – et, du coup, elle-même – a été envisagée sérieusement. Elle saura que son importance et sa valeur aux yeux de ses parents ont fait en sorte qu'ils ont été torturés par le doute qui naît du vide et du fait de ne pas savoir. Elle saura qu'elle est aimée.

Ainsi, après avoir dit qu'il n'y avait pas de recette pour répondre à cette question inévitable, je peux seulement ajouter : « L'inconscient marche toujours un pas en avant de la conscience ; par conséquent, il est toujours impossible de *savoir* vraiment si on prend la bonne décision (puisque la connaissance est liée à la conscience). Cependant, si on s'en tient résolument au bien, et si on est prêt à souffrir *jusqu'au bout* quand le bien demeure ambigu, l'inconscient marchera toujours un pas en avant de la conscience, et dans la bonne direction. » En d'autres mots, on prendra la bonne décision, même si c'est sans avoir la consolation de savoir avec certitude qu'on la prend.

Ceux qui cherchent les certitudes, ou qui proclament la certitude de leur savoir, sont incapables de tolérer l'ambiguïté. Le mot « ambigu » signifie « incertain », « douteux » ou « susceptible de revêtir plus d'un sens ». Parce que cela signifie qu'on ne sait pas – et peut-être qu'on ne sera jamais capable de savoir –, notre culture a beaucoup de difficulté à tolérer l'ambiguïté. Ce n'est qu'après avoir atteint l'étape IV de notre évolution spirituelle que nous pouvons espérer nous sentir à l'aise avec cette notion. Nous commençons à comprendre que tout n'est pas « blanc ou noir », que les choses ont plusieurs dimensions, souvent des significations contradictoires. Voilà pourquoi les mystiques de toutes les cultures et de toutes les religions parlent en termes paradoxaux – non en termes de « soit l'un/ soit l'autre », mais en termes de « à la fois l'un/et l'autre ». La faculté de tolérer l'ambiguïté et de penser de façon paradoxale est une des vertus du vide en même temps qu'elle est un préalable à l'avènement de la paix.

L'un des paradoxes chrétiens les plus connus et les plus révélateurs est sans doute cette affirmation de Jésus : « Celui qui conservera sa vie la perdra, et celui qui perdra sa vie à cause de moi la retrouvera [6]. » Par ces paroles, Jésus n'a pas voulu dire que chacun d'entre nous était destiné à être physiquement mis à mort comme lui l'a été. Ce qu'il a voulu dire, c'est que le salut exige la mort psychologique de soi. Le vide exige le même sacrifice de soi. Ce genre de sacrifice ne suppose pas une réelle mort physique. Mais il implique toujours une forme quelconque de mort – la mort d'une idée ou d'une idéologie, ou d'une façon de voir les choses héritée de la culture, ou même simplement l'abandon de positions bien nettes du genre « blanc ou noir » ou « soit/soit ».

Elisabeth Kübler-Ross fut la première personne a avoir le courage de s'adresser aux gens qui allaient mourir pour leur demander ce qu'ils ressentaient. De ces témoignages allait

6. Matthieu, 10,39.

naître le célèbre ouvrage, *On Death and Dying*, où l'auteur distingue cinq étapes successives que traversent les gens qui doivent faire face à une mort imminente : le déni, la colère, la négociation, la dépression et l'acceptation [7]. D'abord, les gens s'efforcent simplement de *nier* la réalité de la situation. Ils pensent ou se disent : « On a dû confondre les résultats de mes examens avec ceux d'un autre. » Par la suite, à mesure qu'ils comprennent que ce n'est pas le cas, ils sont en colère – en colère contre les médecins, les infirmières, l'hôpital, en colère contre leur famille, en colère contre Dieu. Puis, ils veulent négocier : « Si j'allais à l'église et que je me mettais à prier, peut-être que mon cancer guérirait » ; ou ils se disent : « Si j'étais plus gentil avec mes enfants, mon cancer du rein va peut-être cesser d'évoluer. » Mais quand ils comprennent qu'il n'y a pas d'issue – que la danse est finie –, ils deviennent déprimés. S'ils sont capables de faire ce travail que nous, thérapeutes, appelons la « traversée » de la dépression, ils peuvent cependant franchir la cinquième étape, où ils acceptent véritablement l'éventualité de la mort. Il s'agit d'une étape qui, étonnamment, se caractérise par une paix magnifique, une quiétude et une lumière spirituelle – presque une sorte de résurrection.

La plupart des gens qui vont mourir ne connaissent pas toutes ces étapes. La majorité d'entre eux meurent en continuant de nier, en continuant d'être en colère, en continuant de négocier, en continuant d'être déprimés, parce que l'étape de la dépression est si pénible qu'elle les a fait régresser à l'étape du déni, de la colère et de la négociation. Ils sont incapables de « traverser » leur dépression.

Ce qu'il y a de plus admirable dans l'ouvrage de Kübler-Ross, ce n'est pas qu'il nous éclaire uniquement sur le processus psychologique qui accompagne la mort physique ; c'est que, dans le même ordre, nous passons exactement à travers

7.   Elisabeth Kübler-Ross, *On Death and Dying*, New York, Macmillian, 1969.

les mêmes étapes chaque fois que nous connaissons une évolution spirituelle importante ou que nous progressons dans notre croissance psychologique. En d'autres mots, tout changement est une sorte de mort, et toute croissance exige de passer d'abord par la dépression.

Disons, par exemple, que j'ai un défaut de personnalité, et que mes amis commencent à me critiquer pour ses manifestations. Ma première réaction en est une de *déni*. Je pense : « Elle s'est levée du mauvais pied, ce matin » ou « Il est juste en colère contre sa femme ». En réagissant de la sorte, je me dis que leurs critiques n'ont absolument rien à voir avec moi. Si mes amis s'entêtent, alors je serai en *colère* contre eux. Je penserai, et peut-être même que je leur dirai : « De quel droit vous mêlez-vous de mes affaires? Vous ne savez pas ce que c'est que d'être dans mes souliers. Pourquoi ne pas vous occuper de vos propres affaires? » Cependant, si mes amis m'aiment assez pour continuer à me fréquenter, alors j'en viendrai à la *négociation* : « C'est vrai, me dirai-je, il y a longtemps que je ne les ai pas félicités ou que je ne leur ai pas dit quel travail magnifique ils font. » Et je me promène, et je souris à mes amis, et je suis gai dans l'espoir de les faire taire. Si cela ne marche pas – s'ils persistent à vouloir me critiquer –, je finis par envisager cette possibilité : il y *a* peut-être quelque chose qui cloche chez moi. Et c'est la *dépression*. Si je suis en mesure d'affronter cette dépression, si je puis l'envisager sous toutes ses facettes, demeurer en sa compagnie, l'analyser, je suis non seulement en mesure d'établir la nature du défaut de ma personnalité, mais je puis aussi commencer le travail qui consistera à l'isoler, à le nommer et, ultimement, à m'en débarrasser en mettant fin à son existence, en *faisant en moi le vide* de ce défaut. Et si je réussis dans ce travail d'assistance à cette partie de moi qui va mourir, je sortirai renouvelé et régénéré de ma dépression; d'une certaine façon, je serai ressuscité.

Les étapes distinguées par Kübler-Ross dans l'agonie sont elles aussi très semblables aux différentes étapes de la croissance spirituelle et de la formation de la communauté. Dans chacun des cas, en effet, nous parlons de *changement*. Le vide, la dépression et la mort sont similaires, parce qu'ils sont étroitement associés aux tréfonds qu'il nous faut atteindre pour provoquer le changement. Ce sont là des étapes fondamentales dans l'évolution de la nature humaine, dans les modèles et les règles de changement chez les humains, qu'il s'agisse d'individus ou de groupes – de groupes restreints, mais également de groupes plus importants.

Prenez l'exemple de l'attitude adoptée par les États-Unis, entre 1964 et 1974, dans ses relations avec le Viêt-Nam. Quand les preuves de l'inefficacité de la politique américaine commencèrent à s'accumuler, la première réaction des États-Unis fut de *nier* l'évidence. Notre politique est bonne, ont-ils pensé, nous avons seulement besoin de quelques conseillers militaires supplémentaires et d'un peu plus de dollars pour l'appliquer. Quand leur politique persista à se révéler un échec, ils se sont mis en *colère*. Ils se sont dit : « Vous allez voir. » Ils étaient prêts, s'il le fallait, à transformer le pays en parking. Leurs troupes régulières furent envoyées par division. Ils ont bombardé les Vietnamiens « à mort ». La rage était palpable. Le temps était venu de compter les cadavres. Les cadavres des ennemis étaient emportés derrière des boucliers humains. C'était l'époque de My Lai et d'autres atrocités de ce genre. La politique des Américains était toujours un échec.

Alors ils ont commencé à *négocier*. Ils ont mis cinq ans à obtenir la « paix des braves », ce qui voulait dire mettre fin à la guerre sans devoir admettre qu'ils avaient tort en quoi que ce fût. D'un point de vue objectif, les négociations ont également échoué. Le fait est qu'ils avaient perdu la guerre. Le pays le plus « puissant » au monde était tenu en échec par l'un des plus « petits ». Les Américains se sont retirés par centaines de milliers, et l'« ennemi » regagna du terrain. Mais, dans leur conscience collective – où la faculté de s'illusionner sur son propre compte est aussi grande que celle d'un individu –, ils ont fait en sorte de croire que la négociation avait réussi.

Avaient-ils perdu une seule des offensives importantes qu'ils avaient provoquées ? S'étaient-ils rendus à l'ennemi ? Non. Ils n'avaient fait que se « tirer » d'un « mauvais pas ».

Pour moi, la plus grande tragédie de la guerre du Viêt-Nam est que la nation américaine n'a jamais été prête à subir une véritable et profonde *dépression* à ce sujet. Les Américains ont été incapables de reconnaître collectivement leurs erreurs. Ils n'ont jamais présenté publiquement des excuses. Ils n'ont jamais vraiment admis qu'ils avaient *tort*. N'ayant jamais été prêts à faire le travail de la dépression, ils n'ont jamais été capables, en tant que nation, de sortir grandis de cet échec, d'apprendre comment être différents. Par conséquent, leur politique à l'endroit du communisme et des peuples du Tiers-Monde n'a pas changé sous prétexte qu'elle avait échoué une fois. Les Américains n'ont pas changé. La plupart du temps, ils se comportent comme si la guerre du Viêt-Nam n'avait jamais eu lieu.

Il y a donc une équation entre le vide, la dépression et la mort psychologique. Il existe des ponts entre le chaos et la communauté, entre ce qui est décadent et ce qui est régénéré, entre le péché et la réforme. Voilà pourquoi les participants à un atelier sur le désarmement que j'ai eu le plaisir de diriger ont décidé, avec assez de justesse, de consacrer la dernière partie du temps passé ensemble à s'interroger sur la manière de faire le travail de la dépression.

L'essence du travail de mise à vide – du travail de la dépression et de l'angoisse du sacrifice – est la volonté de se laisser aller, de se soumettre. Au cours du processus de formation de la communauté, il est rare que je m'arrêterai à des problèmes individuels. Cependant il peut arriver qu'un membre ait de la difficulté à renoncer à une chose en particulier, à faire abstraction de quelque attachement ou de quelque ressentiment – quelqu'un pourra dire par exemple : « Je suis incapable de pardonner à mon père de m'avoir maltraité quand j'étais enfant » ou « Je n'arrive pas à oublier la façon dont l'Église m'a traité lors de mon divorce » – ; dans ces moments, il arrive alors que je raconte cette histoire empruntée au bouddhisme zen [8].

Busho et Tanko étaient deux moines cheminant d'un monastère à l'autre un jour de pluie. À mi-chemin, les deux moines arrivèrent à un carrefour transformé en gigantesque mare de boue. Une jeune femme vêtue d'un magnifique kimono se tenait debout dans un coin, l'air malheureux. Busho s'approcha d'elle et lui demanda si elle avait besoin d'aide pour traverser la route. Elle répondit affirmativement. « Bien, s'exclama Busho, grimpez donc sur mon dos. » La jeune femme grimpa sur le dos de Busho et celui-ci traversa la route ; parvenu de l'autre côté, il la déposa doucement par terre. Ensuite, Tanko et Busho poursuivirent leur voyage sous la pluie et dans la boue.

Fatigués et affamés, les deux moines parvinrent à destination juste avant la tombée de la nuit. Ils firent un brin de toilette et avalèrent le bon repas que leur avaient préparé les autres moines. Après avoir dîné, Tanko dit : « Busho, comment as-tu pu ? Comment as-tu pu transporter cette femme ? Tu sais que nous, les moines, nous ne devons avoir aucun commerce avec les femmes. Pourtant, tu as proposé à l'une d'entre elles de grimper sur ton dos et, en plus, elle était jeune et jolie. Qu'auraient dit les gens s'ils t'avaient vu ? Tu as renié tes vœux et déshonoré la congrégation à laquelle tu appartiens. Comment as-tu pu ? »

Busho le regarda. « Tanko, tu es encore en train de porter cette jeune femme. Pourquoi ? Moi, je l'ai posée par terre il y a cinq heures déjà. »

Comme je l'ai déjà dit, nous faisons le vide pour faire place au nouveau. La seule raison d'abandonner une chose est de la remplacer par une meilleure chose. La paix est de loin préférable à la guerre. Nous devons donc nous demander :

---

8. Je l'ai lue une première fois sous le titre « The Monk and the Woman » dans Anthony Melo, s.j., *The Song Bird*, Chicago, Loyola University Press, 1983, p. 138.

« Que devons-nous abandonner pour gagner la paix ? » Quelles habitudes et quels comportements devons-nous mettre de côté? Quelles opinions, quelles politiques, quelles façons de voir les choses, quels ressentiments avons-nous encore conservés? À quelles éventualités devons-nous être prêts et quelles sont celles qu'il nous faudra rejeter?

CHAPITRE XI

LA VULNÉRABILITÉ

Nous définissons le « vide » comme une « ouverture à l'Autre – qu'il s'agisse d'une idée étrangère, d'un étranger ou de Dieu. Que se passe-t-il quand l'Autre est dangereux ? Que se passe-t-il quand l'idée nouvelle se révèle mauvaise, quand l'étranger est un meurtrier, quand la voix de l'Autre est celle du Mal ? Ne serons-nous pas blessés ?

Oui, bien sûr. L'ouverture exige de nous la vulnérabilité – la capacité, voire le désir, d'être blessé. La question n'est pas simple, du genre tout blanc ou tout noir. D'abord, le mot « blessé » est lui-même ambigu. Il peut vouloir dire qu'on est « blessé », ou tout simplement qu'on « a mal ». Il m'arrive parfois de montrer la différence entre ces deux réalités en demandant s'il y a un volontaire dans la salle pour se soumettre à une expérience inconnue, mais douloureuse. Il se trouve toujours quelque brave pour se porter volontaire, et, ce que je fais alors, c'est de lui pincer l'avant-bras assez rudement puis de lui demander : « Je vous ai fait mal ? ». Avec une grimace, ma victime me répond oui en se massant le bras. « Vous ai-je blessé ? ». Après quelques secondes de réflexion, ma victime répond : « Cela m'a très certainement fait mal, mais, non, je ne peux pas dire que je suis vraiment blessé. » Il serait parfaitement idiot d'introduire délibérément son doigt dans les rouages d'une machine. On se blesserait pour rien. Mais la vie est ainsi faite qu'il est impossible de vivre sans jamais avoir mal, à moins de passer son existence dans une cellule capitonnée.

Le terme « vulnérabilité » est également ambigu, parce qu'il ne fait pas la différence entre la blessure physique et la blessure émotionnelle. Il ne s'agit pas de blessures du même genre que celles qu'un enfant s'inflige aux genoux en grimpant aux arbres ; il est davantage question de souffrances émotionnelles. Il est impossible d'avoir une existence bien remplie sans accepter, du coup, de connaître régulièrement la dépression et le désespoir, la crainte et l'angoisse, la douleur et le chagrin, la colère et la difficulté de pardonner, la confusion et le doute, la critique et le rejet. Une vie dépourvue de ce genre de bouleversements émotifs n'est pas seulement inutile aux yeux de la personne elle-même, elle est inutile aux yeux des autres. Nous ne pouvons pas soigner sans d'abord accepter d'être blessé.

Il m'est arrivé de participer à un exorcisme et, avant d'y procéder, j'ai dû décider si telle personne qui montrait de l'intérêt pour la question pouvait faire partie de l'équipe soignante. Mes sentiments étaient tellement partagés que je résolus de lui laisser la responsabilité de la décision. En fin de compte, je dis à cet homme : « Vous êtes le bienvenu dans notre équipe, à condition d'y venir dans un esprit d'amour. Dans l'éventualité où les soins à donner au patient entreraient en conflit avec votre sécurité, l'amour exige que ce soit cette dernière qui soit sacrifiée. » Fort sagement, je suppose, l'homme décida de ne pas participer.

Si Jésus le guérisseur nous a enseigné une chose, c'est bien que la voie du salut passe par la vulnérabilité. Voilà pourquoi, au cours de son séjour sur la terre, vulnérable, il déambulait au milieu des Romains, des percepteurs d'impôts et d'autres personnages qui étaient tout à l'opposé de ce qu'il était (y compris au milieu des femmes, tout aussi contraires à lui en vertu de la culture sexiste à laquelle il appartenait), au milieu des exclus et des étrangers, des Cananéens et des Samaritains, au milieu des malades, des possédés du démon, des lépreux et des gens atteints de maladies contagieuses. Quand vint pour lui le moment de mourir, il s'en est délibérément remis aux coups mortels de l'ordre établi, ce qui a amené la théologienne Dorothee Sölle à dire de Jésus qu'il a incarné le désarmement unilatéral de Dieu [1].

Une théologie saine engendre une psychologie saine. Quand une théologie est saine, elle est saine parce qu'elle est vraie ; et quand elle est vraie, elle s'applique en général à long terme, pour ne pas dire également à court terme. Par conséquent, que se passe-t-il quand nous nous plaçons en situation de vulnérabilité par rapport à une autre personne ? Que se passe-t-il quand je dis : « J'ai écrit un livre sur la discipline, et je ne suis même pas capable d'arrêter de fumer. Parfois, je pense que je ne suis qu'un hypocrite, un fumiste. Parfois, je pense que je ne suis pas moi-même sur la bonne voie. Parfois, j'ai le sentiment de ne pas savoir où j'en suis. Je me sens perdu et effrayé. Et fatigué. Même si je n'ai que cinquante ans, il m'arrive parfois d'être si fatigué. Et si seul. Voulez-vous m'aider ? » Chez autrui, les effets de cette sorte de vulnérabilité sont presque toujours *désarmants*. Il est fort probable qu'on me répondra : « Vous semblez être quelqu'un d'authentique. Moi aussi je suis fatigué et effrayé et seul. Bien sûr que je vous aiderai de toutes les façons possibles. »

Que se passe-t-il quand nous agissons comme si nous étions invulnérables, quand nous nous entourons de défenses psychologiques et prétendons maîtriser parfaitement la situation, quand nous sommes des individualistes absolus qui ont l'air de contrôler entièrement leur vie ? Que se passe-t-il quand les autres s'entourent eux aussi de *leurs* défenses psycholo-

---

1. Dorothee Sölle, *Of War and Love*, Maryknoll, New York, Orbis Book, 1984, p. 97.

giques et prétendent eux aussi maîtriser parfaitement la situation, et que les relations humaines et interpersonnelles en sont réduites à celles que peuvent avoir deux chars d'assaut vides qui se heurtent?

Il en est de même des rapports entre les nations. La politique internationale des Américains exige qu'ils soient aussi invulnérables que possible. La politique internationale des autres nations exige qu'elles aussi, bien sûr, soient aussi invulnérables que possible. Mais ce sont là des politiques désespérées. Elles n'offrent aucune possibilité d'établir des rapports pacifistes entre les États, encore bien moins d'établir une communauté internationale. Elles n'offrent que des menaces de mort et de destruction sans cesse plus grandes. Il est impossible de se sortir de cette situation sans prendre unilatéralement l'initiative de la vulnérabilité.

Je ne voudrais pas que mes mots soient entendus de façon simpliste. Je ne parle pas de vulnérabilité stupide. Je ne vous demande pas, si vous demeurez dans le centre d'une des grandes villes des États-Unis (ainsi que Lily et moi l'avons fait pendant des années), de ne plus fermer votre porte à clé, car, en agissant ainsi, vous pouvez être sûr qu'on vous volera jusqu'à la dernière épingle – et ce n'est pas demain qu'on vous volera, mais ce soir. Je parle plutôt du désir de se montrer vulnérable. On me dit que les États-Unis possèdent suffisamment d'armes nucléaires pour faire sauter dix fois chaque individu de la planète. Imaginez quel geste remarquable de vulnérabilité et de pacifisme ce serait si, de leur propre initiative, les Américains décidaient de se débarrasser de la moitié de cet armement! Et malgré tout il leur en resterait suffisamment pour faire sauter encore chaque habitant plus de cinq fois!

Le rejet physique des armes n'est pas la seule façon que nous, humains, avons, sur le plan individuel ou collectif, de nous montrer vulnérables. Il m'est arrivé de donner des conférences sur le sujet en compagnie de Keith Miller. Un jour celui-ci annonça : « Je ne suis pas sûr d'être d'accord avec Scotty quand il affirme que la meilleure chose à faire est de se débarrasser de la moitié de nos armes nucléaires. Ce que je pense, c'est que nous devrions nous excuser auprès des Soviétiques. Nous devrions leur dire que nous ne nous sommes pas comportés en véritables chrétiens vis-à-vis d'eux. Nous ne les avons pas aimés de tout notre cœur. Nous ne leur avons pas voulu du bien. Nous ne nous sommes pas réjouis de leurs réussites. Nous ne les avons pas aimés comme nous-mêmes. Nous devrions leur dire que nous le regrettons, et que nous leur demandons humblement pardon. » Quelle que soit la forme qu'elle prend, la vulnérabilité exige toujours un acte de foi, même minime, et, pour certaines personnes, il peut être plus facile de se débarrasser de la moitié des armes de la planète que de reconnaître ses imperfections.

Chaque fois que j'ai discuté de désarmement avec un faucon, même s'il s'agissait de désarmement partiel, cela n'a jamais rien donné parce que ce genre de personnes adoptent un raisonnement que j'appelle le « contrôle des mentalités » ou la psychologie du « oui, mais...? ». Ces gens ont le sentiment qu'il est possible et nécessaire de vivre dans un monde où toutes les contingences sont sous contrôle, dans un monde où il n'y a plus de risques. Par conséquent, à ma proposition de réduire unilatéralement de moitié l'armement nucléaire des États-Unis, ou à celle de Keith, selon laquelle les Américains devraient demander pardon aux Soviétiques – ou à quelque autre proposition du genre –, ils répondent invariablement : « *Oui, mais* que se passerait-il si les Soviétiques interprètaient ce geste de vulnérabilité comme un signe de faiblesse? Et qu'ils décidaient d'en profiter? »

Le problème, c'est qu'il y aura toujours des « oui, mais ». Les soi-disant faucons, qui aiment se considérer comme des gens réalistes, n'aimeront pas faire face à cette réalité. Leur psychologie en est une de crainte et de méfiance, et le comportement qui en résulte, typique de la crainte qui le motive, est rigide et unidimensionnel. Il n'est toutefois pas dépourvu d'humour à l'occasion. Certaines personnes m'ont dit : « Dr Peck, si vous me trouvez une façon d'être vulnérable sans courir de risques, je le serai très volontiers. »

Le risque est l'élément essentiel de la vulnérabilité. Mais là encore, il faut apprendre à penser en termes contradictoires et à plus d'un niveau à la fois. Le musulman Sufi Nagshband fit un jour le commentaire suivant : « Quand les gens disent : "Pleure", ils ne veulent pas dire : "Pleure sans arrêt". Quand ils disent : "Ne pleure pas", ils ne vous demandent pas d'être un clown en permanence [2]. » Il ne s'agit donc pas d'opposer l'invulnérabilité totale au pacifisme absolu, pas plus qu'il ne faut en conclure que les Soviétiques sont « tout comme les Américains » ou qu'ils sont de purs étrangers ou entièrement mauvais. Il revient à chacun d'apprendre à évaluer les personnes envers qui il peut se montrer vulnérable et celles envers qui il ne le peut pas, quand, comment, et dans quelle mesure.

Fort habilement, Jésus a su déjouer les pièges qui lui étaient tendus et reporter sa crucifixion aussi loin qu'il était possible sans se soustraire à ses devoirs. C'est donc que personne ne nous demande d'être complètement sans défense. Par ailleurs, ceux qui prennent le christianisme au sérieux comprendront que la crucifixion n'est pas seulement un événement survenu à quelque grande figure isolée, il y a un peu plus de mille neuf cent cinquante années. Ils comprendront aussi que, s'ils veulent vivre pleinement leur vie, ils doivent vouloir la partager avec les autres et à leur profit. La vulnérabilité sans risques n'existe pas – risque d'être rejeté en partie ou en totalité, risque de voir les autres tirer parti de notre vulnérabilité. C'est un risque toujours présent.

De toutes les formes possibles de vulnérabilité, la plus difficile est celle qui consiste à avouer certaine imperfection, problème, névrose, faute ou échec – toutes choses que notre culture dominée par l'individualisme absolu a tendance à regrouper sous l'étiquette « faiblesse ». C'est là un comportement culturel ridicule, puisque, dans les faits, individus ou

2. Idries Shah, *The Way of Sufi*, New York, collection de poche Dutton, 1970, p. 150.

nations, nous sommes tous faibles. Nous avons tous des problèmes, des imperfections, des névroses et nous avons tous commis des fautes ou connu l'échec. Nier le fait serait un mensonge.

Ce comportement culturel est particulièrement ridicule dès qu'il s'agit de gens qui se disent chrétiens. Celui qu'ils appellent « Seigneur » n'a pas seulement vécu et n'est pas seulement mort de façon vulnérable, mais sa vie fut également un échec selon nos critères habituels. Nous adorons un homme dont l'existence prit fin par une exécution en tant que vulgaire agitateur politique, qui fut mis à mort entre deux criminels encore plus ordinaires, raillé par ses bourreaux, trahi par ses disciples et abandonné par la plupart de ses amis – un véritable perdant, dans tous les sens du mot. Le proverbe qui traduit le mieux le christianisme est peut-être celui-ci : « Ma puissance s'accomplit dans ma faiblesse [3] ». Pour être membre d'une véritable Église il faut d'abord être pécheur soi-même. L'Église est proprement l'Église des faibles, lesquels adorent un Dieu qui, paradoxalement, gouverne le monde au nom de sa faiblesse. C'est là une doctrine qui semblera étrangère à la plupart des gens, soumis à la « domination et l'autorité ». Comme l'a si bien affirmé G. K. Chesterton : « On peut dire que l'idéal chrétien n'est pas une chose que l'on aurait essayé d'appliquer parce qu'on l'aurait estimée souhaitable ; on peut dire qu'on a estimé qu'il était difficile et qu'on a renoncé à l'essayer [4]. »

Par conséquent, la vulnérabilité ne consiste pas seulement à accepter de courir le risque d'être blessé, mais aussi, souvent, à montrer nos blessures : nos effondrements, nos handicaps, nos faiblesses, nos échecs et nos incapacités. Je ne pense

---

3. II Corinthiens, 12,9.

4. G.K. Chesterton, *What's wrong with the world ?*, première partie, chapitre 5, 1910, *in Familiar Quotations* de Bartlett, Boston, Little Brown, 1980, p. 742.

pas que Jésus se soit promené de façon vulnérable au milieu des exclus et des faibles de ce monde uniquement dans un but de sacrifice. Bien au contraire, je le soupçonne d'avoir agi ainsi parce qu'il préférait leur compagnie. Nous ne pourrons trouver la communauté que parmi les gens qui s'avoueront imparfaits et la paix ne pourra régner qu'entre nations du monde qui admettront qu'elles sont imparfaites. Les imperfections font partie de ces quelques rares choses que nous, humains, avons en commun.

Il m'arrive parfois de dire que la psychothérapie joue le jeu de l'honnêteté. Les gens qui commencent une thérapie souffrent de mensonges – aussi bien des mensonges de leurs parents que ceux de leurs propres enfants, de leurs professeurs, des médias, ou des mensonges qu'ils se disent à eux-mêmes. Seul un climat d'honnêteté totale entre deux êtres humains peut corriger ce genre de mensonges. Voilà pourquoi les psychothérapeutes doivent être prêts, si nécessaire, à faire preuve d'honnêteté et à jouer « franc jeu » au sujet de leurs propres effondrements. En réalité, seuls les gens honnêtes peuvent jouer le rôle de thérapeute dans notre monde. Ce n'est pas un hasard si un des ouvrages classiques de notre temps s'intitule *The Wounded Healer* [5]. Comme le faisait remarquer quelqu'un dans un atelier de formation de la communauté : « Le plus grand cadeau que nous puissions nous faire est celui de nos propres blessures. » Le véritable thérapeute doit avoir été blessé. Seul le blessé peut guérir.

La politique des États-Unis, de l'URSS et de presque toutes les nations du monde est de paraître aussi invulnérables que possible, non seulement en termes d'armements, mais dans chacun des aspects du processus politique. En tant que nation, les États-Unis veulent se comporter comme s'ils n'avaient aucun point faible. Tout se passe comme si le dogme de l'infaillibilité ne concernait pas uniquement le pape. Pas plus

5. Henri Nouwen, *The Wounded Healer*, Garden CIty, N.Y., Doubleday, 1972.

que l'URSS, les États-Unis n'admettent leurs erreurs ou leurs fautes. Les politiciens américains se sont enfermés dans une fausse image d'invulnérabilité et d'infaillibilité. Ce n'est que lorsqu'ils seront prêts à laisser tomber ces représentations primaires de la force qu'ils pourront devenir faibles et, pourtant, suffisamment forts pour conduire les nations vers la communauté universelle.

Faibles et pourtant suffisamment forts? Encore une fois, nous nous heurtons à un paradoxe. Actuellement, un des paradoxes de la vie est que, passé une certaine limite, les nations et les individus courent plus de dangers dans la mesure même où ils cherchent à être invulnérables. En tant que nation, les États-Unis ont depuis longtemps franchi cette limite. Le cercle vicieux qui consiste à empiler systèmes d'armements sur systèmes d'armements, menaces sur contre-menaces, ne réussit qu'à devenir de plus en plus meurtrier, et il n'y a pas d'autres moyens de s'en sortir que de prendre unilatéralement l'initiative véritable de la faiblesse et de la vulnérabilité.

Nous avons entendu le mot « initiative » à plusieurs reprises. Combien de fois le gouvernement des États-Unis n'a-t-il pas proclamé, par l'entremise des médias d'information, qu'il prenait de « nouvelles et vigoureuses initiatives » dans le but de « mettre fin à la course aux armements »? Par la suite, les Américains se demandent pourquoi les Soviétiques ne répondent pas, et ils interprètent ce silence comme la preuve de leurs intentions maléfiques. Du reste, il semble que les « initiatives » soviétiques ne mènent également nulle part. C'est que le mot est employé d'une manière inadéquate. Dans son sens véritable, « initiative » suppose à la fois le risque et la volonté d'agir unilatéralement. Les initiatives des Américains n'impliquent ni l'un ni l'autre. Ils ne font que dire : « Nous allons nous débarrasser de ceci et vous allez vous débarrasser de cela. » La proposition est toujours formulée de façon bilatérale et ne comporte aucun risque. Ces fameuses « initiatives » ne sont que des astuces et, inévitablement, elles ne suscitent que d'autres astuces, et vice versa. Le problème est résumé dans le sous-titre d'un récent (et par ailleurs excellent) ouvrage américain : *Negotiating Agreement Without Giving In* [6]. Pareillement, le mot « négociation » est souvent utilisé à mauvais escient.

Il faut toujours quelque brave pour commencer à construire la communauté. À vrai dire, quelqu'un doit prendre des initiatives. L'un après l'autre, les gens prennent le risque véritable d'être, les uns rejetés, les autres blessés, à mesure que le groupe accède (ou descend) à un niveau plus profond de vulnérabilité et d'honnêteté. Le procédé est toujours individuel, toujours unilatéral et toujours risqué. Voilà la réalité.

Je n'en appelle pas à une politique d'apaisement. Ce serait simpliste, ainsi que le monde a pu clairement le vérifier en de nombreuses occasions au cours des soixante dernières années. Il n'empêche que la politique américaine de dissuasion par les armes peut en soi se révéler simpliste. Les dirigeants des États-Unis affirment qu'on ne peut acheter à rabais la sécurité de la paix. Je suis d'accord. Paradoxalement, on ne peut obtenir la paix qu'en prenant des risques dangereux. Cependant, il est étrange de penser que les guerres qui se déroulent à l'heure actuelle sont les seuls risques que les Américains sont disposés à prendre. Le problème majeur de la course aux armements n'est pas qu'au nom de la paix ils risquent trop gros, mais qu'ils risquent trop peu. Ils doivent adopter une stratégie plus complexe et plus multidimensionnelle que celle de « la paix par la force ». Plus précisément, ils doivent chercher en plus, et avec une vigueur au moins égale, à concevoir des stratégies de « paix par la faiblesse », qui permettront de construire la communauté. Il n'y a pas d'autre espoir d'y arriver. La réalité, est qu'il n'y a pas de vulnérabilité sans risques, qu'il n'y a pas de communauté sans vulnérabilité, et qu'il n'y a pas de paix – et, ultimement, de vie – sans la communauté.

6.   Roger Fisher et William Ury, *Getting to Yes : Negotiating Agreement Without Giving In*, New York, Penguin Books, 1981.

CHAPITRE XII

INTÉGRATION ET INTÉGRITÉ

La communauté cherche à intégrer. Elle intègre des gens de sexe, d'âge, de religion, de culture, d'opinions, de mode de vie différents et qui en sont à des moments différents de leur évolution. Elle les intègre dans un ensemble plus grand que la somme de ses parties. L'intégration n'est pas un mélange; il n'en résulte pas quelque fade purée. Elle rappelle plutôt la composition d'une salade, où l'intégralité de chaque ingrédient est préservée et prend davantage de relief, bien que l'ingrédient soit harmonieusement intégré au tout. La communauté ne résout pas le problème du pluralisme en ignorant la diversité. Elle cherche au contraire la diversité, accueille les autres points de vue, réunit les contraires, s'efforce de voir tous les aspects d'une question. La communauté est « holistique ». Elle nous intègre, nous humains, dans le fonctionnement d'un grand corps mystique.

Le mot « intégralité » vient du verbe « intégrer ». La véritable communauté se caractérise toujours par son intégralité. Ce n'est pas par hasard qu'Erik Erikson a lui aussi appelé « intégralité » l'étape ultime du développement psychosocial de l'individu. L'intégralité de la communauté caractérise la forme la plus élevée de fonctionnement de groupe, tout comme l'intégralité caractérise un mode de fonctionnement individuel hautement mystique et holistique. Inversement, les formes les plus inférieures – les plus néfastes et les plus destructrices – de comportement individuel et de groupe se caractérisent par leur manque d'intégralité.

Les psychologues ont recours à un verbe qui est le contraire du verbe « intégrer » : « compartimenter ». Il sert à désigner cette capacité remarquable qu'a l'être humain d'isoler des questions pourtant parfaitement liées et de les ranger dans des compartiments étanches, où elles n'entreront pas en contact les unes avec les autres et ne causeront aucune souffrance. Un exemple de cette façon de voir les choses se trouve chez l'homme d'affaires qui se rend à l'église le dimanche matin, persuadé qu'il aime Dieu, sa Création et Ses créatures, et qui, le lundi matin, n'éprouve aucun scrupule à déverser systématiquement les déchets toxiques de son usine dans la rivière avoisinante. Cet homme a rangé sa religion dans un compartiment et ses affaires dans un autre. Il est ce qu'on appelle un « chrétien du dimanche matin ». Ce peut être une façon commode de vivre, mais cela n'a rien à voir avec l'intégralité.

L'intégralité n'existe jamais sans douleur. Elle exige de permettre que les choses se heurtent les unes aux autres pour que nous puissions éprouver pleinement la tension qui naît de besoins, de demandes et d'intérêts contradictoires ; elle exige même que nous soyons déchirés par eux. Prenons l'exemple des États-Unis, où sur chaque pièce de monnaie est gravée la phrase « In God we trust [1] » et qui est aussi le principal fabricant et vendeur d'armes dans le monde. Comment interpréter cela ? Faut-il s'en accommoder ? Faut-il traiter ces questions dans des compartiments séparés ? Ou faut-il s'interroger sur

---

1. En Dieu, nous croyons. *(N.d.T.)*

leur caractère conflictuel et être angoissé par la difficulté de résoudre le conflit ? Ainsi, devrait-on, au nom de l'intégralité, envisager la possibilité de changer l'inscription sur ces pièces de monnaie, qui ne serait plus « In God we trust », mais « In Weapons we trust [2] » ?

L'intégralité n'étant jamais réalisée sans douleur, il est normal que la communauté ne le soit pas non plus. La communauté exige de montrer une ouverture et une vulnérablité totales quant aux tensions qui naissent des besoins, des demandes et des intérêts contradictoires de ses membres et de la communauté dans son ensemble. Elle ne cherche pas à éviter les conflits, mais à les concilier. L'essence de la conciliation se trouve dans le processus douloureux et sacrificiel du vide. La communauté encourage constamment ses membres à faire suffisamment le vide en eux pour faire place à d'autres points de vue, à des façons nouvelles et différentes de voir les choses. Douloureusement, mais avec joie, la communauté pousse ses membres et se pousse elle-même à accéder à un niveau plus profond d'intégralité.

Marcher au son du tambour de la communauté et de la paix est une façon de répondre à des vibrations bien différentes de celles des tambours de guerre. Par conséquent, il est de toute première importance que nous devenions habiles à reconnaître ces vibrations différentes. L'essence de cette faculté réside peut-être dans notre capacité de reconnaître le son que rend l'intégralité et celui que rend son absence.

QUE MANQUE-T-IL ?

L'intégralité peut être difficile à atteindre, mais le test servant à vérifier son existence est relativement simple. Si vous voulez faire la différence entre la présence de l'intégralité et son absence, vous n'avez qu'une seule question à vous poser :

---

2. Nous croyons aux armes. *(N.d.T.)*

qu'est-ce qui manque ? A-t-on oublié quelque chose ?

J'ai appris à faire ce test pour la première fois, à l'âge de quinze ans, alors que je commençais à suivre dans les journaux les événements de la guerre de Corée. Chaque matin, je lisais avidement les plus récentes statistiques du *New York Times* : « Trente et un MIG abattus ; un avion américain est endommagé légèrement ». Le jour suivant : « Vingt-neuf MIG abattus ; un avion américain et son pilote disparus ». Il était évident, ainsi que nous en informaient les articles et les éditoriaux, que les avions étaient supérieurs aux MIG d'un point de vue technologique et que les pilotes étaient non seulement mieux entraînés que les pilotes nord-coréens ou chinois, mais qu'ils étaient aussi plus intelligents. Le jour suivant : « Trente-sept MIG abattus ; tous les avions américains sont rentrés à la base sans dommages ». Cela continuait jour après jour, semaine après semaine, mois après mois. Au début, les succès des États-Unis me remplissaient d'une fierté patriotique. Puis j'éprouvai un certain malaise. Le problème venait de ce que le même journal m'informait que la Corée du Nord, la Chine et l'URSS étaient des pays industriellement sous-développés. C'était une chance que leurs avions soient de piètre qualité et leurs pilotes dépourvus de formation, mais je commençai à me demander peu à peu pourquoi des pays aussi sous-développés continuaient de lâcher leurs avions juste pour les voir se faire abattre par douzaines chaque jour. Les pièces du puzzle ne coïncidaient tout simplement pas. Soit qu'une ou plusieurs pièces étaient déformées – étaient des mensonges –, soit qu'une ou plusieurs *manquaient*. C'est à ce moment que j'ai cessé de croire à tout ce que je lisais dans les journaux. Au cours des années suivantes, rien ne m'a donné de raisons d'y croire de nouveau.

Environ une décennie plus tard, je lus l'énorme et attachant roman d'Ayn Rand, *Atlas Shrugged* [3]. Ce livre semble

3. Ayn Rand, *Atlas Shrugged*, New York, Random House, 1957.

être une illustration brillante de la philosophie d'individualisme absolu et de totale liberté d'entreprise préconisée par l'auteur. Pourtant, quelque chose me gênait dans cette façon de voir – quelque chose que je n'arrivais pas à nommer. Je continuai à me torturer pendant quelque temps jusqu'au jour où je compris qu'il n'y avait, à toutes fins pratiques, aucun enfant dans cette fresque de plusieurs centaines de pages racontant l'évolution de toute une société et les vies mouvementées de plusieurs personnages. Le roman était littéralement dépourvu d'enfants. Dans la société d'Ayn Rand, on aurait dit que les enfants n'existaient pas ; ils étaient absents. Il est évident qu'il s'agit là d'une situation à laquelle se heurtent l'individualisme absolu et le capitalisme débridé : les enfants et les autres personnes qui, comme les enfants, ont besoin de soins, n'en font pas partie.

Cinq ans plus tard, au cours de ma formation de psychiatre, on m'enseigna le précepte suivant : « Ce que le patient ne dit pas est aussi important que ce qu'il ou elle dit ». C'est là une règle excellente. En quelques séances de thérapie, les patients les plus équilibrés parleront de leur présent, de leur passé et de leur avenir de manière parfaitement équilibrée. Si un patient ne parle que du présent et de l'avenir, sans jamais faire mention du passé, vous pouvez être sûr qu'il n'a pas intégré et liquidé au moins un aspect important de son enfance. C'est cet aspect qu'il s'agit maintenant de mettre en lumière pour lui faire connaître une guérison complète. Si une patiente ne parle que de son enfance et de l'avenir, le thérapeute est en mesure d'affirmer qu'elle éprouve une grande difficulté à faire face à ce qui se passe « ici et maintenant » – difficulté liée à l'intimité et au risque. Quand un patient n'évoque jamais l'avenir, on est en droit de penser qu'il a vraisemblablement un problème avec l'imagination et l'espoir.

Permettez-moi maintenant de faire un bond en avant de plusieurs décennies, et de me reporter en 1985, trente et un ans après la décision de la Cour suprême des États-Unis d'abolir la ségrégation raciale. Je devais prononcer une conférence à

Little Rock, dans l'Arkansas. La conférence était ouverte au grand public et neuf cents personnes se présentèrent. Aucun Noir n'était présent dans l'assistance. Par cet exemple, je ne cherche pas à blâmer cette ville en particulier ; dans une proportion juste un peu moindre, le même scénario s'est répété dans plusieurs autres villes. Mon exemple sert uniquement à illustrer, encore une fois, l'affirmation selon laquelle un manque d'intégralité se reflète toujours par un manque d'intégration et que, dans les faits, un élément a été écarté. Dans ce cas-ci, un coup d'œil rapide sur le public venu assister à ma conférence témoignait éloquemment du peu d'intégralité de notre société. Il manquait des visages noirs. Du point de vue de l'histoire des États-Unis et si on compare avec d'autres sociétés, les Américains ont fait des progrès évidents dans le domaine de l'intégration raciale. Mais il est clair qu'ils ont encore beaucoup à faire.

Il existe une autre façon de mesurer le degré d'intégralité, et elle n'est peut-être pas si simple à comprendre. Si aucune pièce de la réalité ne manque dans le décor, si tous ses aspects sont activement intégrés, il y a fort à parier que vous vous trouverez alors en présence d'un paradoxe. Si on remonte à ses racines, on peut dire que presque chaque vérité est paradoxale. De ce point de vue, les écrits bouddhistes sont en général plus profonds que les écrits chrétiens. Le bouddhisme zen, notamment, est l'école idéale du paradoxe. Parmi toutes les blagues qui racontent l'histoire d'une ampoule à changer, ma préférée est celle-ci : « Combien de bouddhistes zen faut-il pour changer une ampoule ? » La réponse : « Deux : un pour changer l'ampoule et un autre pour *ne pas* la changer. »

Au risque de paraître plus stupide que profond à un esprit occidental unidimensionnel, je dirais que je ne considère pas ce livre comme étant simplement « mon » livre. Je ne l'ai écrit que parce que d'autres personnes ne l'ont *pas* écrit : éditeurs, libraires, fermiers, menuisiers et autres – tout ceux dont le travail m'a été nécessaire pour pouvoir écrire ce livre en particulier. En principe, je ne suis pas contre la spécialisation, puisque leur travail m'a permis de me spécialiser dans l'écriture. Mais quand la spécialisation conduit à une façon compartimentée de penser qui amène à conclure : ceci est mon livre, ou ceci est mon pays, je dis que nous avons perdu de vue l'ensemble de l'affaire. Notre raisonnement tombe alors dans l'erreur.

Quand une idée *est* paradoxale, le fait en soi devrait nous indiquer qu'elle est intégralement juste, qu'elle atteint le cœur de la vérité. Inversement, quand une idée n'est en rien paradoxale, il faut s'en méfier et vous pouvez être persuadé qu'elle n'a pas réussi à intégrer certaines parties de l'ensemble. Prenez, encore une fois à titre d'exemple, l'éthique de l'individualisme absolu. C'est une éthique qui n'a rien de paradoxal. Elle ne considère qu'un seul aspect de la vérité : nous tous sommes faits pour l'individualisation, la plénitude et l'autonomie. Son erreur est d'ignorer l'autre aspect de la même vérité : nous sommes aussi appelés à reconnaître nos lacunes, nos effondrements et notre interdépendance. Son erreur est d'encourager un dangereux culte de soi. Car en réalité nous n'existons pas par nous-mêmes ou pour nous-mêmes. Le Bouddhisme enseigne en effet que la notion même du moi en tant qu'entité isolée est une illusion. C'est une illusion à laquelle plusieurs céderont parce qu'ils ne pensent pas ou ne penseront pas en terme d'intégralité.

Si j'envisage les choses d'un point de vue un tant soit peu intégral, je comprends très vite que ma vie dépend entièrement non seulement de la terre, de la pluie et du soleil, mais aussi des fermiers, des éditeurs et des libraires dont j'ai parlé il y a un instant, de même que de mes patients, de mes enfants, de mon épouse et d'autres collègues – à vrai dire de tout le tissu de la famille, de la société et de la création. Dès lors, je ne peux pas, en toute honnêteté, m'accorder une plus grande importance que celle que je donne à ma famille, à la société, à l'écologie – je ne peux pas me compartimenter. Dès que nous nous mettons à penser d'un point de vue intégral, nous comprenons que nous sommes en réalité des intendants et que, d'un point de vue intégral, nous ne pouvons ignorer nos responsabilités d'intendance dans chacune des parties de l'ensemble.

Ainsi, plus je cherche à être intégral, moins j'ai envie d'utiliser le possessif. « Mon » épouse ne m'appartient pas. La personnalité de « mes » enfants ne dépend que fort peu de moi. D'une certaine façon, l'argent que je gagne m'appartient, mais, à un niveau plus profond, il m'est donné en raison de ma bonne fortune, y compris celle d'avoir eu des parents et d'excellents professeurs, d'avoir fréquenté d'excellentes universités, de pouvoir compter sur des lecteurs et sur un certain nombre de talents que je n'aurais même pas eu la bonne idée de demander. La loi peut décider que la propriété que je possède dans le Connecticut est « ma » propriété, mais plusieurs générations de Blancs et d'Indiens ont cultivé cette terre avant moi et j'espère qu'elle continuera de l'être par plusieurs générations d'étrangers. Les fleurs du jardin ne sont pas « mes » fleurs. J'ignore ce qu'il faut faire pour créer une fleur ; je peux seulement en prendre soin ou la nourrir.

En tant qu'intendants, nous ne pouvons pas nous isoler. Nous ne pouvons pas dire « Ce groupe ne me convient pas », pas plus que nous ne pouvons dire « Je n'ai rien à voir avec le Nicaragua » ou « Je ne me sens pas concerné par les gens qui meurent de faim en Éthiopie ». Pas plus que, d'un point de vue intégral, les Américains ne peuvent dire que « l'intervention américaine au Nicaragua ou en Éthiopie est l'affaire des dirigeants ; ce sont eux, les hommes politiques, les spécialistes en la matière ; c'est leur travail, pas le mien ». C'est ce genre d'attitude envers les dirigeants qui leur a permis de s'enfoncer encore plus profondément dans le marasme du Viêt-Nam, qu'ils avaient eux-mêmes créé en grande partie.

Malheureusement, la réalité voulant que l'intégralité s'oppose à l'isolationnisme a été évoquée par le gouvernement américain pour justifier ses tentatives maladroites de s'ériger en dictateur absolu. Par conséquent, les Américains ont pensé qu'il était de leur droit de devenir « le gendarme de la planète », attitude aussi arrogante, partiale et égoïste que l'isolationnisme. Bien sûr, tous les autres États-nations aimeraient être aussi le gendarme de la planète. C'est une attitude qui se révèle irréalisable en pratique, voire en théorie, sans parler des résultats qu'elle a donnés jusqu'à présent : une course aux armements qui va croissant et une ingérence frénétique dans les affaires internationales. Nous voici de nouveau confrontés aux dangers de notre façon de penser primitive, simpliste et unidimensionnelle : blanc ou noir, soit ceci/soit cela, laquelle nous oblige à être soit isolationnistes, soit de parfaits manipulateurs. Nous voici de nouveau confrontés à la nécessité de concevoir le monde d'une manière plus paradoxale, multidimensionnelle et plus exigeante sur le plan intellectuel.

Les diverses façons de concevoir le monde portent le nom de religions, et toutes les guerres sont des « guerres saintes ». Cependant, si nous voulons nous éloigner de la guerre, nous devons commencer à adopter des critères rationnels qui permettront de distinguer les vraies des fausses religions, les vrais des faux prophètes, les façons intégrales de concevoir le monde des façons qui ne le sont pas. Faute de quoi, les seuls critères seront ceux du plus fort qui l'emporte sur les champs de bataille sanglants. Même si la communauté doit et peut intégrer divers points de vue et diverses religions, cela ne veut pas dire que toutes les pensées et les pratiques religieuses ont la même valeur et le même degré d'achèvement. Quels sont les critères pour distinguer l'intégralité des religions ? En matière de religion, la vérité se caractérise par l'ouverture et le paradoxe. En matière de religion, la fausseté peut se mesurer à son univocité et à son incapacité d'intégrer l'ensemble. Pour mieux illustrer mon propos, arrêtons-nous au corps de doctrines religieuses qui est le plus près de l'ensemble des Américains : la doctrine chrétienne.

PARADOXE ET HÉRÉSIE

On appelle hérésie une façon fausse de penser ou de formuler une doctrine au nom de la foi.

Jusqu'à il y a environ six ans, je n'avais pas la moindre idée de ce que pouvait être une hérésie, et la chose me laissait indifférent. À vrai dire, j'avais hérité du concept par le biais de l'Inquisition et ce dernier me paraissait dangereusement lié au Moyen Âge ou à des siècles obscurs. C'est alors que je fus confronté à un cas de possession. La patiente en question était alors doublement homocide et suicidaire. Sa situation exigeait une hospitalisation permanente. Un mois avant l'exorcisme, dans le cadre d'une sorte d'enquête préliminaire, je lui demandai : « Parle-moi de Jésus ».

La femme prit un bout de papier et dessina une croix. « Il y a trois Jésus en haut, deux à gauche, deux à droite, et trois en bas, ici, dans la partie inférieure. »

« Ça suffit comme ça !, l'interrompis-je, car je cherchais à comprendre sa folie. Comment est-il mort ? »

« On l'a crucifié. »

Cédant à une impulsion, je demandai : « Cela a-t-il fait mal ? »

« Oh non ! », répondit-elle.

« Non ? », répliquai-je avec étonnement.

« Non. Vous comprenez, sa conscience en tant que Christ était si développée qu'il était capable de se projeter dans son corps astral et de s'envoler de la croix. »

C'était une sorte de réponse sur le mode « Nouvel Âge », mais je n'y accordai pas une importance plus grande jusqu'à cette soirée où je devais m'entretenir avec le prêtre catholique expérimenté qui agissait à titre de consultant dans l'affaire. La réponse de la femme m'avait semblé assez bizarre pour que je la mentionne dans le cours de notre conversation. « Oh ! commenta-t-il aussitôt, c'est le docétisme. »

« Pour l'amour du ciel, qu'est-ce que le docétisme ? » demandai-je.

« Le docétisme est l'une des premières hérésies de l'Église, répondit-il. Les docétistes étaient un groupe de premiers chrétiens qui croyaient que Jésus était entièrement divin et que sa dimension humaine n'était qu'une apparence. »

C'est ainsi que je fis connaissance avec l'hérésie. Ma patiente devait se révéler un livre ambulant sur les hérésies chrétiennes. J'appris ainsi que l'hérésie chrétienne est une chose dont seuls ceux qui se disent chrétiens peuvent se sentir coupables. Si vous êtes hindou ou musulman ou agnostique, vous pouvez croire tout ce que vous voulez et, en règle générale, les penseurs chrétiens ne se sentiront pas concernés par la véracité de vos croyances. Cependant, l'hérésie chrétienne est une chose mise de l'avant au nom du christianisme, mais qui peut entraîner de sérieuses distorsions dans la doctrine chrétienne, la miner ou en diluer la vérité.

Dans le cas du docétisme, l'aspect destructeur de l'hérésie est plutôt évident. Si Jésus est entièrement divin et sa nature humaine une simple apparence, ses souffrances sur la croix ne sont alors, ainsi que le croyait ma patiente, qu'une charade divine, et son sacrifice (qui constitue l'essence du christianisme) une illusion, une comédie du Ciel. Le docétisme frappe vicieusement au cœur de la doctrice chrétienne.

On remarquera que le contraire du docétisme – la croyance que Jésus est entièrement humain – mine aussi en profondeur la doctrine chrétienne. Si Jésus est entièrement humain, Dieu n'est pas venu alors pour « vivre et mourir comme l'un d'entre nous », et la notion d'amour et de sacrifice divins n'existe plus. Alors, Jésus ne pourrait plus être *le* Messie. Si Jésus était entièrement humain, chacun, James Jones ou le révérend Moon, peut donc être un messie.

Au cœur de la doctrine chrétienne, il y a donc un paradoxe. Jésus n'est pas simplement uniquement divin ou uniquement humain, mais les deux. Paradoxalement, Celui qui fut le Fils de l'Homme fut aussi le Fils de Dieu. Pas seulement 50 p. cent d'un côté et 50 p. cent de l'autre. Le paradoxe ne divise pas en catégories, mais transcende les catégories par un mystère qu'on ne pourra jamais comprendre tout à fait, mais qui demeure pourtant plus vrai que la logique pure.

La plupart des hérésies, qu'elles soient chrétiennes ou autres, viennent de ce que nous n'arrivons pas à intégrer les deux aspects du paradoxe. Ainsi, en tant que chrétien, je puis affirmer que la réalité dans son entier est que Dieu, paradoxalement, habite en nous, où il fait entendre Sa « petite voix », tout en habitant hors de nous, par le biais d'un Autre, transcendant et magnifique. Les problèmes surgissent dès que les gens ne s'en tiennent qu'à un aspect du paradoxe. Quand ils appartiennent entièrement à l'école de l'« immanence », qui accorde tout le crédit au Dieu qui habite en nous, la moindre petite pensée narcissique peut prétendre au statut de révélation. Quand ils appartiennent entièrement à l'école de la « transcendance », qui ne s'intéresse qu'au Dieu extérieur, ils sont des proies rêvées pour ce que j'appelle « l'hérésie de l'orthodoxie ». Car si Dieu se trouve entièrement à l'extérieur de nous, comment peut-Il ou peut-Elle communiquer avec nous, pauvres mortels ? Les transcendistes ont répondu à cette question en disant que Dieu communique, presque par magie, avec quelques rares prophètes, triés sur le volet, tels Moïse, le Christ ou saint Paul. Il appartient alors à une caste de prêtres d'interpréter les propos de ces prophètes au bénéfice du commun des mortels, qui ne peut pas entrer directement en communication avec Dieu. Voilà non seulement comment naît l'othodoxie, mais comment les gardiens de la doctrine peuvent la faire ingurgiter de force aux gens – par le meurtre et la torture s'il le faut. Ainsi, les Inquisiteurs, qui niaient la dimension divine de leurs victimes, devaient se révéler beaucoup plus hérétiques que ceux qu'ils condamnaient à mort au nom de l'hérésie.

Voici encore un autre exemple : il y a quinze siècles, Pélage, un moine irlandais qui croyait aux vertus du travail, prêchait que le salut ne pouvait s'obtenir qu'en faisant de bonnes œuvres. Le problème avec cette doctrine, c'est qu'elle incite à tirer une fierté démesurée de ses réalisations ; à juste titre, elle fut donc considérée comme une hérésie, celle du pélagisme. Par ailleurs, il y a trois siècles, un groupe de chrétiens ont cru que le salut ne pouvait venir que de la grâce. On les appela les quiétistes, parce que, obéissant à leurs croyances, ils se contentaient de s'asseoir en rond et d'attendre tranquillement la venue de la grâce. Ce genre de doctrine n'encourage pas vraiment l'action sociale – nourrir les pauvres, vêtir ceux qui sont nus, soigner les malades et guider spirituellement ceux qui sont en prison – que Jésus nous a demandé de faire. Voilà pourquoi le quiétisme est aussi une hérésie. Car la réalité est que le salut vient à la fois de la grâce et des bonnes œuvres, par un mélange paradoxal et suffisamment mystérieux pour défier toute formulation mathématique.

Il faut se rappeler un certain nombre de choses. D'abord, toutes les anciennes hérésies chrétiennes sont toujours vivantes et se portent bien. Mais elles causent aussi des ennuis aux gens – soit en tant qu'individus, comme dans le cas de ma patiente docétiste, soit en tant que groupe. Les tribunaux de l'Inquisition sont ainsi des hérésies à l'œuvre à une échelle sociale.

Deuxièmement, l'hérésie n'est pas une question purement chrétienne. Toutes les religions peuvent avoir les leurs, et certaines hérésies sont communes à plusieurs religions. Par exemple, les musulmans ont sans doute plus de difficultés que les chrétiens à accepter le paradoxe voulant que le salut vienne à la fois de la grâce et des bonnes œuvres.

Troisièmement, l'hérésie dans son acception la plus large – essentiellement une demi-vérité – n'est pas spécifiquement religieuse. L'éthique de l'individualisme absolu, qui ne s'attache qu'à un aspect du paradoxe, est une hérésie aussi séculière que religieuse. Elle peut se révéler aussi destructrice que n'importe quelle autre doctrine.

Quatrièmement, toute hérésie a des implications spirituelles. L'idée selon laquelle, individus ou nations, nous pouvons être invulnérables est une autre hérésie qui n'est ni proprement séculière ni proprement religieuse. Elle vient pourtant d'une lacune de l'esprit, dont elle est une composante, et est reconnue comme une hérésie par les meilleurs penseurs de toutes les religions.

Cinquièmement, toute hérésie est potentiellement destructrice, parce qu'elle est une distorsion de la réalité. Au sujet de la vulnérabilité, Mahomet a dit : « Aie confiance en Dieu, mais attache d'abord ton chameau ». L'affirmation est très juste, puisqu'elle énonce un paradoxe. Mais il existe des gens et des pays qui mettent toute leur énergie à uniquement attacher leur chameau, ajoutant un nœud après l'autre aux rênes, tout comme les États-Unis empilent système d'armements sur système d'armements avec l'espoir qu'un autre système d'armements, peut-être, leur assurera ultimement, irrévocablement, la sécurité. Ce faisant, on oublie qu'il doit exister une part de vulnérablité, de risque et d'abandon à la grâce de Dieu. Ou alors on cherche à fuir le paradoxe par le biais de la spécialisation, en disant au clergé : « Priez pour la paix, et laissez aux politiciens, le soin de faire les nœuds ». Mais le problème, c'est que les rênes de notre chameau comptent déjà trente-sept nœuds et qu'il va falloir en défaire beaucoup – démanteler un système d'armement après l'autre. Il faudra être animés par une grande foi et être prêts à courir beaucoup de risques avant d'être de nouveau libres et prêts à travailler.

Enfin, l'hérésie n'est destructrice que lorsqu'elle dicte les comportements. En tant qu'idée, elle n'a pas d'importance. La clé, c'est le comportement. Il y a des athées qui se comportent comme des saints chrétiens et des chrétiens qui s'affirment tels, tout en se comportant comme des criminels – et qui le sont. Jésus le savait mieux que quiconque, puisqu'il a dit : « Vous les reconnaîtrez à leurs fruits ». Ou encore : « Est généreux celui qui se montre généreux », ce qui est une autre façon de dire la même chose.

Par conséquent, si on peut tolérer toutes les manières de penser, on ne peut tolérer toutes les formes de comportement. Le Groupe du sous-sol a dû expulser Ted, non en raison de ses croyances, mais à cause de son comportement. Dans mon travail auprès des communautés, j'ai rencontré des idéologies bizarres. Par contre, je n'ai jamais vu quelqu'un engagé dans la formation d'une communauté nuire au développement de la communauté simplement en exprimant des idées hérétiques. Au contraire, dans la communauté, qui intègre la diversité, les idées fragmentaires ont tendance à devenir complètes, et la façon simpliste de penser qu'ont les membres au départ a tendance à devenir incroyablement plus complexe, plus paradoxale, plus souple et plus saine. Ainsi, l'ouverture dont fait preuve la véritable communauté la conduit à ne rejeter aucune croyance ou théologie – peu importe sa fausseté, sa nature incomplète ou hérétique. À l'inverse, la volonté d'exclure des individus en raison de leurs croyances, dussent-elles être stupides ou primitives, se révèle toujours destructrice pour la communauté. C'est là un autre paradoxe : *la persécution de l'hérésie est en soi une hérésie.*

BLASPHÈME ET ESPOIR

Au bout du compte, c'est donc le comportement qui importe. La pensée hérétique (irréaliste) n'est dangereuse que parce qu'elle a tendance à conduire à un comportement irréaliste et, partant, dangereux. Inversement, de vraies et justes croyances religieuses qui ne se traduisent pas en droiture ne méritent même pas l'étiquette « religieuse ».

Nous devons admettre que les croyances religieuses *véritables* sont radicales. Les questions et les débats d'ordre religieux appartiennent aux préoccupations les plus fondamentales et les plus essentielles de notre vie. Ils touchent à la création et à la destruction, à la nature et à ses fins, au bien et au mal – et leurs portées sont de toute première importance. Quand une soi-disant croyance religieuse n'est pas radicale, on peut penser qu'elle n'est que pure superstition, qui ne va pas plus loin que le fait de croire que les chats noirs portent malheur. Par ailleurs, un comportement politique ou économique qui n'aurait pas de lien avec une foi qui se veut profonde est déraciné, détaché de la réalité. Il n'est pas intégral.

Il manque d'intégralité. Pour dire les choses autrement, la profession de foi est un mensonge si elle ne dicte pas profondément le comportement économique, politique et social de l'individu.

Voilà qui soulève deux questions fondamentales. La première est le problème de la séparation de l'Église et de l'État. Notre héritage de liberté religieuse est une des grandes réussites de ce pays. L'obligation du gouvernement de résister à la tentation d'imposer aux citoyens un système particulier de croyances religieuses est à la fois la pierre angulaire de la démocratie et une étape révolutionnaire dans l'histoire de la civilisation. Mais si cette restriction empêche également les citoyens d'exprimer leurs opinions religieuses à l'intérieur des sphères politique et économique, elle conduit alors inévitablement à une pratique religieuse « privatisée » et superficielle. Elle fait de nous des « chrétiens du dimanche matin » (ou l'un de ses équivalents religieux). Elle ne fait qu'assurer la liberté d'une religion dépouvue de signification.

Voilà pourquoi j'ai évoqué la question de la séparation de l'Église et de l'État comme étant un problème. L'absence de séparation signifie l'abolition de la liberté religieuse. La séparation totale signifie l'abolition d'une religion authentique. Il va de soi que la solution au problème exige une voie médiane – un équilibre fragile et souvent paradoxal, qu'il faut sans cesse trouver et retrouver, entre les besoins contradictoires de la liberté et de l'expression religieuses. Il devrait être également évident qu'une façon simpliste d'envisager ces questions ne peut qu'obscurcir les choses [4].

4. Voilà pourquoi une analyse plus profonde du problème de la séparation de l'Église et de l'État mérite qu'on lui consacre tout un livre. Il importe cependant de souligner qu'une façon simpliste de voir les choses peut également obscurcir des questions connexes. Il n'y a qu'à voir la façon dont est mené le débat sur la question de l'avortement. Les solutions simples n'existent pas. Quiconque réfléchit à la question d'un point de vue intégral se sentira déchiré. D'un côté, il est évident que l'avortement est une sorte de meurtre, et qu'une politique de l'avortement sur demande a tendance à réduire ce qu'Albert Schweitzer appelle le « respect de la vie ».

Le besoin d'intégrer les croyances religieuses a notre comportement soulève une autre question qui est celle du blasphème. L'ordre instauré dans les Dix Commandements n'est pas fortuit. Si la violation du premier et du deuxième commandement (l'idolâtrie) est peut-être à l'origine de toute faute, la violation du troisième est la faute des fautes.

La violation du troisième commandement – « Tu ne prononceras pas le nom du Seigneur ton Dieu en vain » – porte le nom de blasphème. Elle est moins bien comprise que l'idolâtrie et deux fois plus mauvaise. Je suis toujours étonné, au cours de mes voyages à travers les États-Unis, de la méconnaissance commune de la nature du blasphème. La plupart des gens croient qu'il s'agit des jurons et des gros mots. Dire « Nom de Dieu ! » quand on se cogne le doigt avec un marteau, ou « Seigneur ! » quand on a compris qu'on avait fait une

---

D'un autre côté, il est évident, dans le cas des enfants illégitimes, que la souffrance qui en résulterait à la fois pour les parents *et* pour les enfants serait énorme si la possibilité de recourir à l'avortement n'existait pas. Au nom de l'intégralité, nous devons vivre avec cette tension.

Du point de vue juridique, dire « Tu n'avorteras point » est simpliste. Il *manque* quelque chose. Au nom de l'intégralité, nous ne pouvons enlever aux individus la responsabilité de ce qu'ils feront de leur vie et des grossesses qui surviennent dans leur vie, et nous arrêter là. *La responsabilité doit revenir à quelqu'un.* Au nom de l'intégralité, nous ne pouvons pas dire « Tu n'avorteras point », à moins qu'il ne s'agisse de *nos* enfants, à moins que nous ne soyons prêts, en tant que *communauté*, à assumer une énorme responsabilité quant aux besoins financiers et psychologiques des futurs parents et de l'enfant à naître.

Il va de soi qu'à l'heure actuelle la communauté n'est pas une réalité suffisamment répandue dans ce pays pour nous permettre de déchirer la facture ou de la signer. Par conséquent, une législation qui ne fait porter à personne la responsabilité de l'avortement sera pur atavisme. Elle n'aura pour résultat que de nous reporter trente ans en arrière, avec des fils de fer pour les femmes qui sont pauvres et des voyages à l'étranger ou d'autres échappatoires pour celles qui sont riches. J'ai hâte de voir venir le jour où la communauté sera une réalité suffisamment répandue dans ce pays pour nous permettre de dire avec compassion, en toute intégralité: « Tu n'avorteras point ». Mais en attendant, nous devons continuer à vivre avec toute la tension que soulève cette question, alors que nous travaillons - aussi rapidement que possible, je le souhaite - à l'avènement d'un meilleur avenir, où la véritable communauté sera la norme plutôt que l'exception.

erreur : voilà ce qu'ils appellent un blasphème. Ce n'est pas du tout ce que nous dit le troisième commandement.

Je peux très bien imaginer que Dieu préfère nous entendre adorer Son Nom plutôt que l'invoquer avec colère. Cependant, je L'imagine assez tolérant à notre égard quand nous le maudissons ou le blâmons pour nos malheurs. Ce genre de colère vient sans doute de notre ignorance ou de notre immaturité, mais nous sommes toujours en relation avec Lui. Je doute fort qu'Il attende de nous une joie permanente à Son sujet, un peu comme nous n'espérons pas d'une épouse qu'elle se réjouisse sans défaillir du comportement de son mari, et vice versa. Toute relation profonde supposera – à vrai dire, exigera – un certain bouleversement, et je pense que Dieu est assez grand pour ne pas être suffisamment dérangé si nous maudissons Son Nom de temps à autre (et jurer va rarement plus loin que cela). Ce qui le met réellement en fureur, cependant, c'est qu'on l'*utilise*. Voilà ce qu'est le véritable blasphème : invoquer le nom de Dieu, alors que vous n'êtes pas en relation avec lui, pour faire croire que vous l'êtes.

Il me vient à l'esprit deux expériences différentes. J'eus un jour l'occasion d'assister à une conférence que le grand maître musulman (soufi) Idries Shah prononça un samedi et un dimanche. Vers la fin de la journée du dimanche, il commenta : « Voilà maintenant quatre heures que je vous parle, et vous avez sans doute remarqué que je n'ai pas employé les mots « amour » et « Dieu ». Nous autres soufis n'utilisons pas ces mots à la légère. Ce sont des mots... *sacrés*. »

La seconde expérience concerne un couple avec qui je devais passer un week-end (et qui, incidemment, prenait ombrage de mon « mauvais » langage). Tous deux semblaient très religieux. Chacune de leurs phrases commençaient par « Le Seigneur a fait ceci » ou « Le Seigneur a fait cela ». Ils continuaient leurs phrases en parlant de qui était avec qui, de qui était en train de divorcer, de qui n'allait pas à l'église régulièrement et des malheurs survenus à leurs enfants. Je ne fis aucun commentaire sur leur façon d'utiliser le langage, mais quand je réussis à m'en débarrasser à la fin du week-end, j'eus le sentiment que j'allais me mettre à vomir si j'entendais de nouveau « Le Seigneur a fait ceci ».

L'abus éhonté que faisait ce couple du langage religieux illustre ce que veut dire le troisième commandement quand il dit « prononcer le nom de Dieu en vain ». C'est à la fois banaliser le nom de Dieu tout en nappant de confiture sa propre méchanceté – même si j'ai peine à croire que ce genre de personnes puissent dissimuler leur mesquinerie à d'autres qu'à eux-mêmes.

Quant au blasphème, je ne pense pas que celui de ce couple était terriblement grave. Pour autant que je sache, leur faute n'allait pas plus loin que le commérage habituel. Les formes plus graves de blasphème sont plus subtiles, plus difficiles à repérer ou à décrire et, donc, plus agissantes. Mais, quel que soit son degré, le blasphème est le mensonge des mensonges. Il fait appel au sacré pour dissimuler le profane, à une pureté apparente pour masquer la faute, à ce qui est noble pour cacher l'ignoble, à la beauté pour couvrir la laideur, à la sainteté pour bénir la dépravation. C'est à la fois le prétexte de la piété et l'utilisation délibérée de la piété comme prétexte. Tout mensonge est la preuve d'un manque d'intégralité, mais le blasphème représente le manque d'intégralité le plus pervers. Son mécanisme de base fait appel à un tour de passe-passe psychologique que nous avons appelé la compartimentation.

Le blasphème a quelque chose de proprement diabolique. Le mot « diabolique » vient lui-même d'un verbe emprunté au grec ancien, *diabolein*, qui signifie « séparer ou mettre à part ». Dans la langue grecque, son contraire serait *sym-boleil* : « réunir ou mettre ensemble ». De façon très réelle, « symbolique » renvoie à l'intégration et « diabolique » à la compartimentation. Il est important de se rappeler que le blasphème découle toujours d'un comportement. Un individu à qui il arrive d'avoir des pensées obscènes, mais qui ne passe jamais aux actes, n'est pas un blasphémateur. Par contre, l'individu qui profère des paroles édifiantes, et qui adopte des comportements profanateurs est le véritable blasphémateur. Le blasphème est cette forme de compartimentation qui permet à certains de dire des vérités tout en agissant régulièrement dans le mensonge.

Nous avons donc bouclé la boucle. Toute forme de comportement qui résulte d'un manque d'intégralité, qui représente une compartimentation, est un blasphème. L'« homme d'affaires qui se rend à l'église tous les dimanches matins, qui croit aimer Dieu, Sa Création et Ses créatures et qui, le lundi matin, n'éprouve aucun remords à jeter systématiquement les déchets toxiques de son usine dans la rivière voisine – qui est un « chrétien du dimanche matin » – se rend coupable de blasphème. Quelle que soit son intensité, quel que soit le degré de conscience ou de volonté qui est en cause, une telle compartimentation de la religion est toujours blasphématoire. Et le fait que le « pays qui inscrit sur sa monnaie "In God we trust" soit aussi le principal fabricant et vendeur d'armes dans le monde » fait de sa population une nation de blasphémateurs.

La compartimentation de la vie américaine a atteint un tel degré que le comportement blasphématoire est la norme plutôt que l'exception. Quand une chose est normale, les gens sont en général si près d'elle qu'ils manquent de perspective. Par exemple, les Américains sont tellement habitués à leur monnaie qu'ils ne pensent même plus aux mots qui y sont inscrits. Il est donc difficile de voir le mal dans ce qui est habituel et considéré comme normal. Les journaux bombardent quotidiennement leurs lecteurs de statistiques sur les mégatonnes de l'armement nucléaire, à tel point que leur sensibilité ne perçoit plus que le comportement « normal » que reflètent ces statistiques est en réalité absurde. Il ne faut pas permettre à cette familiarité de rendre les gens aveugles aux blasphèmes qui se font couramment dans les Églises et dans la société. Je veux que tout le monde en soit bouleversé.

Mais je ne veux pas que tout le monde en soit accablé. Car des signes encourageants montrent que les Américains deviennent de plus en plus intolérants face aux blasphèmes de leurs gouvernements et de leurs Églises.

Au début, je fus surpris par l'accueil favorable que reçut mon travail, qui cherchait à intégrer science et religion. Mes propos excitaient les gens, comme si j'avais dit quelque chose de tout à fait *nouveau*. Mais j'étais bien conscient que mon œuvre devait beaucoup à la lecture d'auteurs qui faisaient déjà autorité bien avant que je sois né. Que disais-je donc de si différent ? Puis, je compris peu à peu que ce n'étaient pas mes mots qui étaient nouveaux, mais les gens qui les lisaient. Les gens étaient différents. Tandis que je mesurais l'ampleur du changement, je compris que les enjeux étaient beaucoup plus vastes que la simple intégration de la science et de la religion. Je compris que l'humanité était, fort heureusement, en train de passer d'une époque de spécialisation à outrance à une époque d'intégration.

Je dis « fort heureusement » pour plusieurs raisons. Le mal est inhérent à la spécialisation à outrance. À l'époque de la guerre du Viêt-Nam, je pris l'habitude d'errer dans les corridors du Pentagone et de demander aux porte-parole officiels leur opinion sur la guerre. « Oh ! oui, Dr Peck, nous comprenons vos préoccupations, oui, nous les comprenons tout à fait, répondaient-ils. Mais, voyez-vous, nous appartenons au Département de l'artillerie. Notre responsabilité se borne à la fabrication du napalm et à son envoi au Viêt-Nam ; nous ne sommes pas responsables de la guerre. C'est là le domaine de la politique. Vous devez parler aux gens de la section politique ; leur bureau est juste au bout de ce corridor. » Je me rendais alors jusqu'au bout du corridor pour entendre de nouveau : « Oh ! oui, Dr Peck, nous comprenons vos préoccupations, oui, nous les comprenons tout à fait, mais vous savez, la section politique ne s'occupe que de l'application des politiques. Les politiques sont adoptées à la Maison Blanche. Vous devez parler aux gens de la Maison Blanche. » Voilà comment, en 1971, tout le Pentagone pouvait se comporter comme s'il n'avait rien à voir avec la guerre. Le phénomène se produit dans toute grande institution dotée de départements spécialisés et de sous-départments – y compris dans les grandes sociétés, dans les universités et même dans les Églises – où la conscience des groupes a tendance à être si compartimentée, si fragmentée et diluée qu'elle en devient presque inexistante.

Le mouvement qui nous fait passer d'une époque de spécialisation à outrance à une époque d'intégration n'est pas seulement visible dans l'intégration de la science et de la religion ; on peut le voir à l'œuvre dans tous les domaines : les Alcooliques Anonymes, la médecine globale, le mouvement écologique. Ce sont tous des mouvements d'intégration. L'intégration croissante de la religion à la politique et de la religion à l'économie est tout aussi encourageante. La lettre pastorale de la Conférence nationale des Évêques catholiques sur la course aux armements n'est pas un accident historique. Ceux qui critiquent ce genre d'interventions évoquent la vieille époque de la spécialisation et se plaignent : « Vous, les évêques, ne devriez pas vous mêler de ce genre de questions. La course aux armements n'est pas votre spécialité. Vous violez le principe de la séparation de l'Église et de l'État. Vous devriez demeurer à votre place : dans les cathédrales. La course aux armements est la spécialité des politiciens et elle doit le demeurer. »

Heureusement, ces spécialités sont en train de voler en éclats. Car le mouvement qui nous entraîne de la spécialisation à outrance vers l'intégration est aussi un mouvement vers l'intégralité. De plus en plus de gens transcendent les barrières culturelles traditionnelles et « ne gobent tout simplement plus » ce genre de choses. Ils ont appris à reconnaître le blasphème là où il se trouve et ils réclament l'intégralité, avec tout le pouvoir qui l'accompagne.

Au chapitre du pouvoir, nous devons envisager la possibilité que l'accroissement des forces de l'intégralité s'accompagne d'une riposte des forces anti-intégralité qui feront preuve d'une brutalité accrue. La bataille pourrait bien faire rage bientôt. Ainsi, jusqu'à présent, le mouvement pour le désarmement n'a pas été assez puissant pour représenter une réelle menace aux institutions inamovibles qui tirent profit de la course aux armements, l'utilisent à leurs fins, la contrôlent et la manipulent. Mais les choses sont en train de changer. À mesure que le mouvement pour le désarmement prend de l'ampleur – et il continuera d'en prendre –, il existe cette possibilité effrayante que quelqu'un essaie de déclencher une guerre dans le but spécifique de discréditer le mouvement. Les pacifistes auront donc besoin d'être « aussi rusés que le serpent et aussi innocents que la colombe ».

Quoi qu'il en soit, le mouvement prend de l'ampleur. Plusieurs de ses adeptes qui ne voyagent pas autant que moi se sentent isolés et s'étonnent des histoires que je ramène de l'autre bout des États-Unis. Il n'y a pas un endroit, pas un comté où les critères ne sont pas en train de s'élever du point de vue de l'intégralité. Rapidement. Il s'agit d'un phénomène populaire. L'Église chrétienne au grand complet – presque chacune de ses dénominations – connaît un véritable sursaut de conscience quant à ses responsabilités éthiques pour l'avènement de la paix. La barrière de spécialisation qui séparait le clergé et les laïcs est en train de s'effondrer dès l'instant où tous les chrétiens sont appelés à devenir ministres. Nous commençons à nous méfier des médias d'information, en grande partie contrôlés par les grandes corporations et le gouvernement. En matière de propagande, nous avons de plus en plus le nez fin. Nous sommes de plus en plus capables de repérer la compartimentation. Notre estomac supporte de moins en moins la bouillie des politiciens, et en particulier cette variété de manque d'intégralité qu'est le blasphème. Il y a de grandes raisons d'espérer. Nous sommes en train de passer de l'époque de la spécialisation à outrance à celle de l'intégralité. Nous avançons.

TROISIÈME PARTIE

LA SOLUTION

CHAPITRE XIII

COMMUNAUTÉ ET COMMUNICATION

La communication peut prendre plusieurs formes : écrite ou orale, verbale et non verbale. De même, plusieurs critères permettent de juger de l'efficacité d'une communication. Le message est-il clair ou obscur, verbeux ou concis, profond ou superficiel, prosaïque ou poétique ? Ce ne sont là que quelques critères parmi d'autres. Un de ces critères l'emporte sur tous les autres : la communication engendre-t-elle une plus grande compréhension entre les êtres humains ou a-t-elle pour effet de la réduire ? Quand la communication améliore la qualité du rapport qui s'instaure entre deux personnes et plus, nous pouvons penser, de manière absolue, qu'elle est efficace. En revanche, si elle crée de la confusion, des malentendus, de la distorsion, de la méfiance ou de l'antipathie dans les rapports humains, nous devons conclure à son inefficacité – même dans une situation où le communicateur, ayant de mauvaises intentions et cherchant délibérément à semer la méfiance et l'hostilité, arriverait à ses fins.

Le but essentiel de la communication humaine est – ou devrait être – la réconciliation. La communication devrait

313

servir, ultimement, à réduire ou à faire tomber les murs et les barrières des malentendus qui séparent les êtres humains. Le mot « ultimement » est important. La confrontation, voire un échange virulent, sont parfois nécessaires pour prendre conscience de l'existence de ces barrières et souhaiter les faire tomber. Ainsi, dans le processus de la formation d'une communauté, il faut d'abord permettre l'expression des différences individuelles, puis leur permettre de se heurter, pour que le groupe puisse apprendre, au bout du compte, à accepter ces différences, à s'en réjouir et, dès lors, à les transcender.

Mais il ne faut jamais perdre de vue le principal but de la communication efficace. Sinon, la communication se transforme en présomption anti-objectif [1]. Quand des gens qui s'affrontent en raison de leurs différences perdent de vue l'idée de la réconciliation, ils commencent à se comporter comme si leur principale raison d'être « ensemble » était uniquement de s'affronter. Or le véritable but de la communication est d'instaurer de l'amour et de l'harmonie entre les humains. Il est de contribuer à la paix.

Les règles de la formation de la communauté sont les règles de la communication efficace. Dans un atelier de formation de la communauté, les participants apprennent ces règles. Étant donné que la communication est le fondement de toute relation humaine, les principes de la formation de la communauté peuvent s'appliquer à toute situation où deux personnes ou plus sont réunies. L'avènement de la paix et la réconciliation – la formation de la communauté – ne sont pas seulement des questions d'ordre général ; ce sont des préoccupations qui peuvent exister au sein de chaque entreprise, de chaque Église, de chaque quartier et de chaque famille.

Il n'existe pas seulement une équation fondamentale entre la communauté, la communication et la paix ; il y a aussi un lien entre ces éléments et les concepts d'intégration et d'inté-

---

1. Voir chapitre VI, où l'auteur explique cette notion *(N.d.T)*.

grité. Le mouvement qui nous fait passer d'un âge de spéciali-sation à outrance à un âge d'intégration suit essentiellement le mouvement de la communauté. Ce dernier est actuellement à l'œuvre dans tous les aspects des relations humaines.

Ainsi, quand j'étais enfant, le proverbe selon lequel « les enfants étaient faits pour être vus et non pour être entendus » était on ne peut plus vrai. Les enfants et les parents étaient séparés – spécialisés – en des castes très distinctes, avec toutes les barrières anti-communication que suppose le système des castes. Il en était de même entre époux. Je me souviens des explications que donnait ma mère pour refuser le séjour pro-longé dans un établissement thermal qu'aurait exigé sa santé : « Je ne peux pas dépenser l'argent de ton père pour une chose qu'il n'approuverait pas. » Heureusement, cette division de la famille entre citoyens de première, de seconde et de troisième classes est en train de disparaître. Maris et femmes ne sont plus nécessairement ou entièrement spécialisés dans la tâche de pourvoyeurs de subsistance ou d'éducateurs. D'ailleurs, les psychologues sont presque tous d'accord pour dire que, dans une famille saine, les enfants sont encouragés à « répliquer », en quelque sorte, à leurs parents. Nous sommes en train d'évoluer.

Il va de soi que les choses ne sont pas si simples. Les jeunes enfants ne devraient pas avoir le droit de répliquer quand on les empêche de courir dans la rue. Les parents devraient pouvoir exercer leur autorité sur leurs enfants quand cela s'avère nécessaire à leur protection. La participation des grands adolescents à la communauté familiale ne devrait pas être entière, puisqu'en général leur but est d'apprendre à voler de leurs propres ailes. Et il existera toujours certains ménages au sein desquels la spécialisation des rôles entre mari et femme n'est pas seulement efficace, mais saine. Il ne faut pas appli-quer de la même façon les principes de la communauté à une famille qui a la responsabilité de jeunes enfants et à un atelier de formation de la communauté qui réunit uniquement des adul-tes au cours d'un week-end. Néanmoins, cela ne veut pas dire que ces principes ne s'appliquent pas du tout. Au contraire, la tendance de la psychologie moderne est d'entraîner la famille plus loin sur la voie de la communauté. La famille ordinaire a encore une longue route à faire dans cette voie. Mais nous sommes en train d'évoluer.

De surcroît, la spécialisation à outrance dans le monde des affaires est en train de disparaître. En 1968, un cadre supérieur me demandait comment stimuler les cadres intermédiaires. « J'ai fait ceci et cela avec eux, disait-il, et ils ne sont pas plus productifs. Que dois-je faire? » Je répondis : « Mon impression est que ce sont eux qui ont probablement la solution à votre problème. Avez-vous pensé à leur demander *à eux* comment accroître leur motivation et leur productivité? » Non seulement cet homme n'y avait pas pensé : il se refusait même à envisager sérieusement cette possibilité. De nos jours, il est peu probable qu'un cadre serait assez stupide pour refuser de coopérer avec ses employés dans la recherche de la solution à un problème commun simplement parce qu'il voudrait maintenir une hiérarchie autoritaire et rigide qui fait obstacle à la communication entre les humains. Car les anciennes frontières étanches entre employés et personnel de direction sont en voie d'être abandonnées à mesure que nous constatons que les principes de la communauté peuvent accroître de plusieurs façons la productivité d'une entreprise.

Encore une fois, les choses ne sont pas si simples. Une communauté est un groupe de tous les chefs. Cependant, une entreprise a besoin d'une structure décisionnelle. Je fais partie du conseil de direction d'une fondation chargée de promouvoir la communauté. La formation de la communauté commence à la maison, et nous cherchons beaucoup à promouvoir la communauté au sein de notre bureau de direction et de notre personnel. Mais une Fondation est une entreprise complexe, et nous ne pourrions fonctionner sans une série de paliers décisionnels bien définis, qui vont du président du conseil de direction à l'administrateur du siège social en passant par son adjoint. La question ne se pose pas en termes de l'un ou l'autre, mais de l'un et l'autre.

Le monde des affaires ne fait que commencer à adopter quelques-uns des principes de la communauté, mais ce n'est qu'un début. Des services comme les soins de la santé et l'éducation fonctionnent le plus souvent selon les règles de l'ancien régime. Par exemple, les psychiatres n'ignorent pas, théoriquement, les vertus « thérapeutiques de la communauté ». Pourtant, les unités de soins psychiatriques ne remplissent presque jamais leurs fonctions à cet égard. Ni les médecins ni les infirmières ne sont prêts à devenir vulnérables les uns vis-à-vis des autres, pour ne pas dire aux yeux de leurs patients. Il en résulte une structure de pouvoir en forme de système de castes où les patients – en principe ceux à qui le respect de soi fait le plus défaut – sont des sortes d'intouchables, situés tout en haut de la pyramide. De même, quand il m'arrive de parler de communauté à des collégiens, j'entends toujours le même refrain : « En plus d'être solidaires, les professeurs ne nous respectent pas. » Néanmoins, il existe des collèges ou des hôpitaux où l'on reconnaît concrètement que nous appartenons à une humanité commune. Nous sommes en train d'évoluer.

Par exemple, des quantités d'ouvrages de psychologie populaire démontrant la nécessité de la communication au sein du couple, de la famille ou de l'entreprise envahissent le marché, alors qu'ils étaient quasi inexistants il y a quarante ans. Bien que la qualité de leur propos laisse souvent à désirer, il semble qu'il y ait amélioration de ce côté. Aussi importante que soit l'idée de la communauté dans ces différentes sphères – et l'avènement de la paix commence sans contredit à la maison –, elle s'impose davantage à mesure que nous cherchons à atteindre la paix universelle. Pourtant les institutions qui ont le pouvoir de faire pencher la balance du côté de la guerre ou de la paix se sentent peu concernées par l'idée de la communauté. À l'intérieur de chacune d'entre elles, on peut observer un manque évident de communication et le maintien de règles qui sont en réalité l'antithèse de la communauté. Il s'agit de l'institution de la course aux armements, de l'Église et des gouvernements. Il y a pourtant des raisons d'espérer. Comme le disait le président Eisenhower : « Les gens veulent tellement la paix que les gouvernements devront bien s'enlever de leur chemin et la leur donner [2]. »

2. Dwight D. Eisenhower, *London Sunday Times*, 1960. Cité dans *Treasury of Presidental Quotations*, Chicago, Follett Publishing Co., 1964, p. 209.

CHAPITRE XIV

L'AMPLEUR DE LA COURSE AUX ARMEMENTS

LA COURSE AUX ARMEMENTS
EN TANT QU'INSTITUTION

On s'étonnera peut-être que je qualifie d'institution la course aux armements. En règle générale, nous croyons qu'une institution est d'abord un édifice – par exemple, une banque – ou un ensemble d'édifices – par exemple, une université. Le mot « institution » suppose une organisation stable, parfois même dépourvue de sentiments humains – avec des règles et des traditions, du personnel et un budget, des briques et du mortier. En revanche, l'expression « course aux armements » évoque davantage le changement et l'instabilité.

Malheureusement, la course aux armements est bel et bien une institution. Elle a ses édifices, ses briques et son mortier, de même qu'un grand nombre de propriétés. Quand j'étais dans l'armée, Fort Leonard Wood, l'un de ses principaux centres d'entraînement militaire au pays, était la quatrième plus grande ville de l'État du Missouri. Récemment, je suis allé dans la partie septentrionale de la côte de la Floride, et j'ai vu une région qui ressemblait davantage à une gigantesque base militaire qu'à un diocèse ou à un quelconque centre civil d'habitations. Quant au budget de la course aux armements, il est le plus élevé au monde – plus d'un billion de dollars par année, et les citoyens américains y contribuent environ pour un tiers. La course aux armements n'est pas seulement une entreprise importante ; elle est la plus importante, car elle emploie des dizaines de millions d'hommes et de femmes. Depuis l'aube de l'humanité, les tribus et les peuples ont temporairement stocké des armes, mais ce n'est que depuis cinquante ans que la course aux armements est devenue une institution qui se perpétue. Elle augmente également en importance. La croissance enregistrée par la course aux armements ferait envie à n'importe quelle autre institution. C'est une croissance qui ne s'accompagne d'aucune instabilité. La course aux armements est étonnamment stable, immuable, inamovible ; elle semble de pierre.

Récemment, j'ai eu l'occasion de relire un ouvrage écrit en 1961 par le politicologue Mulford Sibley, *Unilateral Initiatives and Disarmament* [1]. L'auteur parle de « chocs du futur » et de « méga-courants » et déplore la rapidité des changements sociaux. Mais chacun des mots de l'ouvrage de Sibley pourrait s'appliquer tout autant à la situation que nous connaissons aujourd'hui qu'à celle qui prévalait lors de sa parution. En ce qui concerne la course aux armements, *rien n'a changé*. Cette absence de changement témoigne non seulement de son institutionnalisation, mais a aussi quelque chose de profondément insensé, voire de pervers. Origène, un des premiers théologiens chrétiens, dit un jour : « L'Esprit cherche le progès, et le mal, par définition, est ce qui s'oppose au progrès. » Quelles qu'en soient les raisons, nous n'avons fait absolument aucun progrès dans la désinstitutionnalisation de la course aux armements.

Le propre des institutions est la tendance à s'autoperpétuer, quelle que soit leur raison d'être. En général, les institutions continuent d'exister longtemps après avoir satisfait aux objectifs qui avaient présidé à leur création. Cela par un

1. Mulford Sibley, *Unilateral Initiatives and Disarmament, in* « The Beyond Deterrence Series », American Friends Service Committee, 1961.

facteur de pure inertie. Et plus l'institution est importante – plus elle possède d'employés, de briques et de mortier –, plus grandes sont sa force d'inertie et sa faculté de s'autoperpétuer. Il est impossible d'envisager de se débarrasser de la quatrième plus grande ville du Missouri ou de l'industrie de l'armement sans se heurter à une opposition. Si nous ne passons pas aux actes, la course aux armements, à plusieurs égards la plus importante de toutes les institutions, continuera d'exister jusqu'à la fin des temps, uniquement en raison de son ampleur. Si toutes les raisons qui ont présidé à son existence disparaissaient, l'institution de la course aux armements en inventerait (elle en invente déjà) de nouvelles pour justifier le maintien de son existence. La course aux armements ne va pas s'arrêter toute seule. Si elle doit s'arrêter un jour, ce n'est que parce qu'on aura *délibérément décidé d'y mettre fin*.

Par conséquent, l'instauration de la paix exige qu'on passe à l'action. La paix peut faire appel à certaines stratégies de résistance passive, mais uniquement dans le cadre plus général d'une action coercitive. Inversement, la passivité est le principal obstacle à l'avènement de la paix. Malgré son absurdité, la course aux armements se poursuit non seulement grâce à la force d'inertie et à la résistance opposée par ceux qui sont à l'intérieur de l'institution – ceux qu'elle emploie directement ou indirectement –, mais aussi de par la passivité de ceux qui se situent à l'extérieur de l'institution.

À vrai dire, la principale cause de cette passivité est la nature institutionnelle de la course aux armements. Elle semble si imposante, si inéluctable, et, sur le plan individuel, cela semble tellement au-dessus de nos forces de faire quoi que ce soit pour nous y opposer! Comme dit l'adage : « On ne lutte pas contre la mairie », et la course aux armements est une entreprise beaucoup plus imposante qu'une mairie. Quiconque est un peu « réaliste » ne s'y hasardera pas. Quant aux gens assez « idéalistes » pour oser la combattre, ne seront-ils pas vraisemblablement écrasés? La situation est sans issue. Pourtant s'il y a une chose qui permet de perpétuer la course aux armements, c'est bien le sentiment de désespoir et d'impuissance qu'elle inspire aux individus.

La menace omniprésente d'un holocauste nucléaire n'est pas le fruit de quelque douloureuse situation accidentelle qui résulterait de l'intervention de forces échappant à notre contrôle. Au contraire, la menace résulte directement de notre incapacité de faire nôtres ces principes de la formation de la communauté que sont le vide, l'intégralité et la vulnérabilité. Mais nous pouvons corriger ces lacunes. Nous ne sommes pas obligés d'en rester là. Nos institutions actuelles sont parfaitement capables d'accueillir les innovations susceptibles de balayer notre incapacité. Au bout du compte, la paix exige seulement que nous surmontions notre léthargie et notre résistance au changement. Mais, pour cela, il faut vaincre notre premier ennemi : notre sentiment d'impuissance.

LA PSYCHOLOGIE DE L'IMPUISSANCE

La course aux armements plonge une de ses racines les plus profondes et les plus insidieuses dans l'extraordinaire indifférence des gens. Répondre à la plus énorme absurdité par ce genre d'apathie démontre notre sentiment général d'impuissance. On pourrait s'attendre à une réaction de ce genre de la part de gens peu instruits, pauvres et démunis. Mais elle est particulièrement étonnante chez des gens instruits, raffinés et, en général, curieux.

Au cours de l'été 1984, je fus invité à prononcer une conférence dans le cadre d'un colloque de cinq jours portant sur le thème « spiritualité et communauté ». Les trois cent cinquante participants à ce colloque étaient tous très instruits et désireux d'aller plus avant dans leur quête spirituelle. En guise de préparation à la discussion en petits groupes, ma première conférence, porta sur la vulnérabilité et je fis allusion à certaines de ses applications en matière de désarmement. Au cours de la période de questions qui suivit, on me demanda si j'avais l'intention d'aborder plus longuement la course aux armements. Je répondis que je comptais prononcer une causerie uniquement sur le sujet. Dans un des petits groupes qui se formèrent par la suite, quelques participants se plaignirent de la chose. Ce soir-là, je mis de côté la conférence que j'avais prévue et expliquai aux trois cent cinquante participants qu'on m'avait fait part de leurs objections et que, de toute évidence, nous devions faire face à un problème important lié à la communauté. Je demandai que ceux qui ne voulaient pas m'entendre parler de course aux armements lèvent la main.

Environ 25 p. cent de l'assistance – quatre-vingt-dix personnes – levèrent la main.

« Vous représentez une minorité tellement importante, leur dis-je, que, si vous ne changez pas d'avis, je vais m'interdire d'aborder le sujet. Mais d'abord, je veux aborder le problème avec vous. Pour commencer, combien d'entre vous ne veulent pas que je parle de la course aux armements parce qu'ils savent déjà ce que je vais dire? »

Personne ne leva la main.

« Combien d'entre vous alors, demandai-je, ne veulent pas que je parle de la course aux armements pour l'une ou l'autre des raisons suivantes : le sujet n'a rien à voir avec la spiritualité; vous en avez assez d'en entendre parler; votre idée est faite et vous n'avez pas besoin d'en savoir davantage; ou encore vous avez l'impression que c'est sans espoir et que, de toute façon, il n'y a rien que vous puissiez faire? »

Quatre-vingt-dix mains se levèrent.

Je leur parlai alors brièvement d'intégralité et de la manière dont il ne fallait pas compartimenter la spiritualité, de la manière dont le christianisme avait besoin d'être intégré aux décisions économiques et politiques, de la manière dont Dag Hammarskjöld avait enseigné ceci : « À notre époque, la voie de la sainteté passe obligatoirement par le monde de l'action [2]. » Puis je soumis la question à la discussion générale.

---

2. Dag Hammarskjöld, *Markings*, New York, Knopf, 1974, p. 122.

Au bout du compte, la communauté décida unanimement de me permettre de parler de la course aux armements.

Ce n'est pas là un exemple isolé – sauf que, ayant à ma disposition un auditoire relativement captif, je pouvais avoir une plus grande emprise sur les esprits. Quelle que soit la ville où j'étais invité, mes conférences sur le désarmement n'ont toujours attiré que la moitié environ de l'auditoire que mes conférences sur d'autres sujets pouvaient rassembler. La question laisse les gens indifférents. Ils ont le sentiment qu'ils peuvent faire quelque chose en ce qui concerne leur propre itinéraire spirituel, mais ils se sentent impuissants face à la course aux armements.

À ma connaissance, nul autre n'a mieux décrit ce sentiment général d'apathie et d'impuissance que le Dr Nicholas Humphrey, lors de la troisième conférence Memorial Bronowski, qui s'est tenue en Grande-Bretagne, en 1981 [3]. Au début de sa conférence, le Dr Humphrey cita le professeur George Kennan, ancien ambassadeur en URSS, qui avait pris la parole à Washington, quelques mois auparavant : « Nous entassons armement sur armement, missile sur missile (...) comme si nous étions victimes d'une sorte d'hypnose, comme dans un rêve, comme des lemmings en route vers l'océan. » Humphrey poursuivit :

> Sur la première page du *Bulletin of the Atomic Scientists*, l'horloge du Jugement dernier, réglée à minuit moins dix il y a plusieurs années, a été avancée de six minutes en janvier dernier : encore quatre minutes. Je n'ai qu'une question à vous poser. Pourquoi ? Pourquoi agir comme des lemmings ? Pourquoi laisser les choses se passer ainsi ? Pour reprendre les termes de Lord Mountbatten : « Pourquoi restons-nous là à ne rien faire pour empêcher la destruction de la planète ? »

3. La conférence fut diffusée sur les ondes de la BBC-2 et fut reproduite dans *The Listener*, édition du 29 octobre 1981.

Mountbatten a dit dans le même discours : « Tous ces faits terribles au sujet de la course aux armements, qui montrent que nous fonçons tête baissée vers un précipice, font-ils en sorte que les responsables de cette course catastrophique vont retrouver leur esprit et appliquer les freins? La réponse est non. » Je veux vous demander pourquoi la réponse peut être non.

La réponse évidente est peut-être que nous ne sommes tout simplement pas conscients de la chose. Est-il possible que nous ignorions ou que nous sous-estimions les dangers de la course aux armements? Que nous puissions croire que les immenses fagots que nous avons érigés autour de nous ne prendront jamais feu – et qu'en réalité, plus il est gros, moins il est dangereux?

Quand j'étais enfant, nous possédions une vieille tortue apprivoisée que nous avions baptisée Ajax. Un jour d'automne, Ajax, qui cherchait un endroit où passer l'hiver, se faufila à notre insu sous le tas de bois et de fougères que mon père amassait en prévision de la Fête de Guy Fawkes. Au fil des jours, et tandis que continuaient de s'empiler de nouveaux fagots, Ajax aurait dû se sentir de plus en plus en sécurité, car, chaque jour, elle était de mieux en mieux protégée contre la pluie et le gel. Le 5 novembre, le feu de joie et la tortue furent réduits en cendres. Se trouve-t-il encore des gens parmi nous pour croire qu'entasser armement sur armement accroît notre sécurité – que les dangers ne sont rien à côté des assurances qu'ils donnent?

Après ce préambule, le Dr Humphrey poursuivit en examinant la psychologie de l'apathie, la psychologie de la passivité, la psychologie de l'hypnose, la psychologie de la réticence et la psychologie de l'impuissance, puisqu'elles ont toutes un lien avec la course aux armements. Humphrey est particulièrement éloquent lorsqu'il aborde la cause de l'impuissance (l'une de nos faiblesses, notamment), impuissance que nous appelons réticence. Les mots qu'il emploie ont une saveur britannique, mais ils s'appliquent tout autant à la société américaine :

> Autrefois, on disait que les rois tuaient le messager porteur de mauvaises nouvelles. Aux États-Unis, de nos jours, comme cela s'est presque produit dans le cas des Plowshares Eight, la loi pourrait bien le réduire au silence; en URSS, il serait peut-être enfermé dans un hôpital psychiatrique. Il y a des façons différentes et plus subtiles de faire taire ceux qui auraient envie de prendre la parole. Dans notre pays, la plus efficace et celle à laquelle on a recours le plus volontiers est la mise au pilori. Quiconque appelle un affrontement non désiré sur la question de la bombe atomique s'expose à voir punie son impudence en étant moqué, traité de haut, ridiculisé et méprisé.
>
> Nous connaissons tous le vocabulaire habituel de l'ostracisme. « Idéaliste », « pacifiste », « moraliste », « pharisien » (...) Ces mots nous sont familiers depuis longtemps.
>
> (...) Comment s'étonner après cela que nous en venions à nous persuader que, quelle que soit notre opinion en privé, il ne nous appartient pas de prendre publiquement position sur la bombe atomique. Les princes, les philosophes, les vedettes de cinéma, les prêtres – eux peuvent faire ce genre de choses. Ils peuvent se donner en spectacle. Mais pourquoi pas le reste d'entre nous ? C'est que, dans l'ensemble, toute considération mise à part, nous aimons le calme. Ce n'est pas notre genre de crier, de chanter des psaumes, ou de qualifier certaines choses de question la plus importante de toute l'histoire de l'humanité – même quand l'eau atteint nos chevilles. Le premier qui panique est celui qui est mouillé.

J'estime que la cause déterminante de notre impuissance

est notre ignorance. Les gens se sentent surtout démunis devant la course aux armements, parce qu'ils ne la comprennent pas. Et parce qu'ils ne la comprennent pas, il n'arrivent pas à trouver de solution. La plupart des psychologues et des théologiens n'y comprennent rien en raison de leur méconnaissance de la politique et de l'économie. Mais le pire, c'est que les hommes politiques et les hommes d'affaires, qui en sont les premiers « responsables », y voient encore moins clair parce qu'ils ignorent la psychologie et la théologie auxquelles la course aux armements fait appel. En dernier recours, personne n'y comprend rien, parce que la plupart des gens n'ont pas une bonne connaissance des principes de la communauté. Grâce à cette connaissance, jointe à une compréhension des multiples facteurs interdépendants qui perpétuent la course aux armements, nous n'avons plus le sentiment d'être impuissants. Il y a une solution.

LA PSYCHIATRIE DE LA FORCE

Si je veux être honnête, je suis incapable, dans l'état actuel des choses, d'être un pacifiste absolu, même si cela me simplifierait drôlement la vie. Le mal est dans le monde – à la fois chez les individus et dans les groupes – et nous n'avons pas encore trouvé le moyen de le dominer sans l'emploi raisonnable de la force ou sans recourir à des menaces. D'autres formes de folie moins grave semblent également, à l'occasion, nécessiter l'emploi de la force pour être dominées ou soignées. On n'a pas besoin d'avoir été psychiatre toute sa vie pour prendre conscience de cette triste réalité.

Au début de mon stage en psychiatrie, une nuit, je fus appelé à l'urgence au chevet de l'épouse d'un militaire, extrêmement paranoïaque et visiblement incapable de s'occuper seule d'elle-même. Si le patient avait été un militaire, le cas n'aurait soulevé aucun problème. En tant que médecin militaire, j'avais le droit d'hospitaliser tout soldat, homme ou femme, même s'il s'y opposait. Par contre, les membres de la famille des soldats ne pouvaient être admis à notre hôpital que s'ils y consentaient. Il fallait signer un formulaire à cet effet. J'expliquai la chose à l'épouse du soldat. Je lui dis que notre hôpital jouissait d'une excellente réputation, qu'il était évident que son état de santé exigeait son admission, qu'elle serait très bien soignée, et je lui demandai si elle voulait bien signer le formulaire d'autorisation.

La réponse fut non.

Patiemment, je lui expliquai qu'il était tout à fait évident que son état de santé exigeait une hospitalisation. Il représentait un si grand danger pour elle-même que, devant son refus de signer, je n'aurais d'autre choix que d'appeler la police pour la conduire à un hôpital civil. Là, elle serait examinée par deux autres psychiatres. Je lui dis qu'il ne faisait pas de doute dans mon esprit que les deux autres psychiatres en viendraient également à la conclusion que son état exigeait désespérément qu'elle soit hospitalisée et qu'ils la feraient entrer de force à l'hôpital. Et, comme l'hôpital civil de la ville était une sorte de trou à rats, je lui demandai si elle ne préférait pas être admise à notre hôpital.

Encore une fois, la réponse fut non.

Je discutai ferme avec cette femme pendant les trois heures qui suivirent, me faisant le défenseur de la seule décision sensée qu'elle pouvait prendre. De temps à autre, la femme semblait sur le point de signer le formulaire et prenait le stylo, mais c'était pour le reposer aussitôt. À plusieurs reprises, elle commença à écrire la première lettre de son nom, puis s'arrêta. À deux heures du matin, j'abandonnai la partie. Épuisé, impuissant et défait, je décrochai le téléphone, composai le numéro de la police et leur parlai de ma patiente. Tandis que je demandais aux policiers de se rendre à l'unité d'urgence, la patiente s'empara tout à coup du stylo et dit : « C'est d'accord, je vais signer », et c'est exactement ce qu'elle fit.

Dix jours plus tard, alors que j'étais de nouveau de service à l'unité d'urgence, le scénario se répéta dans tous les détails. La seule différence était qu'il s'agissait de l'épouse d'un autre soldat – ayant tout autant besoin de soins hospitaliers. Patiemment, je discutai avec elle de onze heures du soir à deux heures du matin. Comme la fois précédente, le stylo fut pris, posé sur la table, repris et posé de nouveau. Comme la fois précédente, à deux heures du matin, je téléphonai en dernier recours à la police et, encore une fois, tandis que je logeais l'appel, la patiente décida de signer.

La troisième fois que je fus mis en présence d'un cas semblable, je décidai d'agir autrement. Mes arguments furent les mêmes, mais je donnai exactement trois minutes à la personne pour se décider. « Si dans trois minutes vous n'avez pas pris votre décision et signé le formulaire, lui-dis-je, j'appelle la police. » Trois minutes plus tard, alors qu'elle n'avait toujours pas signé le formulaire, je téléphonai à la police et, tandis que je discutais avec les policiers, elle décida de signer. Ce qui jusque-là avait nécessité trois heures de discussion prenait maintenant vingt minutes. Le résultat était demeuré le même, et la façon d'y arriver également – la seule différence était l'efficacité, qui avait été multipliée par dix. Je suppose que c'est en partie ce que doit nous apprendre l'expérience de la psychiatrie.

À vrai dire, j'avais parfaitement compris qu'en quelques rares occasions la menace de recourir à la force devient nécessaire quand il faut agir efficacement avec des individus perturbés au point de représenter un danger pour eux-mêmes et pour les autres. Cependant, on peut aussi recourir aux menaces ou à la force à mauvais escient.

Un an avant que je ne débute mon stage, il était d'usage, dans le même hôpital, de fouiller les patients qui quittaient la salle à manger pour vérifier s'ils n'avaient pas dissimulé des couteaux, des fourchettes ou quelque autre ustensile de cuisine éventuellement dangereux. Au cours de ces fouilles, on découvrait chaque semaine une dizaine de couteaux. Néanmoins, un certain nombre arrivaient à passer inaperçus, et des batailles au cours desquelles ces armes étaient mises à profit survenaient au rythme de deux par semaine. Le procédé ne semblait pas être très efficace.

Le personnel décida de tenter une expérience audacieuse. Que se passerait-il, se demandèrent-ils, s'ils se contentaient de compter les couverts avant et après les repas? Courageusement, ils décidèrent de tenter l'expérience de la confiance. À la fin du mois, le nombre de couverts manquants était passé à un par semaine. Trois mois plus tard, le nombre de batailles faisant appel à ce genre d'ustensiles se situait à moins d'une par mois dans l'unité.

La même expérience se répéta, année après année, dans plusieurs hôpitaux psychiatriques de tout le pays et du monde entier. Le résultat est toujours le même. Chaque fois, l'expérience prouve invariablement que, du moins chez les patients recevant des soins psychiatriques, l'emploi habituel de la force ou le recours aux menaces entraînent un comportement beaucoup plus violent et destructeur que celui qu'il est censé empêcher. C'est là une autre manifestation d'un vieux principe psychiatrique connu sous le nom de « prophétie qui s'auto-réalise ». Si vous prophétisez pendant suffisamment de temps et avec suffisamment de conviction qu'une personne va se comporter d'une façon donnée, il ou elle agira de cette façon. Dites à votre fille cent fois ou deux cent fois qu'elle va devenir une putain quand elle sera grande, et il y a fort à parier que c'est ce qu'elle deviendra. Traitez les gens suffisamment longtemps comme s'ils étaient des fous violents, et il est sûr qu'ils deviendront des fous violents.

Que faut-il en conclure? D'un côté, nous savons que l'emploi de la force ou que la menace de la force s'avèrent nécessaires, en certaines occasions, pour lutter contre des comportements maléfiques ou insensés. D'un autre côté, nous savons que le recours constant à la force ou aux menaces va à l'encontre du but recherché. Si on applique ce principe aux nations, il est clair que l'emploi de la force ou que la menace de la force seront probablement nécessaires, parfois, pour réprimer certains pays destructeurs ou leur venir en aide, comme ce fut évidemment le cas de l'Allemagne nazie. Mais il est clair que la politique actuelle des États-Unis, qui est de recourir constamment à la force ou aux menaces, contribue à aggraver le gâchis de la politique internationale plutôt qu'à améliorer la situation.

Les Américains sont donc perdus s'ils emploient la force, comme ils sont perdus s'ils ne l'emploient pas, mais ils sont triplement perdus s'ils poursuivent leur politique de relations internationales qui consiste à recourir à la force ou à menacer constamment d'y recourir. Pourtant, je ne pense pas que les hommes soient prêts à vivre dans un monde sans gendarmes. La question est de savoir quelle sorte de gendarmes correspondraient au bien-être de l'humanité.

LE CARACTÈRE DÉSUET
DU SYSTÈME DE NATION-ÉTAT

Les politicologues appellent « système de nation-État » le système politique qui gouverne le monde à l'heure actuelle. La planète est divisée en nations-États. La nation-État se définit comme une entité dotée d'un « territoire géographique et d'un gouvernement jouissant d'une souveraineté à la fois interne et externe ». La souveraineté interne signifie que le gouvernement a le droit *exclusif* de régler le cours des affaires internes dans les limites de son territoire. La souveraineté externe signifie que le gouvernement a le droit *exclusif* de décider de la nature de ses relations avec les autres nations-États.

L'Histoire a démontré que, tout comme les individus, certaines nations-États et leurs gouvernements pouvaient parfois perdre l'esprit et devenir maléfiques. Puisqu'il peut être nécessaire *à l'occasion* de recourir à la force ou aux menaces afin de lutter contre le mal ou contre la folie humaine, qu'elle soit individuelle ou collective, il serait naïf de défendre le point de vue selon lequel les États-Unis n'auraient qu'à décider, unilatéralement, de forger des socs de charrue à partir du métal de leurs épées. Au contraire, leur premier soin devrait être de rendre aussi vite que possible leurs épées – leurs fusils, leurs bombes, leurs tanks et leurs missiles : tout le bazar – aux Nations-Unies ou à toute autre forme de gouvernement supranational.

Bien sûr, l'obstacle à cette proposition, c'est que les Nations-Unies ne sont pas conçues de manière à pouvoir assurer ou diriger une force de police supranationale dans l'éventualité où un État-nation commettrait un geste illégal ou immoral. Ce n'est pas seulement une question d'effectifs ou d'armements ; il n'est pas de la juridiction des Nations-Unies d'entreprendre ce genre d'actions. Si l'ONU n'est pas conçue de la sorte, c'est précisément parce que ses membres n'ont pas voulu qu'elle le soit. Ils ont refusé de céder une partie de leurs prérogatives. En réalité, un gouvernement supranational est incompatible avec le système de nation-État.

Récemment, un organisme des Nations-Unies, la Cour Internationale de La Haye, a jugé illégale l'intervention américaine au Nicaragua ; mais les États-Unis se sont contentés de répondre qu'ils n'étaient pas obligés de se conformer aux jugements de la Cour. En vertu du système des nations-États, ils étaient plutôt justifiés d'ignorer la décision de la Cour. Alors, comment une force de paix internationale peut-elle être efficace si les nations n'acceptent pas de s'y soumettre ? Comment peut-il exister des lois internationales exécutoires si les nations continuent de jouir – et insistent pour continuer à jouir – d'une entière souveraineté extérieure ? Comment les États-Unis peuvent-ils exiger, d'avoir seuls le droit de décider de la nature de leurs relations avec les autres nations-États et se contenter de souhaiter l'avènement d'une ONU efficace ?

La course aux armements est le fruit du système des nations-États. Il y a deux cents ans, alors qu'un message mettait six mois à parvenir de Washington à Londres et six autres mois pour se rendre de Washington à Pékin, il était concevable de diviser la planète en nations-États. Mais à notre époque technologique, marquée par la communication internationale instantanée, ainsi que par l'holocauste mondial instantané, le système est devenu irrémédiablement désuet. Si nous voulons survivre, il faut le modifier rapidement jusqu'à faire en sorte que les nations de la planète aient en grande partie abandonné leur souveraineté extérieure au profit d'un gouvernement supranational.

En 1984, bon nombre d'Américains furent horrifiés de voir à la télévision le film *Le jour d'après,* qui montrait le sort fait aux habitants d'une ville moyenne des États-Unis par une attaque nucléaire. En tant que médecin, j'ai envisagé tellement de fois ce scénario que j'ai même trouvé que le film n'allait pas assez loin. En revanche, ce qui m'horrifia vraiment, ce fut d'entendre le débat qui suivit la présentation et que certains ont appelé « Après Le jour d'après ». Voilà qu'étaient réunis six hommes d'âge mûr, considérés comme l'élite intellectuelle et morale de la nation. Ces hommes, formant un éventail politique allant de William Buckley, à droite, à Elie Wiesel, à gauche, se réunirent autour d'une table et se regardèrent, désespérés. Au cours de ce débat sur la course aux armements, aucun d'entre eux ne fut en mesure de proposer autre chose que des négociations interminables, aucun ne pouvait mettre de l'avant une véritable initiative qui permette de trouver une solution. Chacun de ces hommes réputés pour leur sagesse savait que les hommes, étaient passés de l'état de tribus à celui de cités-États, et de celui de cités-États à celui de nations-États; pourtant, aucun d'entre eux ne fut assez visionnaire pour laisser entendre que l'on puisse évoluer au-delà du système de nation-État. Aucun d'entre eux ne fut assez téméraire pour proposer ce qui semblait évident, à savoir que la paix à l'échelle internationale exige ultimement de sacrifier une partie au moins de la souveraineté extérieure des nations-États.

En réalité, cette notion de sacrifice ne devrait pas répugner aux Américains. En tant qu'individus, ils ont certainement appris à céder une partie de leur souveraineté extérieure au profit d'un organisme supra-individuel. Autrefois, si mon voisin avait décidé de déverser ses sacs d'ordures dans ma cour et n'avait pas cessé de le faire en dépit de mes mises en garde, j'aurais sorti mon fidèle fusil à six coups et lui aurais logé une balle entre les deux yeux. Mais, de nos jours, peu importe ce que je ressens pour lui, je vais plutôt appeler mon avocat et, devant le tribunal du comté ou celui de l'État, je vais signifier une injonction à mon voisin – et je demanderai peut-être une compensation pour les dommages subis. En d'autres mots, les Américains ont cédé depuis belle lurette leur droit de cogner sur le nez du voisin à un organisme supra-individuel – nommément, le système juridique du comté, de l'État ou du gouvernement fédéral. Voilà ce que signifie l'expression « nation soumise à la loi » qu'ils emploient parfois pour parler de leur pays. Ils ne vivent plus, en effet, au « Far West », et ils auraient de sérieux problèmes s'ils décidaient de frapper leur voisin et de « se faire eux-mêmes justice ».

À vrai dire, en plus d'être une « nation soumise à la loi », il y a encore une autre raison qui devrait bien disposer les Américains à l'idée d'abandonner leur souveraineté extérieure : ils ont déjà fait une cession de la sorte, cession en vertu de laquelle ils se nomment les États-*Unis*. Il y a un peu moins de deux cents ans, quand les jeunes états américains ont ratifié la Constitution, chacun a abandonné une partie importante de sa souveraineté extérieure au profit de l'État dans son ensemble. Si aucun des états américains n'avait rien voulu céder de sa souveraineté extérieure, les États-Unis n'auraient jamais existé – mais seulement treize, ou trente ou trois cents nations « distinctes » à l'intérieur d'une zone couvrant l'Amérique du Nord. De toutes les nations qui forment, la planète, ils devraient être les mieux disposés, par leur histoire, à envisager l'existence des États-Unis de la planète.

Quand il est question de gouvernement mondial, plusieurs représentants de l'« intelligentsia » américaine rejettent l'idée en la jugeant irréalisable et condamnent ceux qui croient à sa possibilité. « Ah ! voilà encore la tour d'ivoire des partisans d'un fédéralisme mondial. Une bande d'idéalistes qui n'ont jamais rien fait. La réalité, c'est que la Société des Nations n'a pas marché, et que les Nations-Unies ne marchent pas non plus. » Cependant, ces gens passent rapidement sur le fait que les États-Unis ont refusé de faire partie de la Société des Nations et font tout ce qu'ils peuvent pour châtrer les Nations-Unies. En réalité, comme pour le christianisme, on n'a pas « d'abord essayé la formule du gouvernement mondial pour ensuite la juger insatisfaisante ; on ne l'a pas essayée du tout ».

Si elle signifie la fin du système de nations-États comme on le définit traditionnellement, l'abandon de la souveraineté ne signifie pas la fin des nations ou de nos différences nationales. Comme l'a déjà dit Golda Meir, « un gouvernement international ne signifie pas plus la fin des nations qu'un orchestre n'entraîne la disparition des violons [4]. » Car il ne s'agit que d'un abandon partiel, sélectif, de la souveraineté. La loi dit que je n'ai pas le droit de tirer sur mon voisin pour un motif aussi futile que les ordures. Elle ne dit pas que je dois être l'ami de mon voisin, l'inviter à dîner, m'habiller comme lui ou fréquenter la même église que lui. En réalité, la loi protège notre droit respectif à la différence et n'intervient dans nos rapports que dans des situations extrêmes.

Le même principe s'applique aux questions touchant la souveraineté internationale. Supposons que nous mettions sur pied un véritable gouvernement supranational, il n'est pas impossible de penser qu'un tel gouvernement pourrait aller jusqu'à s'ingérer dans les affaires intérieures d'une nation – par exemple, l'Allemagne nazie – décidée à perpétrer un génocide. Mais il est peu vraisemblable qu'il cherche à ordonner aux nations d'être communistes ou capitalistes, chrétiennes, musulmanes ou hindoues. De façon semblable, la loi peut s'ingérer dans ma souveraineté intérieure, dans mon mode de vie individuel, mais uniquement dans des situations extrêmes. Elle me dira que je n'ai pas le droit d'abuser sexuellement de mes enfants ou de me promener tout nu dans les lieux publics. Elle ne me dira pas quels vêtements je dois porter ou comment habiller mes enfants.

4. Ces mots de Golda Meir sont cités dans *New Age Journal*, novembre 1984, p. 21.

En réalité, le seul gouvernement supranational possible sera celui qui respecte – oui, qui accueille avec plaisir – la plupart des différences nationales. Car nous serons incapables d'instaurer un gouvernement supranational si nous ne formons pas d'abord jusqu'à un certain point une véritable communauté internationale. Les préalables à la mise sur pied d'un gouvernement supranational sont tout aussi paradoxaux que les préalables à la formation d'une communauté. D'un côté, la communauté est un groupe d'individus qui ont réussi à transcender leurs différences individuelles au nom du bien supérieur de l'ensemble. Cette transcendance exige de sacrifier certaines attitudes, de renoncer aux préjugés, de se soumettre aux règles qui permettent de former une communauté et de prolonger son existence – d'abandonner une sorte de souveraineté individuelle. Par ailleurs, le but principal de ce sacrifice et de cette soumission est d'accroître la variété, la liberté d'expression, la créativité, la vivacité et la joie, comme d'accroître la paix.

Mais le paradoxe demeure essentiellement le même : il faut accepter un certain degré de soumission. La règle vaut pour chaque nation. Les États-Unis, qui sont passés de l'isolationnisme au statut de puissance mondiale, semblent être la nation la plus réticente à abandonner ne serait-ce qu'une partie de sa souveraineté (sans doute parce que, puissante et riche, elle a l'impression qu'elle est celle qui a le plus à perdre). Dans l'éventualité où les Américains seraient vraiment disposés à s'en remettre aux exigences d'un gouvernement et d'une communauté internationale, il deviendrait assez évident que c'est la Russie ou quelque autre nation qui seraient les véritables obstacles à la paix. En attendant, même si j'aime profondément mon pays et la société à laquelle j'appartiens, je soupçonne que je continuerai, et avec moi un nombre croissant de mes compatriotes, à avoir de la difficulté à faire la différence entre les loups et les agneaux et à savoir à quelle catégorie nous appartenons nous-mêmes.

Et jusqu'au moment où les Américains auront décidé de se soumettre à un gouvernement communautaire international, il est fatal qu'ils continueront de penser qu'il est nécessaire aux États-Unis d'agir comme les « gendarmes de la planète ». Le fait que l'Union soviétique croie qu'elle est obligée elle aussi d'agir comme le gendarme de la planète n'a pas l'air de les déranger non plus, comme le fait que n'importe quelle autre nation s'efforce de jouer au caporal dans sa propre aire d'influence. On peut toujours penser que, puisqu'il faut passer par là, il vaut mieux que ce soit les États-Unis que la Russie, Cuba ou la Libye. Peut-être. Mais n'est-ce pas absurde ? Et combien dangereux ! Je ne suis pas sûr que l'arrogance américaine soit moins menaçante que l'arrogance soviétique. Décider que l'on a le droit d'agir en tant que gendarme de la planète, c'est encore de l'arrogance, d'où qu'elle vienne, et toute arrogance recèle une part maléfique, et potentiellement plus maléfique encore. Il est impensable de se soumettre à l'URSS. Mais si nous voulons sauver notre peau, nous devons apprendre à nous soumettre à l'humanité – et rapidement. Jusqu'à présent, chaque nation doit admettre que son but n'a pas été véritablement de vouloir la paix – mais de chercher seulement à obtenir le pouvoir.

LA COURSE AUX ARMEMENTS COMME UN JEU

Aussi longtemps que les nations du monde insisteront pour conserver leur « individualisme absolu » d'État distinct, entièrement souverain, il est inévitable qu'elles continueront probablement à jouer au chat et à la souris. Dans un livre célèbre, le psychiatre Eric Berne a défini le jeu psychologique comme étant essentiellement une interaction répétée entre deux ou plusieurs individus, interaction dont l'issue est tacite [5]. Certes, une certaine analogie est possible entre les jeux psychologiques et les jeux « de joueurs » – par exemple, le jeu de Monopoly –, mais il faut comprendre que ces interactions entre

5. Eric Berne, *Games People Play*, New York, Ballantine Books, 1964, p. 48.

les humains ont toujours un aspect destructeur, presque maléfique. Elles se réduisent à de mauvaises communications ; elles empêchent la communauté. L'« issue tacite » suppose qu'une chose légèrement illicite, cachée, sournoise, est en train de se produire. Un jeu psychologique que les participants n'acceptent pas de jouer ouvertement a quelque chose de pas très net.

La course aux armements est une variante privilégiée de tous les types de jeux psychologiques existants. Le jeu porte le nom de « Si ce n'était de toi... ». La plupart des couples mariés s'adonnent à ce jeu, souvent pendant toute leur vie. Par exemple, Marie dira : « Je sais que je suis insupportable. C'est parce que Jean s'entoure d'une carapace. Si ce n'était de sa carapace, je ne serais pas insupportable. » Il va de soi que Jean répond à ce jeu en disant : « Je sais que je m'entoure d'une carapace, mais c'est parce que Marie est insupportable. J'ai besoin de cette carapace pour me protéger des sautes d'humeur de Marie. Si ce n'était des sautes d'humeur de Marie, je n'aurais pas besoin de ma carapace. » Il est facile de comprendre pourquoi ce genre de communication est invariablement la cause de problèmes et n'apporte rien de bon ; elle ne permet de prendre aucune responsabilité, aucune initiative ni d'entreprendre quoi que ce soit de nouveau.

Le principal « opposant » des États-Unis dans la course aux armements est la Russie. Le raisonnement des Américains est le suivant : « Notre énorme budget de la défense, notre dette nationale, notre CIA, nos missiles intercontinentaux et nos ogives nucléaires n'ont rien pour nous plaire, mais le comportement fourbe de la Russie les rend nécessaires. Les Russes ont clairement écrit qu'ils veulent conquérir la planète et ils se comportent en conséquence. Si ce n'était des Russes, nous pourrions commencer à nous comporter d'une façon plus décente. » Il va de soi, par ailleurs, que le raisonnement des Russes est le suivant : « Notre énorme budget de la défense, nos files de consommateurs frustrés, nos missiles, notre NKVD et nos manœuvres fourbes n'ont rien pour nous plaire, mais la fourberie des Américains les rend nécessaires. Ce sont des impérialistes, qui ont essayé de dominer le monde, ainsi que le prouve leur histoire au cours des cent dernières années. Si ce n'était des Américains, nous serions capables de nous comporter de façon beaucoup plus pacifique. »

Eric Berne nous a affirmé autre chose au sujet des jeux psychologiques : la seule façon de cesser d'y jouer est d'arrêter. C'est là une sorte d'évidence – presque une lapalissade –, mais c'est une des vérités les plus profondes en ce qui concerne les affaires humaines. Quiconque a déjà joué au Monopoly reconnaîtra le bien-fondé de cette vérité. Peu importe que le jeu dure depuis un bon moment déjà – peu importe que les joueurs protestent qu'il est devenu ennuyeux et enfantin et qu'ils ont mieux à faire –, le jeu va continuer aussi longtemps qu'ils continueront d'empocher leurs deux cents dollars en atteignant la case GO. Le jeu ne s'arrête que si l'un des deux joueurs (s'il s'agit d'un jeu à deux – comme l'est essentiellement la course aux armements) se lève et dit : « Je ne veux plus jouer ». L'autre joueur répondra peut-être : « Mais Joe, tu viens juste de franchir la case GO, voici tes deux cents dollars. » Celui qui prend l'initiative d'interrompre le jeu dira : « Non, je ne veux pas de ces deux cents dollars. Je t'ai dit que je ne voulais plus jouer. Et je le pensais vraiment. La partie est finie. »

Voilà qui laisse entendre que les négociations pour mettre fin à la course aux armements ne sont pas près d'aboutir. On peut même penser qu'elles font simplement partie du jeu. Les joueurs de Monopoly expérimentés le comprendront rapidement. Combien de fois n'a-t-on pas vu une partie se prolonger – et même devenir plus intéressante – quand les joueurs disaient : « J'hypothèque la Place du Parc si tu hypothèques la Rue de la Promenade » ou « Je vends mes hôtels si tu vends les tiens » ? Les négociations ne vont pas aboutir, parce que, traditionnellement, elles ont été menées dans un esprit de compétition et avec la volonté de préserver plutôt que de limiter la souveraineté nationale. On « négocie » en cédant quelque chose dont on n'a plus besoin ou que l'on ne veut plus. Il faut se débarrasser du jeu au complet. Il faut mettre fin au vieux système.

L'ISSUE TACITE

Il n'y a pas de preuve indéniable que les États-Unis se sont tout à fait remis de la Grande Dépression des années 30. Malgré les mesures prévues par le New Deal, l'économie a continué de stagner – elle a même continué de dégringoler – jusqu'à la reconstruction qui a suivi la Seconde Guerre mondiale avec le programme de prêt-bail. Depuis 1938, depuis presque cinquante ans, les Américains vivent sous le régime d'une économie de guerre. Quelle que soit la vigueur apparente de leur économie, je me demande s'ils n'agissent pas comme cet homme qui déambule avec une aiguille intraveineuse dans le bras et arpente le corridor de l'hôpital avec sa bouteille de fortifiant IV à ses côtés en clamant : « Je n'ai rien. Je me porte à merveille. » Il y a plusieurs raisons de croire que l'Amérique dépend de la course aux armements pour maintenir la stabilité de son économie et son niveau de vie assez élevé – qu'en réalité le complexe militaro-industriel de ce pays se comporte de telle façon qu'il encourage, *dans les faits,* la course aux armements comme un moyen de maintenir la vigueur de l'économie.

Au moment de quitter la Maison-Blanche, il y a plus de vingt-cinq ans, le président Eisenhower a mis les Américains en garde contre leur complexe militaro-industriel [6]. Pourquoi cet homme se serait-il donné la peine de faire ce genre de mise en garde s'il n'avait pas été mieux placé que quiconque pour voir que l'ordre établi – les militaires, le Département civil de la Défense, les contracteurs militaires, les industries liées à la défense, les fabricants et les vendeurs d'armes – représentait

---

6. Discours d'adieu au peuple américain diffusé à la radio et à la télévision le 17 janvier 1961, dans *Bartlett's Familiar Quotations*, Boston, Little Brown, 1980, p. 815.

une menace sérieuse à la paix et à la santé nationale? C'est étrange. La mise en garde d'Eisenhower est devenue un lieu commun, et pourtant on dirait que personne ne l'a entendue. Année après année, le complexe militaro-industriel n'a fait que gagner en ampleur et en importance.

Il serait naïf de penser que les quelque dix millions de gens dont le gagne-pain dépend entièrement de la course aux armements – et les vingt millions qui en dépendent indirectement – ne forment pas dans ce pays un puissant lobby en faveur de la guerre. La grande majorité des Américains croient cependant qu'ils sont une nation tout à fait pacifiste. Tout se passe comme si le lobby était si puissant et si efficace qu'il pouvait même passer inaperçu – et que ses dimensions mêmes lui avaient permis de créer toute une conspiration du silence.

Plusieurs pacifistes évoquent l'hypothèse selon laquelle les États-Unis et d'autres nations poursuivent la course aux armements (ainsi que l'avait prédit George Orwell dans son célèbre *1984*) pour stimuler, manipuler, contrôler et alimenter leur économie et leur population. Cette hypothèse, les pacifistes l'ont appelée la « Théorie classique de la course aux armements ». Or, dans la majorité des articles parus sur la course aux armements au cours des cinq dernières années dans des magazines à grande diffusion tels *Times* et *Newsweek,* on n'a jamais fait mention, même en passant, de la « Théorie classique de la course aux armements ». Quelles que soient ses faiblesses (et cette théorie prête le flanc à certaines objections), on pourrait au moins s'attendre à ce qu'il en soit question dans les médias en général. Mais son existence même est ignorée. Pourquoi? Se pourrait-il que « l'issue tacite » du jeu psychologique qu'est la course aux armements soit en grande partie d'éviter la dépression économique? Et que cette issue doive demeurer tacite? Faute de quoi le jeu pourrait éclater?

Il existe quelques principes généraux auxquels il est difficile de résister; par exemple, que la fin justifie les moyens. Éviter la dépression économique peut sembler une fin louable – mais elle peut difficilement aller jusqu'à justifier la guerre ou même à encourir le risque de la guerre. Comme si cela ne suffisait pas, il se trouve que chercher à éviter la dépression économique est en soi une fin pour le moins douteuse. Les psychiatres savent que la manie peut être un moyen de défense contre la dépression, mais ils savent aussi que la manie est, en règle générale, plus dangereuse et plus autodestructrice que la dépression qu'elle est supposée combattre [7]. Un jour que je prenais la parole sur les étapes de la mort et de l'agonie, telles que les définit Elisabeth Kübler-Ross dans le processus qui vise à faire le vide, je soulignai que la dépression était un élément essentiel du processus de changement psychologique. De surcroît, il était évident que certaines personnes n'arrivaient pas à évoluer parce qu'elles fuyaient la douleur de la dépression et ne voulaient pas entreprendre le « travail de la dépression ».

Je crois que la dépression économique sur le plan national est le pendant social de la dépression psychologique. Quand l'économie d'une société enregistre une importante dépression, c'est le signal que cette société doit procéder à des changements ou à des ajustements importants. Une société doit pouvoir traverser une dépression économique de manière à effectuer les changements nécessaires pour demeurer saine et équilibrée. Comme certaines personnes réussissent à éviter la dépression en ayant recours à des procédés malsains, il peut arriver aussi qu'une société refuse de faire le travail de la dépression économique, et cela au détriment de sa santé tout en payant le prix d'une aggravation de la maladie sociale qui l'afflige. Je pense que la course aux armements est, notamment, le symptôme du refus des États-Unis d'assumer la douleur de la dépression économique, laquelle doit elle-même entraîner un changement social positif.

Il y a une vingtaine d'années a paru un livre, *Report from*

---

7. Les principaux facteurs de la maniaco-dépression sont de nature biologique, mais, dans certains cas, il peut s'instaurer une dynamique de nature vraisemblablement psychologique.

Iron Mountain, qui se veut une « fuite » du rapport secret qu'une commission nationale de la plus haute instance devait remettre au président des États-Unis. Pour des motifs d'ordre social et économique, la commission mettait alors le président en garde contre le désir de la paix. Elle affirmait que les changements nécessaires pour instaurer la paix seraient trop perturbateurs. On observe, encore une fois, le *refus* du changement. Et là est le Mal. Rappelez-vous Origène, ce théologien du début du christianisme qui disait : « L'Esprit qui cherche le progrès et le Mal, par définition, est ce qui refuse le progrès. »

Il ne faut pas souhaiter la dépression économique, mais elle n'est pas un mal. Certes, elle est douloureuse. Pas plus que quiconque, je ne veux voir revenir les files d'attente pour le pain, même si on a l'impression qu'elles sont sur le point de réapparaître. Il existe une énorme différence entre la dépression économique volontaire et l'involontaire. La Grande Dépression de 1929 était involontaire ; elle a frappé avec une ampleur inattendue et peronne n'a eu le temps de s'y préparer psychologiquement, socialement et encore moins économiquement. Aujourd'hui, si nous voulions subir volontairement une dépression économique, nous nous donnerions le temps de la planifier, de faire progressivement place au changement, de concevoir des stratégies innovatrices qui minimiseraient les perturbations économiques. La clé du changement social à grande échelle est la *substitution* – non la démolition des institutions, mais leur transformation.

Dans le processus d'établissement de la paix, il serait absurde, par exemple, de se débarrasser purement et simplement de l'armée américaine. Des millions de gens se retrouveraient aussitôt sans emploi. Ce geste aurait également pour effet de détruire inutilement tout ce que cette armée peut accomplir de bien, moyennant une transformation de ses objectifs. L'essentiel est de transformer, non de démolir. Voilà pourquoi je proposerais de transformer l'armée américaine en un corps de service national. C'est une proposition que certains des meilleurs esprits ont déjà faite depuis longtemps. Un corps de ce genre pourrait travailler à des projets authentiquement créateurs liés à l'épuration de l'environnement, à l'éducation et à la conservation. Une division à des fins d'autodéfense pourrait être maintenue par des moyens non violents : une escouade d'hommes et de femmes courageux, entraînés aux techniques de la résistance passive et de l'intervention non violente.

De surcroît, il serait préférable que les gens qui feraient carrière dans un corps de service national de ce genre séjournent successivement dans l'une ou l'autre de ses divisions. Dans l'état actuel de l'armée américaine, les militaires de carrière n'ont qu'une raison d'être : faire la guerre. Un des aspects les plus étonnants de la culture des Américains est qu'ils ont pu imaginer que les militaires de carrière soient, d'une certaine manière, les défenseurs de la paix. La réalité, c'est qu'en période de paix, les militaires de carrière traversent un mauvais moment : on procède à des mises à pied massives, les promotions sont suspendues, aucune distinction en perspective, les salaires sont maintenus à des niveaux scandaleusement bas et, en général, la fonction de soldat est dépréciée. Il suffit qu'une guerre commence, et le prestige revient tout à coup, les salaires montent, des primes sont offertes, on déverse une pluie de médailles et l'estime de soi est mieux que rétablie. Demander à un militaire de carrière de souhaiter la paix et non la guerre, c'est lui demander d'être un saint. De quel droit pourrions-nous espérer que les militaires soient meilleurs que nous à cet égard ?

Voilà pourquoi je proposerais une transformation de l'armée américaine et des autres institutions qui dépendent de la course aux armements. En termes de savoir-faire et de discipline, les militaires américains ont en réalité une longue tradition à offrir à leur pays, et il est possible d'en garder tout le bénéfice – mais uniquement si la nécessité d'une transformation est admise.

Le même genre de substitution des fins, le même genre de transformation, pourrait s'appliquer à un autre élément institutionnel du complexe militaro-industriel : l'Agence centrale de Renseignements, la CIA. Encore une fois, il serait absurde d'abolir la CIA, il faudrait plutôt l'élargir. Les États-Unis ont besoin de tous les renseignements qu'il est possible de recueillir sur les autres pays et sur les autres cultures. Toutefois, il est évident qu'ils ont désespérément besoin de transformer le type de renseignements qu'ils recueillent, de même que leur façon de les recueillir et de s'en servir. Il faudrait donc remplacer par des anthropologues les espions qui cherchent à manipuler les autres cultures sans les comprendre. Ce genre de substitution n'entraîne pas automatiquement un bouleversement dans la vie des individus concernés. Il n'y a aucune raison pour que les espions qui veulent devenir des anthropologues et qui sont doués pour cela ne reçoivent pas une nouvelle formation pour les y préparer.

Mais le changement demeure le changement, et il ne se fera jamais sans douleur. « Vouloir et être doué » n'est pas une qualification tout à fait dénuée d'importance. Il y aura des espions qui ne voudront *pas* devenir anthropologues, qui ont une soif d'excitation qui ne saura être étanchée par le travail patient qui consiste à comprendre une culture sans chercher à la manipuler. D'autres encore n'auront pas l'objectivité ou les autres qualités requises pour ce travail. On pourra engager de nouveaux effectifs, mais certaines personnes devront prendre leur retraite ou démissionner. Le bouleversement sera inévitable, la douleur aussi.

Les mêmes principes s'appliquent quand il s'agit de transformer l'aspect le plus important, le plus puissant du complexe militaro-industriel : l'industrie de la défense ou les industries liées à la défense. Encore là, la substitution n'est pas seulement possible, elle est essentielle. Les compagnies qui fabriquent actuellement du napalm pourraient, par exemple, fabriquer des feux d'artifice de meilleure qualité et plus sécuritaires. Celles qui inventent des défoliants pourraient se tourner vers la fabrication de meilleurs fertilisants. Celles qui fabriquent des chars d'assaut pourraient mettre au point de meilleures machines pour construire des routes. Dans chaque cas, les armes et les machines de guerre peuvent se transformer en outils de paix et ces technologies supérieures peuvent être employées à améliorer le sort de l'humanité plutôt qu'à préserver la souveraineté nationale. Il reste que le processus sera douloureux. L'équipement ancien deviendra inutile, et il faudra acheter de nouvelles machines. Il faudra prévoir une augmentation des investissements et acquérir de nouvelles connaissances. Les chimistes de la guerre devront apprendre comment devenir les chimistes de la paix. Un nouvel apprentissage demande une ouverture d'esprit et des efforts. Certaines personnes ne voudront pas faire cet effort. Certaines personnes seront des « chiens trop vieux pour apprendre de nouveaux tours ». Le bouleversement sera inévitable, la douleur aussi.

La question de la dépression économique volontaire soulève le problème fondamental de la relation entre la difficulté économique et le capitalisme. Le problème essentiel du capitalisme est qu'il est immoral en soi et pour soi. Son principe est que le bien-être général est mieux servi par des individus motivés, placés dans un environnement compétitif. Le capitalisme n'évoque aucun autre motif pour justifier son existence. À vrai dire, il met toute sa foi dans le profit parce que c'est le but principal que tout individu guidé par ses intérêts. En tant que tel, le motif du profit n'oblige personne à se soumettre à quelque chose qui lui est supérieur ou qui le dépasse. Le profit est outrageusement centré sur soi. Et toute volonté qui n'est pas soumise à une force supérieure à la sienne est maléfique, ou le deviendra inévitablement. Voilà pourquoi le capitalisme, en soi et pour soi, a une tendance profonde à « refuser le progrès ».

Par conséquent, la notion de « dépression économique volontaire » est un anathème aux yeux du capitalisme traditionnel. Pourquoi des capitalistes qui dirigent une usine rentable qui fabrique du napalm se donneraient-ils la peine de recycler et de réimplanter leur usine, tout en assumant les investissements exigés par la reconversion de l'usine en manufacture de

346

feux d'artifice ? Surtout quand il semble qu'il soit moins coûteux et plus profitable de faire du lobbying auprès du Congrès pour maintenir la demande en napalm ? Le libre capitalisme traditionnel résistera vraisemblablement à toute forme de changement ou de progrès dont il n'est pas prouvé qu'il lui sera profitable *sur le plan individuel* à relativement brève échéance.

J'ai des doutes quant à la sagesse de décider de laisser tomber la notion de profit ou d'abolir le capitalisme institutionnel. Mais comment peut-on décemment le *transformer* ? Comment le capitalisme peut-il vouloir éventuellement subir une dépression économique ? Comment les capitalistes peuvent-ils apprendre, dans certaines situations, à soumettre leur désir de profit individuel à des valeurs plus élevées comme l'amour et la paix ? C'est là une façon de formuler la question qui demeure la plus cruciale de notre époque.

Comme il se produit avec n'importe quel problème complexe, la question appelle une combinaison de réponses. L'une d'entre elles est la communauté. Les gens d'affaires doivent faire l'expérience de la véritable communauté pour en apprendre les valeurs et les profits émotifs – la joie – qu'ils peuvent tirer en mettant ces valeurs en pratique. Une faible minorité d'entre eux a déjà acquis ce genre de connaissances. La plupart, cependant, font semblant. Il est de bon ton pour une entreprise de donner l'impression d'avoir l'esprit tourné vers la communauté, mais voilà précisément ce dont il s'agit : une impression. La plupart du temps, cette impression ne sert qu'à dissimuler la nature outrageusement intéressée de la gestion de l'entreprise. Nous avons encore beaucoup à faire. Le capitalisme, et le monde dont il tire ses profits, ne pourront survivre que si le capitalisme dans son ensemble fait preuve d'un esprit authentiquement communautaire.

LE NATIONALISME : SAIN OU MALADE ?

Nous ne voulons pas changer ce dont nous sommes fiers. C'est cette résistance au changement qui permet d'évoquer

« l'orgueil qui précède la chute ». Dans l'esprit de plusieurs personnes, le capitalisme comme il se pratique à l'heure actuelle est étroitement lié à l'« américanisme » et s'inscrit dans un sentiment orgueilleux d'autosatisfaction. Les critiques qui en appellent à des changements importants sont mal accueillies. Si on paraphrasait l'adage : « Aime l'Amérique ou quitte-la », on pourrait dire « Aime le capitalisme ou quitte-le ».

Il y a un temps et un lieu pour l'orgueil. Il y a des moments et des endroits où l'orgueil n'est pas seulement normal, mais où il est aussi nécessaire. Et, tant pour les groupes que pour les individus, il y a d'autres moments où l'orgueil est destructeur et malsain. Le narcissisme est le côté psychologique de l'instinct de survie, et sans lui personne ne survivrait. Cependant, un narcissime débridé – ce qu'Erich Fromm appelle un narcissisme malin – est presque toujours le précurseur du mal, qu'il soit le fait des individus ou des groupes.

L'orgueil est, notamment, un élément sain et nécessaire du processus de la formation de l'identité. Tout au long des étapes qui jalonnent leur vie, les individus et les groupes sont engagés dans le processus de formation et de reformulation de leur identité. La plus grande partie de ce travail s'accomplit au cours de l'adolescence. Songez à la quantité d'orgueil et de narcissisme qu'il suppose ! Pour un adolescent, garçon ou fille, il est normal de se préoccuper de son apparence. Débraillés et négligés ou, au contraire, choisis avec soin, les vêtements seront toujours extrêmement importants. Quand des adolescents mettent certains vêtements ou les enlèvent, ils essaient surtout différentes identités. Ils passent des heures à se regarder dans le miroir, à regarder non seulement leurs vêtements, mais aussi leur visage, leur corps en train de se développer et les autres traits qui les caractérisent, en bien ou en mal. Tandis qu'ils se regardent dans le miroir, ils sont, très concrètement, en train d'essayer de comprendre qui ils sont et cherchent à distinguer leur identité au milieu de ces reflets. Ce même orgueil et ce même souci de soi devant le miroir les rendent aussi très vulnérables. En règle générale, les adolescents n'acceptent pas facilement la critique. Quand le bouleversement habituel de l'adolescence atteint son comble jusqu'à devenir anormal, le problème fondamental qui en résulte est en général un problème que nous appelons une « crise d'identité ».

Quand un groupe s'efforce de trouver son identité, la question de l'orgueil est également très en évidence. Un exemple, parmi les plus connus et les plus importants, est la lutte des Noirs américains, dans les années 60, pour trouver leur véritable identité. Jusque-là, les Noirs, dans leur ensemble, n'avaient pas d'identité propre – et, dans leur volonté de ressembler aux Blancs, en venaient à des extrêmes ridicules qui les faisaient s'efforcer, par exemple, de défriser leur cheveux naturellement crépus. Puis, soudainement et fort heureusement, presque en une nuit, tout cela a changé. Les cheveux frisés avaient le droit de s'afficher. La mode était « Afro ». On cherchait à connaître l'histoire de l'Afrique afin de pouvoir être fier de ses racines. Le corollaire obligé de cet « orgueil noir » fut la « colère noire ». « Black is beautiful » devint le slogan de l'époque.

La chose avait du bon. C'est une question de respect. Il est bon d'avoir du respect pour soi, comme il est bon d'en avoir pour autrui. Mais il faut une certaine dignité pour se respecter soi-même, ainsi que la sorte d'orgueil qui accompagne cette dignité.

L'orgueil d'un groupe national ou d'une nation est ce que nous appelons le nationalisme. C'est la chose la plus naturelle et la plus saine qui soit quand un groupe national est en train d'acquérir son identité – quand il est en train de devenir vraiment une nation. La chose se produit quand les tribus ou les cités-État décident de former une nation-État ou quand les colonies secouent le joug d'une domination étrangère (ainsi que l'ont fait, les Américains, en 1776).

La force du nationalisme est incroyable, ainsi que l'ont appris, pour leur plus grand malheur, les États-Unis au Viêt-Nam. Parce que, dans leur lutte pour secouer le joug de l'impérialisme, les Vietnamiens avaient choisi un leader communiste,

Ho Chi Minh, les Américains ont pris parti contre les Vietnamiens qui combattaient pour leur indépendance. L'erreur de jugement la plus importante que les États-unis ont faite en Asie du Sud-est fut de confondre le nationalisme vietnamien et le mouvement communiste. Si les Américains avaient cherché à encourager le nationalisme vietnamien plutôt qu'à perpétuer le colonialisme, il y a fort à parier que le Viet-Nam serait aujourd'hui un pays non communiste et authentiquement démocratique. En revanche, les mêmes raisons laissent croire qu'en s'opposant à la volonté vietnamienne d'autodétermination les États-Unis ont en réalité encouragé les Vietnamiens à pactiser avec la Russie et les ont jetés dans les bras du communisme et du totalitarisme. Quoi qu'il soit, au Viêt-Nam, c'est la force extraordinaire du nationalisme, et non le communisme, qui a mis les États-Unis à genoux. Chaque fois que les Américains s'opposent à une forme légitime de nationalisme, ils le font toujours à leurs risques et périls.

Il existe, cependant, une forme illégitime de nationalisme, à laquelle il faut s'opposer, tant chez les autres peuples que chez les Américains. De la même manière qu'il existe une différence entre l'individualisme « absolu » et l'individualisme « doux », il existe aussi une différence entre un sain degré d'indépendance et un état d'esprit qui fait qu'un État se sent autorisé à ne répondre de ses actes à personne et à exercer ses prétentions à s'ériger en loi. Ainsi, c'est le nationalisme qui a incité les États-Unis à proclamer qu'ils n'étaient soumis à aucune décision de la Cour Internationale de La Haye. Est-ce là un nationalisme sain? Que signifie cette forme de nationalisme en termes de progrès dans le développement de la communauté internationale?

Il existe une forme de fierté liée à l'identité qui n'est pas seulement normale, mais qui est aussi nécessaire à la santé de tout groupe, qu'il s'agisse des Noirs américains ou des Américains dans leur ensemble. Au sein même du processus de formation de la communauté, un groupe peut se sentir assez fier d'avoir réussi à traverser le chaos et les miasmes du vide. Il n'empêche que cette fierté légitime au chapitre de son identité glisse trop souvent et trop facilement vers un sentiment d'arrogante supériorité. La notion nazie de « race supérieure », qui devait conduire au génocide, était le symptôme d'un nationalisme exacerbé passant aux actes. Les certitudes apparentes du gouvernement des États-Unis sur ce qui convient au Nicaragua appartiennent à la même catégorie. Un jour, il faudra apprendre à faire la différence entre le nationalisme nécessaire au respect de soi et à l'autodétermination et celui qui conduit au chauvinisme, à la création d'ennemis, au patriotisme aveugle et qui nuit au développement de la communauté à l'échelle mondiale.

Savoir discerner le nationalisme sain de celui qui est malsain est une tâche difficile dans notre monde chaque jour plus petit. Il y a des endroits de la planète où il faut encourager le nationalisme et d'autres où il faut décourager toute tentative d'accroître davantage le nationalisme. Ainsi, il est évident qu'il faut encourager le nationalisme des Noirs d'Afrique du Sud, lequel les conduira à un respect légitime et à l'avènement d'une véritable nation où tous les citoyens seront libres. Les Noirs d'Afrique du Sud *ont besoin* de forger leur identité en tant que nation, avec ou sans la coopération des Blancs d'Afrique du Sud. Cependant, l'URSS et les États-Unis ont forgé depuis longtemps leur identité en tant que nations. Il est difficile de justifier une augmentation de leur fierté nationale déjà immodérée. Bien au contraire, il est évident que, dans l'intérêt de la paix, le nationalisme des Russes et des Américains doit être davantage bridé.

La clé du discernement entre le nationalisme sain et malsain se trouve donc, de toute évidence, liée à la question du développement de l'identité, où la notion du moi – l'entité Je – en tant qu'entité distincte est une illusion. Dans les faits, nous sommes tous interdépendants. À toutes les époques, les plus grands leaders de toutes les religions nous ont appris que l'évolution spirituelle est la voie qui éloigne du narcissisme et permet d'atteindre une conscience mystique où notre identité se fond à celle de l'humanité et du divin. Il en est des groupes et des nations comme des individus. Au bout du compte, nous sommes appelés à troquer notre nationalisme narcissique fait uniquement d'identités locales pour une profonde identification à l'humanité et une forme de communauté mondiale. Il reste qu'il faut posséder avant de songer à abandonner. Il est impossible de commencer le travail d'abandon de notre identité si nous ne l'avons pas vraiment acquise au préalable. De même, le véritable schéma de développement des nations consiste d'abord à grandir au sein du nationalisme, puis à grandir hors de lui et à le dépasser. Pour distinguer le nationalisme sain de celui qui est malsain, il faut donc savoir très précisément où en est une nation dans son évolution historique.

Cela dit, le test qui permet de distinguer le nationalisme sain de celui qui ne l'est pas est assez semblable à celui qui permet de distinguer une pensée juste de celle qui ne l'est pas : qu'est-ce qui fait défaut ? Dans quelle mesure cette pensée est-elle complète ? Dans quelle mesure l'auteur de cette pensée a-t-il délibérément cherché à tenir compte de toutes les variables possibles ? Le leader politique dont les gestes sont dictés par un nationalisme sain est assez conscient de la nature de son nationalisme et de la manière de l'intégrer à une vision plus mondiale des choses. À l'époque de la guerre du Viêt-Nam, Ho Chi Minh était plutôt conscient de ce qu'il faisait, alors que le président Johnson ne l'était pas. Johnson agissait en vertu d'un nationalisme pathologique que le sénateur Fulbright a qualifié d'« arrogance du pouvoir » – forme de narcissisme qui, comme la plupart des préjugés, agit de façon plutôt inconsciente.

Un exemple cocasse de nationalisme malsain se produisit en février 1964, alors que Lily, mon épouse, née et ayant grandi à Singapour, devint éligible à la citoyenneté américaine. Le Département de l'Immigration à Hawaï, où nous habitions alors, lui demanda si elle avait des objections à attendre le 1er mai pour recevoir ses papiers de citoyenneté. Ce jour-là, on devait célébrer le Law Day (la réponse américaine de l'époque à la fête soviétique du 1ᵉʳ Mai) en procédant à l'intronisation massive de nouveaux citoyens. Lily accepta. Le 1ᵉʳ mai, Lily et moi nous retrouvâmes donc avec deux cents autres nouveaux citoyens et leurs familles, en compagnie des dignitaires de circonstance, à la base militaire de Waikiki.

Les festivités débutèrent par une parade. Au son d'un orchestre, trois compagnies de soldats, aux armes étincelantes sous le soleil de l'après-midi, paradèrent quatre fois autour du terrain, puis se mirent au garde-à-vous derrière sept obusiers. Pour l'occasion, ceux-ci devaient tirer une salve de vingt et un coups de canon. Dès que le bruit se fut estompé, le gouverneur d'Hawaï, homme distingué et de fière allure, se leva et commença son discours : « Nous sommes ici réunis en cet après-midi, dit-il, pour célébrer le Law Day, bien que, plaisanta-t-il, toutes ces fleurs de l'île d'Hawaï donnent plutôt envie de l'appeler le Lei Day ! Mais, continua-t-il, quel que soit le nom qu'on lui donne, il n'en demeure pas moins qu'aux États-Unis nous célébrons cette journée avec des fleurs tandis que les pays communistes préfèrent les démonstrations *militaires*. »

Personne ne rit. Personne ne semblait voir l'absurdité de la chose : voilà un homme, entouré de trois compagnies de soldats armés, au garde-à-vous, la tête encore auréolée des panaches de fumée sortis des sept canons et qui disait n'importe quoi. C'était d'une stupidité inoffensive. Mais la même sorte de nationalisme inconscient commençait à tuer un nombre croissant de gens de l'autre côté du Pacifique.

Les États-Unis sont plus coupables que la Russie de nationalisme malsain. À l'inverse, d'après ce que j'en sais, en Russie, « l'homme de la rue » souffre davantage que l'Américain moyen de la politique du « mon pays avant tout, qu'il ait tort ou raison ». Une forme de patriotisme assez féroce et stupide semble faire partie, en effet, du tempérament russe. Ceci ne facilite pas les rapports entre les Russes et les Américains. Mais blâmer le nationalisme malsain des Russes sans critiquer le nationalisme malsain des Américains, c'est montrer autant de maturité et d'esprit positif qu'un enfant qui montre du doigt son frère cadet et se plaint à maman : « C'est *lui* qui a commencé ! »

On peut soit encourager le nationalisme malsain, soit le décourager. On prétend que les jeunes écoliers russes étudient la géographie à partir d'une projection de Mercator (rectangulaire) de la carte du monde, placée en général en haut du tableau noir de la classe. Tout au centre de la carte, il y a l'URSS. Lorsque les petits Américains sont en âge d'aller à l'école, ce sont les États-Unis qu'ils voient au centre de la carte.

Il n'est pas nécessaire qu'il en soit ainsi. Je suis reconnaissant à mes enfants de m'avoir offert, à Noël l'année dernière, un nouvel atlas du monde. Il s'agit d'une objet assez extraordinaire. Il n'a pas de centre. En gros, on a attribué le même espace à l'URSS, aux États-Unis, à l'Amérique centrale, à l'Amérique du Sud, à l'Afrique et à l'Europe, et même au pôle Nord et au pôle Sud. Je n'avais jamais vu un atlas de ce genre jusqu'à présent. Les éditeurs se sont donné beaucoup de mal pour en faire une représentation juste et complète de la géographie de la communauté mondiale [8].

Nous pouvons modifier nos cartes géographiques.

8. *Atlas of the World*, New York, Times Book, 1985, 7ᵉ édition complète.

CHAPITRE XV

L'ÉGLISE CHRÉTIENNE AUX ÉTATS-UNIS

Si nous savons que le changement est possible, nous savons aussi qu'il se heurte toujours à une résistance. Mettre fin à la course aux armements et former une communauté internationale apporte des changements beaucoup plus fondamentaux que ceux qu'exige la révision d'un atlas. Nous parlons d'une véritable révolution. Les révolutions naissent dans le cœur et dans la tête des gens. Mais le pacifisme, s'il veut se répandre, a besoin de l'appui des institutions humaines. Pourtant, les deux institutions les plus importantes et les plus influentes aux États-Unis – l'Église chrétienne et le gouvernement fédéral – semblent imperméables au changement ; elles semblent ne pas pouvoir ou ne pas vouloir intégrer les principes de la communauté susceptibles d'encourager cette révolution et de sauver notre peau.

OÙ ES-TU, JÉSUS ?

La course aux armements va à l'encontre de tous les principes que défend le christianisme. La course aux armements encourage le nationalisme ; Jésus pratiquait l'internationalisme. La course aux armements entraîne la haine et la création d'ennemis ; Jésus prêchait le pardon. La course aux armements encourage l'orgueil ; Jésus a dit : « Heureux les simples d'esprit ». Les fabricants d'armes et les guerriers appuient la course aux armements ; Jésus a dit : « Heureux ceux qui cherchent la paix ». Le principal moteur de la course aux armements est la recherche d'invulnérabilité ; Jésus a vanté les mérites de la vulnérabilité.

Alors, pourquoi l'Église chrétienne ne s'est-elle pas opposée à la course aux armements dès le début ? Comment le cardinal Spellman a-t-il pu contribuer à l'escalade de la guerre du Viêt-Nam ? Comment se fait-il que les fabricants de systèmes d'armement puissent assister à de grands rassemblements de prières nationaux ? Comment le drapeau américain peut-il flotter à l'entrée de la petite église protestante de la Nouvelle-Angleterre que je fréquente (et à l'entrée de la plupart des autres églises chrétiennes du pays), alors que Jésus s'est mêlé aux Cananéens et aux Samaritains et que la première tendance de l'Église, qui en cela voulut imiter Jésus, fut d'être internationale ? Qu'est-il arrivé à Jésus ?

Il y a quelques années, j'ai vu, sur le pare-chocs d'une voiture, un autocollant qui résumait à peu près la situation : « Après avoir essayé la religion, essaie Jésus ».

L'absence du véritable esprit du christianisme au sein de la religion institutionnalisée n'est pas vraiment un problème nouveau. L'histoire de l'Église au cours des 1 600 dernières années présente plusieurs cas de blasphème institutionnel. C'est l'Église qui a mis sur pied les Croisades qui ont permis de tuer les Arabes au nom de Jésus. C'est l'Église de l'Inquisition qui a tué et torturé au nom de Jésus. C'est l'Église de Rome qui, durant l'Holocauste, est restée là, à ne rien faire, au nom de Jésus.

Pourquoi ? Comment l'Église chrétienne a-t-elle pu blasphémer avec une telle constance ? À partir de quel moment a-t-on perdu Jésus de vue dans la mêlée ? Quand l'Église a-t-elle oublié la signification véritable de la communauté ?

LA RÉVOLUTION DU JEUDI SAINT

En tant que chrétien, j'estime que le jour le plus important du calendrier liturgique n'est pas le jour de Pâques, ni celui de Noël, mais le Jeudi Saint. Je dois à la philosophe chrétienne Béatrice Bruteau de m'avoir fait comprendre, au cours d'un cycle de conférences, la signification profonde du Jeudi Saint [1]. Dans ces conférences, Mme Bruteau démontre que la plus grande révolution de toute l'histoire de l'humanité est survenue le Jeudi Saint – qu'elle appelle aussi le Saint Jeudi, soit le jour qui a précédé la crucifixion de Jésus.

Selon elle, cette révolution s'est faite en deux temps. La première a eu lieu lorsque Jésus a lavé les pieds de ses disciples. Jusqu'à présent, le seul but que pouvait avoir un individu dans la vie, c'était d'arriver au sommet, et, une fois qu'il y était, d'y demeurer ou de chercher à le dépasser. Mais voilà que cet homme, qui était déjà au sommet – il était rabbin, enseignant, le maître – choisit soudain de descendre et de laver les pieds de ses disciples. Par ce seul geste, Jésus renversait symboliquement l'ordre social. Ce qui se produisait était à peine concevable ; les disciples eux-mêmes étaient à moitié horrifiés par ce comportement.

Bruteau suggère alors que Jésus, ayant symboliquement renversé l'ordre social, proposa un nouvel ordre social au cours de la Dernière Cène, sous la forme symbolique de la communauté. Nous savons pertinemment, par l'histoire de l'Église primitive, que c'est ainsi que les choses se passaient au début. Mais, comme nous en avons presque entièrement perdu le secret, nous ne pouvons imaginer la force que la communauté a donnée, autrefois, à ses membres.

1. Béatrice Bruteau, « The Holy Thursday Revolution », cycle de conférences tenues dans le cadre du Forum Orr sur la religion, à Wilson College, Chambersburg, Pa., 8-10 février 1981.

Dans *The Scent of Love* [2], Keith Miller propose une explication au fait que les premiers chrétiens aient été de si remarquables évangélistes. Non pas à cause de leur charisme – par exemple, la faculté de parler plusieurs langues –, ni à cause du christianisme qui serait une doctrine très attirante (bien au contraire, c'est la doctrine la moins attirante qui soit), mais bien parce que les premiers chrétiens avaient découvert le secret de la communauté. La plupart du temps, ils n'avaient même pas besoin de lever le petit doigt pour évangéliser les gens. Quelqu'un pouvait marcher dans une ruelle de Corinthe ou d'Éphèse et voir un groupe de personnes assises en train de discuter de choses étranges – il était question d'un homme, d'un arbre, d'une exécution et d'un tombeau vide. Le passant ne comprend pas un mot de ce que disent ces gens. Ils ont une façon de parler, de se regarder, de pleurer, de rire, de se toucher qui a quelque chose d'étrangement séduisant. D'eux se dégage ce que Miller appelle le parfum de l'amour. Le passant voudra poursuivre son chemin, mais, comme une abeille à une fleur, il sera constamment ramené au petit groupe. Il prêtera davantage l'oreille, ne comprendra pas davantage et voudra de nouveau s'éloigner. Encore une fois, il reviendra sur ses pas en se disant : je n'ai pas la moindre idée de ce dont parlent ces gens, mais je veux participer moi aussi à la discussion.

J'aurais pu croire cette mise en scène tout droit sortie de l'imagination romantique d'un écrivain si je n'avais eu moi-même l'occasion d'assister à un phénomène de ce genre. J'ai dirigé des ateliers de formation de la communauté dans des hôtels on ne peut plus impersonnels. Pourtant, à la réception de l'hôtel ou dans les corridors, les employés nous arrêtaient, moi ou d'autres membres du groupe, et nous disaient : « Je ne sais pas ce que vous fabriquez là-dedans, mais mon quart de travail se termine à trois heures. Est-ce que je peux me joindre à vous ? »

2. Keith Miller, *The Scent of Love*, Waco, Texas, Word Books, 1983.

Les effets de la révolution du Jeudi Saint ont commencé à diminuer à l'époque où le christianisme a été permis par la loi. Peu de temps après, alors que le christianisme était devenu religion d'État, la régression était presque consommée. On pouvait être chrétien en toute sûreté. La crise était loin. Et la règle veut que, lorsqu'il n'y a plus de crise, la communauté a tendance à disparaître. Par conséquent, la vitalité du christianisme et de l'Église a commencé à décroître à mesure que reculait l'époque des premiers martyrs.

Il est nécessaire que le statut de véritable chrétien s'accompagne d'un certain danger pour que nous comprenions de nouveau le sens de la communauté. Quiconque prend la foi au sérieux sait que la crucifixion n'est pas un événement survenu dans la vie d'un homme il y a plus de mille neuf cent cinquante années pas plus que le martyre ne fut un destin réservé uniquement aux premiers disciples. Ce sont des risques que peut courir tout chrétien. Les chrétiens devraient vivre – ont besoin de vivre – dangereusement s'ils veulent agir en conformité avec leur foi. Notre époque permet de prendre conscience de cette réalité, elle exige que nous prenions des risques importants pour instaurer la paix. Le fait même de s'en prendre aux forces institutionnalisées de la course aux armements – aux princes et aux puissants de ce monde – entraîne le risque du martyre. Depuis l'époque de Constantin, il y a eu, de temps à autre, des martyrs chrétiens. Mais l'époque est terminée où une âme courageuse pouvait, à l'occasion, et seule dans son coin, vivre et mourir en conformité avec sa foi. La crise a pris trop d'ampleur. Le temps est venu d'une action commune, générale, et d'un risque assumé par tous.

On peut formuler autrement la question la plus cruciale de notre époque en se demandant si le danger que fait courir la course aux armements peut ramener une crise au sein du christianisme et, dès lors, restaurer l'héritage communautaire de Jésus au sein de l'Église.

Quand je pense à l'ampleur des changements que suppose la volonté de mettre fin à la course aux armements – véritable révolution non seulement du point de vue de la pensée économique ou politique, mais révolution aussi dans nos rapports avec le voisin assis à côté de nous à l'église, avec celui qui habite en bas de la rue ou de l'autre côté de la voie ferrée –, j'ai parfois l'impression qu'une Seconde Venue est absolument nécessaire. Je ne parle pas d'une seconde incarnation. À vrai dire, je suis très pessimiste à la pensée d'une Église qui, assise sagement en rond, attendrait de voir apparaître de nouveau le Messie fait homme. Je parle plutôt de la résurrection de l'esprit du Christ, qui pourrait avoir lieu au sein de l'Église si les chrétiens le voulaient vraiment. Je parle d'une seconde révolution du Jeudi Saint.

LE PSEUDO-DOCÉTISME : L'HÉRÉSIE DE L'ÉGLISE

Comment l'Église a-t-elle pu oublier si facilement l'héritage communautaire de Jésus et s'éloigner de son commandement qui nous demande de nous aimer les uns les autres ? Avec la légalisation du christianisme, on pouvait être chrétien en toute sûreté. Le temps des dangers semblait loin. La crise était passée. Mais l'était-elle vraiment ? La réalité est que le Mal continue de régner dans le monde, voire au sein même de l'Église. Cette forme particulière du Mal qui consiste à obliger les gens à adorer les dieux païens a disparu. Mais toutes les autres formes de Mal sont restées. Comment l'Église a-t-elle pu abandonner le combat au moment même où il était nécessaire de se battre ? Comment l'Église a-t-elle pu vendre si facilement son âme ?

Le réponse, c'est la peur. Être un authentique chrétien exige de vivre dangereusement. La lutte contre le mal est une lutte dangereuse. Jésus a dit : « Je suis le chemin ». De toute évidence, il s'agit d'un chemin dangereux. Il peut très bien se terminer par une crucifixion ou par quelque autre forme de martyre. Voilà pourquoi, par peur, les chrétiens ont déserté en masse le chemin indiqué par Jésus.

Mais alors, comment peuvent-ils encore s'appeler chrétiens? Comment peuvent-ils prononcer le nom de Seigneur Jésus et refuser de le suivre? Jésus a vaincu sa peur et, pendant trois siècles, ses disciples ont semblé capables de suivre son exemple. Puis, un jour, ils ont cessé. Par quel tour de passe-passe intellectuel peut-on continuer à se dire disciples du Christ tout en ne cherchant plus à montrer autant de courage que lui?

Qu'est-il arrivé à la doctrine chrétienne pour qu'elle permette de perpétuer le rite de la communion alors qu'il n'y a plus de communauté? Quelle est la faiblesse de la doctrine chrétienne qui a fait en sorte que le christianisme est devenu un rite dépourvu de signification et ne représente plus un mode de vie?

Je suis incapable de répondre à cette question en étudiant superficiellement l'histoire de l'Église au cours des siècles. Mais il est sûr que je peux y répondre en considérant la situation de l'Église dans les États-Unis d'aujourd'hui. Car, pour moi, il est de plus en plus évident que la très grande majorité des Américains qui vont aujourd'hui à l'église sont des hérétiques. L'hérésie principale de notre époque – en réalité, il s'agit d'une hérésie traditionnelle – porte le nom de pseudo-docétisme. C'est cette hérésie dominante qui fait en sorte que l'Église n'arrive pas, d'un point de vue théorique, à convaincre ses disciples de suivre la voie de Jésus.

La plupart des chrétiens américains ont entendu parler, au catéchisme ou par l'enseignement qui a précédé leur confirmation, du dogme paradoxal de la nature humaine et divine de Jésus. Par pseudo-docétisme, je veux dire que les chrétiens évaluent à 99,5 % sa nature divine et à 0,5 % sa nature humaine. C'est là le déséquilibre le plus accommodant. Il situe Jésus tout en haut dans les nuages, assis à la droite du Père, dans toute Sa gloire, divin à 99,5 %, et nous laisse tout en bas sur terre, empêtrés dans nos existences ordinaires, régies selon des règles toutes terrestres, humains à 99,5 %. Le gouffre est si grand que les chrétiens américains ne sont pas sérieusement tentés de le combler. Jésus, quand il disait toutes ces choses au sujet du chemin qu'il indiquait, de la croix que chacun devait porter pour le suivre, et que nous serions alors comme lui et que nous ferions même des choses plus grandes que lui, il ne pouvait pas dire cela sérieusement, n'est-ce pas ? Je veux dire : il était divin, et nous ne sommes que des humains. Voilà qui explique pourquoi, ayant fait aussi largement abstraction de sa nature authentiquement humaine, nous avons le sentiment que nous pouvons vénérer Son Nom sans nous sentir obligés de suivre ses traces. Le pseudo-docétisme nous laisse en paix.

Le célèbre Quaker Elton Trueblood a dit un jour : « On peut accepter Jésus-Christ ; on peut le rejeter ; mais on ne peut raisonnablement l'ignorer [3] ». Pourtant, ce que font la grande majorité des chrétiens américains, c'est de raisonnablement L'ignorer. La faiblesse intellectuelle de notre raisonnement – la déraison qui a permis cette échappatoire –, c'est l'hérésie du pseudo-docétisme. Malgré tout ce qu'a dit Jésus, cette hérésie nous permet d'adorer Dieu et le Veau d'or. C'est là l'argumentation absurde évoquée par une Église qui, au nom de Jésus, se permet de coexister scandaleusement avec la course aux armements.

Si la course aux armements doit cesser, les chrétiens doivent devenir chrétiens. Ils doivent devenir de vrais disciples du Christ – c'est-à-dire qu'ils doivent Le suivre. Comme le faisait remarquer un jour un ami : « Notre problème, c'est d'en arriver à passer du Jésus sauveur au Seigneur Jésus ». Dès que nous considérons véritablement Jésus comme notre Seigneur, nous devons vouloir suivre Ses traces. Et pour être en mesure de suivre Ses traces, nous devons pouvoir envisager cette voie comme la plus humaine possible. Pour cela, il faut extirper de l'Église l'hérésie du pseudo-docétisme. Nous devons revenir à cette conception (toujours inscrite dans les Écritures) qui veut que Jésus ait été aussi entièrement divin qu'*entièrement* homme. Nous devons prendre conscience qu'il a réellement

---

3. Ces mots d'Elton Trueblood sont inscrits sur une plaque commémorative du Yokefellow Institute, établi à Richmond, dans l'état d'Indiana.

éprouvé toutes les souffrances qu'il a subies, mais nous devons aussi prendre conscience que nous *pouvons* endurer toutes les souffrances qu'il a endurées. De nouveau, nous devons devenir Ses disciples dans les gestes comme en paroles. La couronne d'épines, il faut la mettre sur notre tête.

L'ÉGLISE COMME CHAMP DE BATAILLE

Au tout début de la présente décennie, j'ai eu l'occasion de participer à deux exorcismes importants. Dans chaque cas, j'ai eu vaguement l'impression qu'il y avait quelque chose qui n'allait pas. Il ne s'agit pas de remettre en question le diagnostic. Au contraire, de telles expériences m'ont convaincu que la possession était une réalité. Je ne veux pas dire non plus que ces exorcismes n'étaient pas nécessaires. Pour autant que je puisse en juger, les deux patients doivent à cette procédure d'être encore en vie aujourd'hui. Chacun était devenu un champ de bataille où s'opposaient le bien et le mal (ou, si vous préférez, le Christ et Satan).

En réalité, chacun d'entre nous – chaque âme – est le champ de bataille du bien et du mal. Or, dans les deux cas qui nous occupent, cette lutte en était une de titans. J'avais l'impression que des puissances cosmiques s'en étaient mêlées, et je me demandais pourquoi. Au bout du compte, à la fin du second exorcisme, il m'est venu à l'esprit que le vrai champ de bataille du bien et du mal, c'était l'Église. Si chacun de ces patients était aussi profondément tourmenté en étant devenu un champ de bataille aussi important, c'était précisément parce que l'Église n'avait pas joué son rôle à cet égard.

En effet, même si la possession avait pris une forme différente chez chacun d'entre eux, elle était en partie le résultat d'une série de manquements précis imputables à l'Église : superficialité, absence de communauté, blasphèmes des dirigeants, ainsi que d'autres facteurs. De tous ces manquements, seul le refus de l'Église de servir de champ de bataille était celui qui avait le plus grandement contribué à faire d'eux des victimes sacrificielles.

Ce genre de refus est si profondément ancré dans la tradition qu'il est probable que la notion même d'Église comme champ de bataille semblera étrange, presque bizarre. L'Église n'est pas un lieu de batailles, n'est-ce pas ? À vrai dire, nous cherchons précisément à tenir l'Église éloignée de toute bataille. Nous cherchons à maintenir une pseudo-communauté, où tout n'est que sourires, politesses, amabilités et légèreté. S'il doit y avoir des affrontements, il faut les réserver aux rencontres paroissiales – ou, mieux encore, au comité électoral qui précède les rencontres paroissiales. Pourtant, cette façon de procéder n'a rien à voir avec l'authentique communauté – mais uniquement avec son sosie bien élevé.

Nous touchons ici le cœur de la question. Indéniablement, nous sommes appelés par le Christ à œuvrer pour la paix, et l'Église est donc la clé essentielle du désarmement. Mais, si l'Église veut s'engager à fond dans le mouvement en vue du désarmement, la question de la course aux armements devra être débattue au sein même de l'Église. Et je ne veux pas dire qu'elle soit simplement débattue au sein des conseils formés par ses dirigeants. Elle doit être débattue, entre paroissiens, dans chaque congrégation, à travers tout le pays.

Il reste encore à engager le combat. On n'a rien fait pour institutionnaliser cette lutte, même dans les Églises dont les chefs ont eu le courage de faire de la course aux armements une question que doivent affronter les chrétiens. Au mieux, on a fait s'affronter les conférenciers des deux camps. Les paroissiens étaient libres d'assister ou non à ces conférences. Bien assis chacun sur leur banc individuel, ils étaient laissés avec leur opinion individuelle (dans la plupart des cas déjà arrêtée), sans qu'il y ait eu de luttes entre les individus ou au sein du corps de l'Église. L'Église a esquivé sa responsabilité qui était d'*affronter* la question de la course aux armements.

L'Église se plaît à se qualifier de « Corps du Christ ». Mais elle s'est comportée comme si elle pouvait être le corps du Christ sans douleur, comme si elle pouvait être un corps qui n'était pas tiraillé, presque déchiré, comme si elle pouvait être le corps du Christ sans avoir besoin de porter sa propre croix, sans être clouée sur cette croix dans la souffrance de la lutte. L'Église, qui a cru que cela pouvait se faire sans douleur, a fait un mensonge de l'expression le « corps du Christ ».

Par conséquent, que va-t-il se passer ? Bien que douloureuse, la réponse est cependant claire. L'une des caractéristiques de la véritable communauté est qu'elle est un organisme qui sait lutter avec grâce. L'Église demeurera incapable d'affronter la question de la course aux armements tant qu'elle ne formera pas une communauté. Il appert donc que l'Église non seulement n'est pas le corps du Christ, mais qu'elle n'est ni un corps ni une communauté non plus. Elle doit former une communauté avant de servir en tant que corps du Christ.

Le processus de formation de la communauté commence par un engagement – l'engagement des membres à ne pas renoncer, à rester coûte que coûte, y compris dans les affres du chaos et du vide. En général, l'Église ne demande pas à ses membres un engagement de cette sorte. L'heure est maintenant venue de le faire. Car il ne peut y avoir de communauté sans cet engagement.

En parcourant les États-Unis, j'ai trouvé maintes fois le clergé dans un état proche du désespoir. Plusieurs dirigeants sont parfaitement conscients du manque de communauté qui règne au sein de leurs congrégations. Ils en souffrent, non seulement en tant que dirigeants, mais aussi en tant qu'individus. Ils n'ont pas l'impression de former une communauté au sein de leur propre congrégation. Ils cherchent la communauté en dehors de leur congrégation et ne la trouvent que très rarement. Ils ne se sentent à peu près jamais libres d'ouvrir leur cœur à leurs ouailles ou de prêcher l'Évangile à la lumière de la lecture qu'ils en font.

Quand ces gens me demandent ce qu'il faut faire, je propose qu'ils obtiennent d'abord des membres de leurs congrégations la promesse de demeurer présents coûte que coûte et d'être honnêtes les uns envers les autres. Je leur demande :

« Comment pouvez-vous décemment vous sentir libres de prêcher l'Évangile si, ce faisant, vous craignez de les faire fuir ? S'ils s'en vont, leur nombre se réduira, le budget de la congrégation sera ajusté en conséquence et votre évêque ne sera pas content. Vous porterez le poids de l'échec dans votre fonction. La première chose à faire est d'obtenir de vos paroissiens la promesse de rester. La communauté commence là. »

Il n'est pas facile d'accepter des conseils de cette nature. Nous vivons encore à une époque d'individualisme absolu. Les gens devraient avoir le droit d'aller et de venir comme bon leur semble, n'est-ce pas ? La décision d'appartenir à telle ou telle confession religieuse, de fréquenter telle ou telle église au sein d'une confession, voire d'aller ou non à l'église tel ou tel dimanche, tel ou tel mois ou dans telle ou telle saison, cette décision ne devrait-elle pas appartenir aux individus ? Comment peut-on exiger la loyauté comme on exigerait le paiement d'une livre de viande, à une époque comme la nôtre où les gens sont libres d'aller à l'autre église, en bas de la rue, où personne ne demande aux membres d'être fidèles ? En réalité, il est probable qu'exiger des membres la promesse de demeurer coûte que coûte pour en venir à former un corps ferait fuir bon nombre d'entre eux. C'est même une entreprise risquée.

Il faut également revenir à cette réalité que nous affrontons sans cesse : au départ, être chrétien est – ou devrait être – une entreprise risquée. Ce sera peut-être un début, quand quelques dirigeants ecclésiastiques prendront le risque de dire à leurs paroissiens que le temps est venu pour les chrétiens de se lever et d'affirmer publiquement leur foi. Mais leur sacrifice me fait frémir. La tâche pourrait leur être grandement facilitée si les évêques ou d'autres dirigeants de l'Église les encourageaient à prendre ce risque. Au bout du compte, ils auront fait ce sacrifice en vain si les évêques et leurs dirigeants ne sont pas prêts à assumer eux aussi ce risque. Tout comme le chrétien doit vivre une existence risquée, l'Église, dans son ensemble, en tant que corps, doit vouloir s'exposer au risque si elle veut devenir le corps du Christ.

Les risques sont énormes. Si je m'adresse à un évêque ou au directeur d'une congrégation, je devrai poser les questions suivantes : « À notre époque d'individualisme absolu, si l'Église décide d'exiger de ses membres un engagement important, combien de membres perdra-t-elle exactement? Dix p. cent? Vingt p. cent? Vingt-cinq p. cent? Cinquante p. cent? Quelle incidence le fait aura-t-il sur notre structure financière? Où iront ces membres qui ont choisi de partir? Adhèreront-ils à d'autres confessions religieuses? J'espère que non. Quelles en seront les conséquences pour l'Église dans son ensemble? Cette dernière sera-t-elle partagée entre les confessions engagées et celles qui ne le sont pas? Cela signifie-t-il qu'il y aura deux Églises : une Église des engagés et une Église des non-engagés? Du reste, une communauté ne doit-elle pas faire preuve d'ouverture d'esprit? Une politique qui exige un engagement ne serait-elle pas discriminatoire à l'endroit de ceux qui ne sont pas prêts à s'engager? Notre attitude n'aurait-elle pas pour effet de les priver des bienfaits potentiels des sacrements et de leur interdire tout contact avec l'Évangile? Ce genre de politique ne devrait-il pas se révéler, au bout du compte, un facteur de division à un moment où nous cherchons la réconciliation? »

Ce sont là de sérieuses questions, qu'il ne faut pas chercher à éviter. Les porte-parole de l'Église et les congrégations qui cherchent sincèrement à former une communauté, celles qui sont prêtes à courir le risque, doivent se rappeler trois choses. La première est que toute communauté doit affronter la question de l'ouverture si elle veut prolonger son existence. L'ouverture de la véritable communauté n'est jamais totale ou absolue. En réalité, l'Église a échoué sur un aspect de son rôle parce qu'elle a voulu montrer une trop grande ouverture. À la base de cet échec, il y a cependant un échec quant aux intentions. L'Église s'est efforcée de montrer la plus grande ouverture possible, non pour le bien de la communauté, mais pour celui de ses effectifs; si elle a accueilli l'étranger, c'est moins par amour que par cupidité. Ce n'est pas le désir de la communauté qui l'a empêchée de demander à ses membres de se lever et d'affirmer publiquement leur foi, c'est la peur. Elle ne peut pas prétendre qu'elle n'a pas été exigeante envers ses membres pour le bien de la communauté, car il n'y avait pas de communauté au départ. La réalité crue, c'est que l'Église, généralement parlant, n'a pas joué le jeu de la communauté ; elle s'est contentée de jouer aux numéros.

La deuxième chose dont les porte-parole de l'Église devront se souvenir est que bon nombre de croyants ne s'engagent pas parce qu'ils n'ont pas encore trouvé d'Église digne de leur engagement. Ce qu'ils ont vu, en revanche, ce sont des Églises qui jouent aux numéros, qui sont des sortes de clubs sociaux insipides, à qui la communauté et l'esprit de la communauté font défaut, des Églises où l'Évangile n'est mentionné qu'en passant, des Églises où il ne semble pas que les membres se soient donné comme règle de prendre le Christ au sérieux, des Églises qui ont l'air de défendre n'importe quoi et qui, partant, ne défendent rien du tout. Si, pour être membre, il faut se lever et affirmer publiquement sa foi, plusieurs membres anciens s'en iront. Mais une Église qui posera cette condition attirera de nombreux nouveaux membres. Peut-être quelques-uns. Peut-être plus de quelques-uns. J'ignore combien. L'Église l'ignore aussi tant qu'elle ne court pas ce risque.

Ils devront enfin se souvenir de l'exemple de Jésus. Jésus n'était pas tolérant de façon absolue. Il était incroyablement tolérant envers les pécheurs. Il cherchait leur compagnie et vivait en communauté avec eux. Mais il était aussi incroyablement intolérant envers les pharisiens, les dévots prétentieux et les marchands du temple. Son ouverture n'était pas sans condition. Un jour, il proposa à un jeune homme de devenir son disciple. Il l'invita à voyager avec lui, à vivre avec lui dans la plus étroite communauté. Mais il le prévint aussi qu'il devait d'abord se débarrasser de ses biens – donc, de son besoin de sécurité et d'invulnérabilité –, puis, qu'il devait prendre sa croix et le suivre. Les dirigeants ecclésiastiques et leurs congrégations – aux prises avec les questions réelles d'ouverture et, ultimement, de désarmement et de communauté – doivent se souvenir de Jésus et se demander ce qu'il aurait fait. Nous savons que le jeune homme a décidé de ne pas remplir les conditions posées par Jésus. Et c'est dommage. Mais il est écrit aussi que, tandis qu'il posait ses conditions, Jésus regardait le jeune homme avec amour.

DES SIGNES D'ESPOIR

Même si j'ai décrit mon Église comme une Église largement blasphématoire, hérétique et qui avait lâchement échoué, je puis affirmer qu'il s'est toujours trouvé des exceptions – ici, un martyr, là, une congrégation qui a protégé les juifs au risque de sa vie. Il y a toujours eu des signes étranges prouvant que la main de Dieu s'était posée sur cette miraculeuse et pathétique institution. En apparence, l'Église semble actuellement impuissante à réaliser la révolution sociale dont nous avons si désespérément besoin pour établir la paix dans le monde. Mais il n'est pas rare de découvrir qu'un nouvel ordre commence déjà à émerger sous l'ancien qui s'écroule, et qu'au milieu de la décadence on peut voir les signes d'une vie nouvelle. Voilà pourquoi, non seulement nous avons des raisons d'espérer pour la planète, mais que nous pouvons, de nos jours, avoir davantage de raisons d'espérer qu'à toute autre époque au cours des siècles de corruption de l'Église.

Le signe d'espoir le plus évident est que la majorité des dirigeants de l'Église ont, dans les faits, commencé, même si c'est encore timidement, à épouser publiquement la cause du désarmement. Le mouvement semble moins timide au sein de l'Église catholique romaine. La Lettre pastorale de la Conférence nationale des Évêques des États-Unis est un départ prudent, mais réel. L'existence d'une hiérarchie de type autoritaire fait en sorte que, dans cette section de l'Église chrétienne, les prêtres commencent à transmettre le message aux fidèles en vertu du pouvoir conféré par leur magistère. Par contre, les prêtres peuvent et devraient même être plus coercitifs. Simultanément, le clergé protestant, doit commencer à entretenir ses ouailles de ces questions avec beaucoup de franchise et d'autorité. On n'a plus le temps de prendre des précautions.

Une autre raison d'espérer – et peut-être une plus grande raison de le faire – est que l'Église montre des signes d'évolution vers la communauté. Les signes les plus évidents viennent de quelques congrégations, ici et là, qui non seulement ont pris conscience de l'existence de la communauté, mais également travaillent sérieusement à son édification. La plus remarquable est l'Église du Sauveur, dont le quartier-général est situé à Washington, D.C., et qui exige précisément de ses membres le genre d'engagement dont j'ai parlé un peu plus tôt. L'Église du Sauveur est en train de devenir un modèle pour l'ensemble de l'Église. Mais il s'agit d'un modèle exigeant. Par conséquent, d'un point de vue relatif, il s'agit encore d'une toute petite Église et ses adeptes sont peu nombreux et éloignés les uns des autres. Cependant, ils existent.

Une autre raison d'espérer se trouve dans un phénomène plus subtil, mais plus largement répandu. Au cours de la dernière décennie, l'Église, mystérieusement, est devenue plus eucharistique. L'Eucharistie, ou la communion, a toujours été profondément ancrée dans le rite catholique romain. Au sein de l'Église protestante, cependant, cette représentation liturgique de la phase deux de la révolution du Jeudi Saint avait presque basculé dans l'oubli au cours de la première moitié du siècle. Dans les années 60, certaines Églises épiscopales en vinrent à ne plus célébrer l'Eucharistie qu'une fois par mois, et d'autres Églises protestantes, au mieux, le faisaient tous les trois mois. Sans raison apparente, voilà que l'Eucharistie revient en force au sein de plusieurs confessions protestantes. À peu près toutes les Églises épiscopales célèbrent l'Eucharistie au moins une fois par semaine, et certaines d'entre elles n'ont que des offices eucharistiques. Bon nombre d'Églises luthériennes et presbytériennes ont en général un office eucharistique hebdomadaire. Chose plus surprenante encore, des congrégations méthodistes en font autant. De surcroît, le Mouvement Curcillo, originaire de l'Espagne catholique, infiltre également des confessions protestantes où il transmet une partie de l'expérience de la communauté et beaucoup de la passion du culte de la communauté.

Enfin, on peut observer, au sein de l'Église, un mouvement tranquille mais massif, que l'expression « laïcisation du ministère [4] » traduit le mieux. Il s'agit d'un mouvement très simple. Il n'a qu'une seule prémisse : chaque chrétien est ministre. Il semble que le mouvement ait tout juste commencé simultanément dans l'Église catholique romaine et dans les confessions protestantes. Au sein de l'Église catholique, il fut le fer de lance du concile Vatican II, qui introduisit spécifiquement certains changements au rituel, comme permettre aux laïcs de porter le calice et de donner le vin à la communion. La liturgie n'était plus réservée uniquement à des professionnels officiant derrière un autel devant un public de non-professionnels. Soudain, des hommes et des femmes ordinaires pouvaient lire l'épître derrière le lutrin, se placer autour de l'autel ou aller dans la sacristie. Les anciennes distinctions entre prêtre et pénitents, prédicateur et auditeurs, pasteur et ouailles commencèrent à s'estomper. Le clergé n'avait plus besoin d'être debout, en soutane, et d'incarner les spécialistes de la spiritualité, tandis que la majorité, assise sur son banc, incarnait les spécialistes de la non-spiritualité. Dès lors, l'Église évolua peu à peu d'une spécialisation à outrance vers l'intégration, et les anciennes distinctions entre ceux qui étaient ministres et ceux qui ne l'étaient pas commencèrent à tomber.

On aurait dit que l'Esprit soufflait sur l'Église. Tandis que Vatican II signifiait le début d'une laïcisation du ministère chez les catholiques romains, un phénomène semblable se produisait au sein des confessions protestantes. Des hommes d'affaires protestants, qui se sentaient responsables d'un

---

4. Voir *The Laity in Ministry : The Whole People for the Whole World*, John Hoffman et George Peck (éd.), Valley Forge, Pa., Judson Press, 1984.

ministère, mirent sur pied de petits groupes d'appui pour évangéliser leurs camarades de travail empêtrés dans le monde séculier. Des femmes au foyer se réunirent pour évangéliser les personnes âgées et les détenus. Des laïcs mirent sur pied des « églises-maison ». À l'occasion, des protestants se mirent à célébrer la communion au cours d'agapes, qui avaient lieu sans la présence d'un prêtre, d'un religieux ou même d'un ministre officiel. On aurait dit qu'une voix venue d'ailleurs s'adressait simultanément à plusieurs chrétiens dans plusieurs Églises différentes, en plusieurs endroits différents, et leur disait en termes non équivoques : « Vous êtes des ministres. Allez et soignez mes brebis. »

Il reste qu'aussi emballantes qu'elles puissent être, ces étapes vers la communauté demeurent un phénomène relativement modeste et statistiquement insignifiant si on envisage la situation dans son ensemble. Pourtant elles sont réelles. Et en pleine expansion. Mais une réalité demeure : l'Église a encore beaucoup de chemin à faire. Et il ne reste pas beaucoup de temps. J'ai été témoin, récemment, d'un phénomène extraordinaire : la plus importante migration d'oiseaux que j'aie jamais vue. Ce n'était pas des dizaines, ni des centaines, ni des milliers, mais des centaines de milliers d'oiseaux qui s'envolaient ensemble vers le sud. Ceux-là savaient ce qu'il fallait faire pour survivre. Mais le savons-nous ? Les recherches menées par les hommes de science employés par le gouvernement américain, à Los Alamos, permettent à ces derniers d'envisager « l'hiver nucléaire » comme une réalité possible. Pourtant, la société dans son ensemble se comporte comme s'il n'en était rien, comme si elle pouvait rester au même point, sans changer de direction. Le temps est venu pour l'Église de se mettre en marche.

CHAPITRE XVI

LE GOUVERNEMENT DES ÉTATS-UNIS

Au cours de l'été 1970, mon épouse et moi avons déménagé à Washington, la capitale, où je devais occuper le poste de médecin-général de l'armée. J'ai choisi ce travail en raison de mon intérêt profond pour les liens qui existent entre la psychologie et la politique. J'avais deux souhaits. L'un était d'en savoir davantage sur le fonctionnement de notre gouvernement. Ce souhait fut comblé, même si je n'ai pas forcément aimé ce que j'ai appris. Le second était celui d'un idéaliste : faire mon travail de façon à rendre mon gouvernement plus sain. Ce souhait demeura en grande partie non réalisé.

Rempli d'enthousiasme, je m'installai dans la capitale nationale. Le simple fait de marcher le long des corridors du pouvoir avait quelque chose d'exaltant. Je me sentais privilégié d'être là, dans une situation qui me permettait d'évoluer au cœur même du gouvernement américain. Vingt-sept mois plus tard, anéanti, j'avais décidé de m'en aller.

La nuit précédant notre départ, j'écrivis un poème : « En quittant Washington ». Son début est révélateur de l'état d'esprit dans lequel je me trouvais alors :

On roule les tapis ; comme des soldats de bois
Les femmes de ménage au garde-à-vous
Attendent de passer à l'action sur ce terrain de carton-
pâte
Demain une camionnette Plymouth nous emmènera
Loin de cette ville de marbre stérile qui vole les âmes
Des arbres sans sève sont en fleurs – emblème national
Que des Noirs en colère tournent en dérision.

Le poème finissait sur ces mots :
Je sais
Que si la lutte doit se poursuivre ici
J'aurai besoin d'une armure plus résistante
Ou de plus d'amour.

Mon état d'esprit à l'époque n'aurait pas eu beaucoup
d'importance, si l'on oublie que le climat qui régnait au sein
du gouvernement pouvait avoir un effet semblable sur l'état
d'esprit d'autres gens dans ma situation. Deux hypothèses sont
à envisager. L'une est que je méritais ce qui m'arrivait. J'étais
broyé, mais c'était moins mon moral qui était atteint que ma
fierté. Mon rêve d'accomplir quelque chose – d'avoir quelque
influence bénéfique – était un rêve immature et narcissique.
Mon problème était que je ne pouvais me contenter de n'être
qu'un petit poisson dans un étang immense. Je n'avais pas
l'humilité ou, pour le dire autrement, le tempérament d'un
bureaucrate, simple rouage dans une machine énorme, mais
parfaitement huilée. Mon idéalisme était naïf et n'était pas très
réaliste. Je méritais de perdre mes illusions, et il était nécessaire que je laisse la tâche de gouverner à des gens plus durs
et plus mûrs.

Je pense que cette hypothèse a du vrai. L'autre hypothèse
est cependant aussi vraie : la nature du gouvernement américain est telle que toute personne sensible et un peu idéaliste qui
s'efforce de « travailler de l'intérieur » sera broyée dans son
moral. Si mon hypothèse est juste, les Américains ont de

sérieux problèmes. Car cela veut dire qu'il faut laisser le gouvernement des États-Unis aux cyniques, aux gens dépourvus de sentiments, qui ont le cœur dur, qui s'épanouissent dans une atmosphère d'intrigue permanente et de manipulation, où règne l'opportunisme.

ÉQUILIBRE DU POUVOIR OU CHAOS ?

À Washington, j'ai appris que tous les hommes politiques doivent se battre. Et lutter ferme. Je ne peux pas leur reprocher d'être paresseux au sens habituel du terme. Dans cette ville, la semaine de soixante-dix heures – consacrée principalement à se battre – est la règle. Ces gens savent également lutter en ayant recours à des moyens pas très jolis. Et, dernière remarque, ils se battent essentiellement entre eux.

Ils se battent principalement pour de l'argent, lequel prend la forme de budgets. Loin de moi l'idée de suggérer que ces luttes budgétaires n'ont rien à voir avec les idées ou avec les idéaux. Un budget n'est que la concrétisation de priorités [1]. Mais je ne veux pas dire non plus que leurs luttes sont purement altruistes. Dans l'ensemble, chacun cherche à préserver ou à augmenter sa part de l'assiette budgétaire au détriment des autres. Ces gens pourront se mettre d'accord, mais je n'ai jamais vu qu'on établisse un budget sur la base d'une coopération. La coopération n'est pas une réalité très répandue à Washington.

La communication ne l'est pas davantage. Dans ma fonction, la première chose que j'ai apprise a été la règle tacite numéro un : « Fais bien attention aux gens à qui tu parles. De

1. Ainsi, à Washington, un nombre important de personnes ont lutté pendant plus d'une décennie pour créer une académie nationale de la paix, dotée d'un budget équivalent à moins de 1 % de celui alloué à nos académies militaires nationales. Au sein de notre gouvernement, il semble que les idées et les idéaux de la guerre soient clairement devenus une priorité par rapport aux idées et aux idéaux de la paix. Les budgets sont le reflet de réalités politiques.

manière générale, la communication entre les gens d'un même sous-département est assez bien vue. Si un officier supérieur du bureau du médecin-général pose une question, il faut y répondre honnêtement, mais cela ne veut pas dire qu'il faut se mettre en quête d'informations. Sauf en cas de force majeure, personne ne doit communiquer avec une autre division de l'armée sans passer d'abord par le bureau du médecin-général. Il reste qu'il y aura des moments où un militaire devra parler au département de l'armée, mais, surtout, il ne devra transmettre aucune information aux gens du département de la Marine ou de l'Armée de l'air. Si on lui en donne la permission, il peut être intéressant, à l'occasion, d'engager la conversation avec les officiers des autres services, mais il n'est pas nécessaire que les civils du ministère de la Défense sachent ce qu'il fait. Cela dit, je ne peux pas affirmer qu'il sera congédié s'il communique avec le ministère de la Défense, mais il vaut mieux qu'il se tienne loin, très loin de la Maison Blanche. Et, surtout, il devra se rappeler ceci : ne jamais divulguer à quelque membre du Congrès que ce soit une information que personne n'a demandée, parce que le Congrès, c'est l'ennemi ultime. »

Une des rares choses qui assurent un vague équilibre au sein du gouvernement américain est une pratique appelée la fuite. On peut penser que la chose se produit en général quand un porte-parole du gouvernement laisse filtrer dans la presse quelques bribes d'information. Cela arrive, mais, la plupart des fuites surviennent au sein même du gouvernement – quand le porte-parole d'un ministère traverse en catimini les limites territoriales de son ministère pour obtenir de l'information d'un autre ministère. Cette sorte de fuite porte un nom spécial : « le coup de sifflet ». Au sein du système américain, on considère qu'il s'agit là de la faute la plus grave, et la commettre est toujours risqué. La sanction peut être sévère.

Voilà donc le portrait général de la communication au sein du gouvernement des États-Unis. Il en va de la communauté comme de la communication. Les règles selon lesquelles fonctionne le gouvernement américain sont les règles de l'anti-communauté. La communauté est absente de ce gouvernement. Elle est pervertie par une atmosphère de compétition permanente, d'hostilité et de méfiance. Un de mes supérieurs ne plaisantait pas le jour où il me conseilla : « Ici, il vaut mieux être paranoïaque ou quelque chose du genre. La paranoïa, c'est la santé. » Je n'aurais pas été capable de survivre longtemps dans un tel environnement.

Faut-il qu'il en soit ainsi ? Plusieurs personnes diront que oui. « C'est ainsi que va le monde », diront les soi-disant réalistes. Du reste, ils prétendront que cette situation s'inscrit tout à fait dans l'esprit de la Constitution des États-Unis. Quand les Pères fondateurs ont mis au point le texte de la Constitution, ils ont été assez explicites sur la question de l'équilibre du pouvoir. Ils avaient prévu que les trois principales branches du gouvernement américain – le pouvoir judiciaire, le pouvoir exécutif et le pouvoir législatif – seraient souvent en désaccord, mais ils pensaient aussi que c'était une bonne chose. Les heurts entre les branches et les différents paliers de pouvoir serviraient à redéfinir le comportement de l'ensemble, à contrôler les abus des parties et permettraient d'instaurer un sage et sain équilibre. De façon délibérée, les Pères fondateurs introduisaient des germes de conflits dans le système.

Les notions de « contrôle et d'équilibre » et d'« équilibre du pouvoir », telles que les souhaitaient les Pères fondateurs, sont des notions excellentes. Par contre, je ne pense pas que ceux qui ont rédigé la Constitution des États-Unis aient voulu que le conflit instauré entre les trois principales instances du gouvernement dégénère en lutte à finir permanente entre les départements et les sous-départements de chacune des instances. Je ne pense pas non plus qu'ils aient souhaité que soit immobilisé le flot d'informations entre les principales instances du gouvernement, pour ne pas dire à l'intérieur de chacune d'entre elles. Pas plus qu'ils n'aient voulu, du moins je le pense, instaurer, au sein du gouvernement, un climat où seule une mentalité bureaucratique, paranoïaque et sans âme peut survivre.

Non. La Constitution des États-unis n'exige pas que les Américains soient dotés d'un gouvernement entièrement en guerre contre lui-même, un gouvernement dépourvu d'esprit coopératif, où le personnel se répartit entre les indifférents en bas de l'échelle et les prédateurs au sommet. Mais est-ce la nature humaine qui le veut ainsi? Encore une fois, la réponse est non. Car nous voilà ramenés à la réalité de la communauté. Il est possible de vivre ensemble en communauté, et certaines personnes le font. Pas souvent. Mais la communauté n'est pas uniquement le fait du hasard; à partir du moment où on connaît son fonctionnement, on peut faire en sorte qu'elle devienne la règle.

Le gouvernement des États-Unis est ignorant des règles de la communauté. Il est coincé à l'étape de la présomption anti-objectif de la lutte [2], qui est le mode dominant de l'étape qui précède la communauté et que j'appelle le chaos. Dans les relations internationales, le gouvernement américain se comporte comme si son objectif principal était de se battre avec les autres nations-États. Chose sans doute plus grave, sur le plan domestique et interne, les dirigeants gouvernementaux se comportent comme si le but de leur concentration à Washington était de lutter entre eux.

Or ce n'est pas le cas. Leur tâche est de gouverner. Et on peut penser qu'ils accompliront mieux cette tâche si, de manière générale, ils travaillent les uns avec les autres plutôt que les uns contre les autres. Un groupe empêtré dans une présomption anti-objectif – dans ce cas-ci, il s'agit de la présomption anti-objectif de la lutte – est un groupe tout à fait inefficace. Imaginez l'efficacité accrue de ce gouvernement si ses employés n'étaient pas constamment occupés à se battre. Il existe une voie supérieure au chaos bureaucratique et autoritaire que constitue le gouvernement américain. Cette voie, c'est

2. De nouveau, le lecteur est prié de se reporter au chapitre VI pour l'explication de ces notions (N.d.T.).

la communauté.

Cela semblera paradoxal, mais j'estime que si les diri-geants gouvernementaux occupaient le quart de leur emploi du temps à la formation d'une communauté, ils seraient non seu-lement en mesure de travailler avec une compétence et une efficacité accrues, mais ils pourraient aussi réduire leurs effec-tifs de moitié. Mais les bureaucrates gouvernementaux, à tous les niveaux, demeureront incapables d'instaurer entre eux des rapports humains et marqués au sceau du bon sens s'ils conti-nuent de penser que la règle du jeu est de réussir mieux que les autres et de se battre pour le pouvoir. Le gouvernement améri-cain ne fera l'expérience de la communauté que lorsque ses dirigeants, depuis le président des États-Unis jusqu'aux employés du gouvernement à tous les échelons, accepteront de se soumettre à ses principes.

Dans plusieurs domaines, le président des États-Unis a moins de pouvoir que ne l'imagine le profane. Au moment de prendre une décision, il arrive souvent que l'éventail des possi-bilités soit très réduit. En revanche, le plus grand pouvoir du président est un pouvoir en général sous-estimé : celui de l'esprit. L'esprit de changement et d'innovation a bouleversé l'administration Kennedy. L'esprit de manipulation a boule-versé l'administration Johnson. Nixon, qui a fait la sourde oreille aux libertés civiques, a encouragé les « sales mani-gances » qui ont à leur tour bouleversé son administration. Le gouvernement des États-Unis ne peut connaître la communauté que par l'administration d'un président qui accepte de se sou-mettre, non seulement en paroles, mais aussi en esprit, aux principes de la communauté.

L'ASPECT IRRÉALISTE
DE LA PRÉSIDENCE AMÉRICAINE

Tout comme le système des nations-États en cette fin du vingtième siècle, l'institution présidentielle américaine est deve-nue désuète. Il y a deux cents ans, au moment de créer cette fonction, la population des États-Unis était cent fois moins élevée qu'à l'heure actuelle et la complexité des problèmes était à l'avenant. La structure fondamentale de la fonction est demeurée la même, alors que l'ampleur des tâches que doit accomplir le président est multipliée par cent. De ce point de vue, la Constitution des États-Unis n'a pas besoin d'être changée. Par contre, la façon dont le président assume son rôle a désespérément besoin d'une révision en profondeur.

En ce moment, les Américains attendent de leur président qu'il remplisse une foule de tâches : saluer une meute de scouts devant la Maison Blanche, accueillir les chefs d'État à leur descente d'avion, prononcer les discours de circonstance devant les clubs de vétérans et le National Press Club, tordre le bras de chaque membre du Congrès sur chaque projet de loi important, faire campagne pour venir activement en aide à un membre du parti en difficulté, tout connaître du Salvador et de l'énergie nucléaire, et ainsi de suite, à l'infini. Sans compter les décisions éclairées et réfléchies qu'il doit prendre. C'est une tâche tout simplement impossible.

Ce n'est pas vraiment la faute du président Reagan [3]. Depuis Roosevelt, les Américains ont créé une image macho du président, qui le peint en superman qui peut tout faire, être partout à la fois et seul maître à bord du navire de l'État. Une image, oui, voilà exactement ce dont il s'agit, et qui ne correspond en rien à la réalité. Comment s'étonner après cela qu'en 1980 nous en soyons venus à choisir un acteur pour jouer ce rôle ?

Les images m'inquiètent. Quand nous sommes au cinéma, aussi captivantes que soient les images, nous savons qu'elles ne sont pas vraies. Elles ne sont que du cinéma, et notre conscience revient au monde de la réalité dès que les lumières se rallument. Mais ce n'est pas ainsi que les choses se passent avec la présidence américaine. Récemment, un candidat à la

---

3. Cet ouvrage a paru aux États-Unis en 1987, sous la présidence de Ronald Reagan *(N.d.T.)*.

présidence qui avait toujours voté dans le passé pour des augmentations régulières du budget du Pentagone voulut poser en défenseur du désarmement. Reagean « joue » à celui qui veut équilibrer le budget. Et peu importent les efforts publicitaires des candidats, des journalistes et des réseaux de télévision qui veulent faire de la politique un pur divertissement, il ne faut jamais oublier que la politique appartient au monde de la réalité. La politique ne devrait pas être un théâtre d'images. Elle devrait être le théâtre de la réalité. Des millions et des milliards de vies sont en jeu.

Quand les images sont présentées comme la réalité et non comme du théâtre, elles deviennent des mensonges. La meilleure définition de Satan est peut-être celle qui fait de lui un « véritable maître de l'illusion ». Je suis effrayé quand je vois qu'un vent d'irréalisme souffle sur le gouvernement des États-Unis et sur ses décisions. Au point d'en être maléfique. La présidence américaine a besoin de subir une thérapie en profondeur.

Le responsable de ce changement radical ne sera pas, ultimement, le gouvernement américain lui-même. On peut reprocher bien des choses à ce gouvernement, mais on peut dire qu'il réussit à satisfaire les désirs des gens – lesquels sont différents de leurs besoins. Par conséquent, les soins réclamés par la présidence américaine doivent commencer dans l'esprit et le cœur des citoyens ordinaires et de quiconque est susceptible d'ouvrir les yeux du président.

On a créé l'image macho d'un président qui pose en superman, et cette image s'est imposée parce que les gens l'ont bien voulu. Les Américains ont voulu un super-papa qui a réponse à tout, qui va régler son compte au petit dur-à-cuire qui habite au coin de la rue, qui leur assurera la protection d'un foyer à la fois sûr et opulent et saura les protéger de tous les coups durs. La présidence américaine est le reflet de l'hypothèse anti-objectif de la dépendance, le fruit de fantasmes enfantins. Dès lors, un cercle vicieux en a résulté. Pour être élus ou réélus, tous les candidats, les uns après les autres, luttent à qui imposera l'image qui correspondra le mieux aux attentes irréalistes des Américains. De surcroît, toutes les administrations, les unes après les autres, font appel aux médias pour perpétuer cette image et convaincre la population de sa réalité.

Paradoxalement, la présidence américaine est devenue à la fois trop puissante et trop faible. Elle est trop « puissante », car, dans ses efforts pour correspondre à l'image macho d'une puissance surhumaine, elle veut trop en faire, satisfaire trop de besoins, contrôler trop de facteurs, s'ingérer dans les affaires de trop de pays. Elle est trop faible, car elle n'exerce pas de leadership véritable. Elle n'a pas le courage de refuser de satisfaire des attentes irréalistes et de mener le pays vers un régime plus sain, plus réaliste, davantage doué d'une force spirituelle, aussi impopulaires que puissent être les mesures qui entraîneraient les Américains dans cette direction.

Deux changements s'imposent. Le plus important concerne les attentes des gens vis-à-vis du président des États-Unis. Ils doivent en venir à réclamer un leader, et non un fournisseur ; un véritable être humain et non un superman ; un directeur spirituel et non un super-papa. Ils doivent se préparer à accepter – à vouloir – une présidence qui ne soit pas impériale, mais « pauvre d'esprit [4] ».

Quand Jésus a prononcé son premier vrai sermon, les premières paroles qui sortirent de sa bouche furent empruntées au début des Béatitudes : « Heureux les pauvres d'esprit ». On peut discuter du sens qu'il convient de donner à ces mots, mais nous pouvons être sûrs que Jésus n'entendait pas par ces mots

---

4. Le président Carter a eu le courage de faire une première tentative en vue d'instaurer une présidence pauvre d'esprit, mais, à plusieurs reprises, étant donné la nature institutionnelle de son rôle, il n'a pas eu le courage - et cela se comprend - d'imposer ce type de présidence ou de la rendre opérante. Il faut regretter d'autant plus cet échec, qui laisse croire aux gens qu'une présidence pauvre d'esprit est obligatoirement une présidence faible et inadaptée au « monde réel ». Avec son successeur, les Américains ont retrouvé avec joie leurs images et leurs conceptions primitives du pouvoir.

une administration qui se considérerait comme le gendarme de la planète, qui prétendrait avoir réponse à tout, qui ne saurait admettre ses erreurs et chercherait à préserver une double image d'infaillibilité et d'invincibilité.

J'ai hâte que vienne le jour où, en conférence de presse, on posera au président des États-Unis une question comme celle-ci : « Monsieur (ou Madame) le Président, qu'avez-vous l'intention de faire au Salvador ? », et que le chef de l'Exécutif soit capable de répondre : « Franchement, je n'en sais pas encore assez sur le Savaldor. Voilà plusieurs mois que j'étudie la question, mais c'est une situation si compliquée. Les gens, là-bas, ont une longue histoire et une culture très différente de la nôtre. Pour autant que je puisse en juger, la situation ne semble pas critique. Aussi, dans l'attente d'une meilleure compréhension des choses, nous n'avons pas l'intention d'intervenir au Salvador. »

Cependant, les États-Unis ne sont pas encore prêts pour l'avènement de ce jour. Le reste du monde est prêt, mais la presse et la conscience américaines ne le sont pas encore. Les Américains veulent toujours un super-papa de rêve à Washington. Or leur propre salut exige qu'ils unissent leurs efforts pour dépasser l'étape de l'hypothèse anti-objectif de la dépendance et accéder à une plus grande maturité.

Tout le monde est confronté à l'obligation d'acquérir de la maturité. Et le meilleur endroit pour atteindre le plus efficacement ce but demeure la communauté, où tous les membres apprennent à exercer leur leadership et à combattre leur tendance à s'en remettre à une figure autoritaire aux États-Unis, les professionnels des médias, notamment, devraient s'assigner cette tâche. Ils ont le pouvoir énorme d'appuyer ou de tourner en ridicule la présidence qui, très réalistement, déciderait d'être pauvre en esprit. La première responsabilité des journalistes, des gens de la télévision et des commentateurs de la radio est d'éduquer le public afin qu'il acquière une plus grande maturité politique et de mettre un frein au pouvoir d'infantilisation qui est le leur.

VERS UNE PRÉSIDENCE COMMUNAUTAIRE

En second lieu, il faut effectuer le changement qui instaurera une présidence américaine communautaire. C'est la seule façon de répartir efficacement les charges liées à cette fonction, de telle sorte que le président sera peut être davantage capable de recul, qu'il ou elle sera en mesure de préserver son intégrité comme on le lui demande et que le public puisse de nouveau avoir confiance en son discernement.

On peut faire tout cela sans modifier la Constitution. Mon rêve de réformer la présidence américaine débute bien avant le processus premier de sélection des candidats. Imaginons l'élection possible du Président X (et imaginons que ce candidat potentiel soit une femme). Ceux qui auraient reconnu ses qualités de leadership l'auraient désignée pour cette fonction, et la candidate commencerait à assumer son rôle extraordinaire en désignant le vice-président et les membres de son Cabinet. Elle choisirait ces personnes moins en fonction de leur compétence particulière qu'en raison de leur capacité de travailler en communauté – en clair, en fonction de leur maturité et de leur capacité de transcender, quand c'est nécessaire, leurs intérêts personnels. Du reste, déjà, dans les faits, les membres du Cabinet ne sont pas des techniciens experts, mais des gestionnaires. En d'autres mots, cette candidate commencerait par mettre sur pied une véritable communauté.

De plus, elle refuserait, à moins de circonstances extraordinaires, de « se mettre en campagne électorale ». C'est le Cabinet, ou les membres de la base, qui feraient quatre-vingt-quinze pour cent de la campagne électorale. Cela la libèrerait et lui permettrait d'assumer deux de ses fonctions essentielles : avoir le recul nécessaire pour prendre des décisions politiques réfléchies et imposer le leadership indispensable au maintien d'une communauté intégrale.

Bref, dès le début du processus électoral, les gens ne voteraient pas simplement pour un individu, mais pour une communauté. Encore une fois, le fait n'exige aucun changement constitutionnel. Il est vrai que la nomination des membres du Cabinet doit être ratifiée, éventuellement, par le Congrès. Mais, dans la situation actuelle, les membres du Cabinet entrent en fonction avant même d'avoir reçu l'approbation du Congrès.

Le système que je propose n'a qu'un inconvénient : la candidate à la présidence serait beaucoup moins visible, en tant que candidate, auprès de l'électorat que dans le système actuel. Cet inconvénient est très largement compensé par d'autres avantages. Au bout du compte, la campagne électorale serait plus efficace, puisqu'elle ne reposerait pas sur une, mais sur une douzaine de personnes. La candidate elle-même n'aurait pas à subir l'épuisement qui résulte du rythme stupidement effréné de la campagne électorale. De plus, sa visibilité réduite n'empêcherait pas les électeurs d'en savoir plus que moins sur ce qu'ils obtiendraient en votant pour elle. Ils sauraient d'avance qui serait le Secrétaire d'État, le Secrétaire à la Défense et celui de l'Éducation, et ils connaîtraient l'identité du Procureur Général et du vice-président [5].

Le processus de l'élection présidentielle pourrait se poursuivre de la même façon, non seulement durant les primaires au sein du parti, mais aussi tout au long de la campagne nationale et du mandat qui lui succéderait. À chaque moment, la présidence fonctionnerait comme une communauté. Toutes les décisions importantes se prendraient en communauté, et par consensus. Le rôle du président ne serait pas de prendre unilatéralement certaines décisions. Sa principale responsabilité serait plutôt d'encourager l'avènement d'une présidence communautaire et du processus de prise de décision qui lui est

5. À vrai dire, une des raisons qui ont fait que les Américains n'ont plus confiance dans le processus électoral est la manière actuelle de choisir les candidats à la vice-présidence - laquelle ne repose pas sur leurs qualifications, mais sur des considérations bassement politiques. Sachant à qui le candidat a choisi de confier les plus hautes fonctions, les gens seraient mieux en mesure que maintenant de juger de la personnalité du président qu'ils s'apprêteraient à élire.

associé.

Les gens qui n'ont jamais fait l'expérience de la véritable communauté auront envie de penser que les exigences de la décision par consensus auront pour effet de réduire le pouvoir de la présidence – que toutes les décisions se réduiront à une série de compromissions. En réalité, c'est tout le contraire. Dans la formule actuelle, la présidence américaine est trop faible. Le Président, censé être le seul maître à bord, se révèle incapable de faire preuve du courage qu'exigerait l'authentique leadership spirituel qui entraînerait ce pays dans une saine mais impopulaire direction.

Il ne faut pas sous-estimer le prix du courage et de l'intégralité. Dans le système actuel, aucun être humain ne peut avoir suffisament d'intégralité et de courage pour être un véritable chef de l'Exécutif. Il (ou elle) croulerait sous le poids de ses responsabilités, serait tiraillé entre des exigences contradictoires, serait trop seul et trop isolé pour garder son équilibre, résister à la tentation de céder aux lobbyistes et aux faiseurs d'images, défendre ce qui est juste et avoir la force de caractère que nécessite la vraie noblesse de la présidence dans sa forme actuelle.

Ce n'est pas seulement une question de délégation de pouvoirs. En vertu du système actuel, le Président des États-Unis peut, en théorie, déléguer toutes les fonctions qu'il désire et obtenir, dès lors, « l'appui tactique » qui semble nécessaire. Or ce n'est pas d'appui tactique qu'il s'agit. Je ne crois pas qu'il existe d'être humain capable de faire preuve du courage exigé par la présidence américaine en cette époque d'holocauste général sans l'appui émotionnel d'une communauté en pleine activité.

Je ne parle pas non plus d'une communauté dont l'intensité s'apparenterait à celle d'un « groupe d'appui ». Plusieurs présidents américains ont bénéficié d'une espèce ou l'autre de groupe d'appui – c'est-à-dire les petits copains et les Cabinets de cuisine. Il s'agit là de l'appui que donnent tous les béni-oui-oui du monde. Ces appuis peuvent être *encourageants,* ils ne seront pas sages pour autant. À vrai dire, ils risquent de donner au Président des États-Unis un faux courage.

Non. Je parle de la véritable communauté qui vit intensément. Une communauté n'est pas formée d'un groupe d'individus tous coulés dans le même moule, tous prêts à dire oui. Elle s'est constituée de manière à inclure certains talents spécifiques, mais aussi les différences de chacun – de manière à n'être pas une clique, mais à faire preuve d'ouverture. Dans mon esprit, la présidente que j'imagine dans l'avenir s'interdira de choisir pour son Cabinet des gens toujours prêts à dire oui. Au-delà de leur maturité émotionnelle, elle choisira aussi les membres de son Cabinet pour leur variété, leurs antécédents différents, leur vision et leur personnalité.

Elle pourra également montrer une grande tolérance à l'endroit des conflits. La véritable communauté est un endroit sûr où l'on accueille et fait face aux conflits nécessaires plutôt que de les redouter ou de chercher à les éviter. La communauté est un groupe qui a appris à lutter avec grâce. Même si sa principale fonction est d'encourager le développement et le maintien de la communauté formée par le Cabinet, la présidente de l'avenir ne se tiendra pas à l'écart de la bagarre. Elle sera elle aussi membre de la communauté et se sentira aussi responsable des autres membres qu'eux se sentiront responsables à son égard. Elle aura besoin de leur encouragement, mais, pour être complète, elle aura tout autant besoin de leurs doutes et de leurs désaccords, de leur critique et de leurs oppositions. Un membre d'une communauté à long terme dit un jour : « Nous nous aimons trop pour laisser partir quelqu'un sans rien lui donner en retour. »

Une présidence qui se veut vraiment pauvre d'esprit ne se contentera pas de puiser courage et intégralité dans les luttes harmonieuses qui marquent l'existence de l'authentique communauté ; elle en fera ses fondements intellectuels. J'ai pu constater que les groupes de travail (c'est-à-dire les véritables communautés en activité) vont régulièrement au plus profond des choses. Même si ses membres s'opposent au nom de leurs différences, la communauté revient toujours aux questions fondamentales. Elle réussit à ne pas s'égarer dans les détails superficiels et n'agit pas de manière défensive, comme l'a fait trop souvent la présidence américaine au cours des dernières années.

Ma proposition de présidence communautaire aux États-Unis aura beau n'entraîner aucun changement constitutionnel, j'entends déjà les protestations de ceux qui crieront au « communisme », comme si communisme et communauté étaient la même chose. À vrai dire, le régime de la présidence communautaire ne ressemble-t-il pas étrangement au Politburo ? Mais le Politburo n'est jamais élu, quel que soit le sens que l'on veuille donner à ce mot. De surcroît, nous ne savons pas comment fonctionne le Politburo parce qu'il agit en secret.

Il n'y a aucune raison sérieuse s'opposant à ce que les réunions du Cabinet-communauté ne soient *toujours* ouvertes à un petit nombre variable de représentants de la presse. De son côté, la presse devrait se donner comme règle de ne rapporter que les actions de la communauté en tant que communauté [6]. Imaginez le tort qui pourrait résulter de reportages racontant que « le Secrétaire machin s'en prend constamment au Procureur général » ou que « le vice-président accuse le président d'avoir une vision sexiste des choses ». Par ailleurs, je pense que le public comme le gouvernement ne pourraient que bénéficier de reportages du genre de celui-ci : « Aujourd'hui, la réunion du Cabinet a montré qu'il existait de profondes

---

6. À l'origine du mouvement de la communauté, il y a ce qu'on a appelé le Groupe-T. Il y a environ une trentaine d'années, certains « entraîneurs », qui apprenaient à leurs étudiants à mieux communiquer et de façon plus honnête, furent mis au défi par ces mêmes étudiants : « Vous en parlez comme si c'était facile, mais ce ne sont peut-être que des mots. Pourquoi ne pourrait-on pas voir comment vous, entraîneurs, communiquez entre vous ? » Les entraîneurs acceptèrent de jouer le jeu et échangèrent entre eux sur une assez longue période de temps, sous l'œil attentif des étudiants. L'expérience devait se révéler suffisamment satisfaisante pour que ce groupe de formation, le Groupe-T [T comme *training* : (N.d.T.)], serve de modèle au mouvement des groupes de sensibilisation.

dissensions quant à la politique à adopter au Nicaragua. Le désaccord des membres portait surtout sur la nature indigène ou téléguidée du mouvement communiste au Nicaragua. Aucun consensus ne fut atteint, mise à part la conclusion selon laquelle la situation au Nicaragua ne présentait pas un caractère d'urgence et qu'elle serait le principal point abordé lors de la rencontre de jeudi prochain. »

Encore une fois, nous pouvons voir le lien de réciprocité qui s'installe entre une présidence, une presse et une population plus saines. Dans la mesure où il existe une demande du public pour le « culte de la personnalité », la presse y répondra en montant en épingle certain désaccord entre tel et tel, obligeant ainsi le gouvernement à prendre en secret la plus grande partie de ses décisions. Par ailleurs, si la presse et le public peuvent surmonter leur fascination pour les exploits et les manies des personnalités publiques (ou calmer leur obsession des vedettes du rock ou du base-ball), tout le monde pourrait jouir d'un gouvernement beaucoup plus ouvert. Gouverner en secret n'a jamais été une bonne chose, ni pour le gouvernement ni pour le public. Tous les deux ont intérêt à ce que soient rendues publiques les dissensions du gouvernement sur telle ou telle question. Or cette saine attitude exige une plus grande maturité de la part du public.

Mais il n'est ni souhaitable ni nécessaire que des dirigeants politiques éclairés attendent que le public ou la presse aient montré une plus grande maturité. D'abord, parce que les dirigeants politiques ont leur propre responsabilité dans l'éducation de la presse et du public par l'entremise du lien de réciprocité qu'ils entretiennent avec eux. Comme toute vulnérabilité recèle une part de risque, les hommes politiques demeureront incapables d'instaurer une présidence communautaire s'ils ne sont pas prêts à connaître les tourments que connaît tout grand innovateur. Personne ne connaîtra une présidence communautaire aux États-Unis tant que les dirigeants politiques continueront d'attendre que la presse et le public soient tout à fait mûrs pour ce genre de choses.

On ne peut s'attendre aussi longtemps. Si les rapports qui existent à l'heure actuelle entre le peuple, les médias et la présidence des États-Unis se poursuivent, les Américains s'enfonceront inévitablement dans le bourbier des images préfabriquées, avec la possibilité qu'il en résulte un plus grand dommage encore. C'est maintenant que les États-Unis ont besoin d'une présidence réaliste et pauvre en esprit.

Cette proposition précise d'une présidence communautaire n'a rien de naïf. Je ne suis pas un romantique. La communauté n'est pas une entreprise facile, pas plus qu'elle n'est une sorte de douce et permanente ivresse dont on fait l'expérience à peu de frais. Les véritables communautés sont souvent le lieu de bouleversements et de luttes intenses. Certaines personnes ne sont pas faites pour la lutte ou pour l'amour que la communauté suppose. Comme toute communauté, une présidence communautaire connaîtra sa part de vicissitudes et de difficultés. Certains membres, blessés ou en colère, devront partir, et de nouveaux membres devront subir une formation difficile. La communauté n'enlèvera pas toute angoisse à la présidence. Elle fera en sorte de lui donner suffisamment de force pour qu'elle puisse supporter l'angoisse liée à sa fonction sans rien sacrifier de son intégralité.

Qui n'a pas connu la communauté ne devrait pas devoir se prononcer sur la proposition d'une présidence communautaire. La situation se complique du fait que plusieurs personnes peuvent croire qu'elles ont fait l'expérience de la communauté alors que, dans les faits, il n'en est rien. Cela me rappelle un ancien colonel, en apparence bourru, qui affirma au tout début d'un atelier de formation de la communauté : « J'en suis désolé pour vous. Tous, vous vous plaignez de l'absence de communauté dans votre vie. Ma vie à moi est remplie de communautés. Pendant plus de vingt ans, j'ai connu la communauté de l'armée. » Un jour et demi plus tard, cet homme admirable avait le courage de dire, les larmes aux yeux : « Je dois vous demander pardon. Je vous ai dit que, grâce à l'armée, j'avais fait l'expérience profonde de la communauté. Maintenant je sais que je me trompais. Vous m'avez montré que ce que j'ai connu à l'armée n'était pas la communauté. Je comprends maintenant que la raison fondamentale pour laquelle j'ai décidé d'entrer dans l'armée à l'origine était que j'étais à la recherche de la communauté, mais, en réalité, ce n'est pas là que je l'ai trouvée. »

Au bout du compte, la naïveté est de croire que le système actuel peut fonctionner. Il est naïf de penser qu'une seule personne pourra faire un travail qui suppose vingt fois plus de responsabilités que lors de sa création. Il est naïf de penser qu'une seule personne peut vraiment comprendre ce qui se passe dans deux cents pays différents. Il est naïf de penser qu'une personne peut faire preuve de sagesse et de détachement quand elle est épuisée par le protocole et par d'innombrables responsabilités. Et si par hasard vous aviez envie de penser : le système américain semble marcher assez bien, vous devriez peut-être vous demander si vous n'avez pas eu la naïveté d'avaler toutes ces fausses images fabriquées à votre intention. Car la réalité veut que nous vivions dans un monde complètement différent de celui qui existait il y a deux cents ans, et il est naïf de s'attendre, en ce qui concerne la présidence ou d'autres réalités politiques, à ce qu'il puisse fonctionner avec efficacité selon les mêmes bonnes vieilles règles.

Aux États-Unis, la présidence est au centre de tous les pouvoirs politiques. Mais s'il faut modifier la façon de fonctionner de ce gouvernement pour faire en sorte de passer d'une forme de compétition inhumaine, spécialisée, bureaucratisée et incomplète à un mode de fonctionnement de type coopératif – qui soit source d'amour et de croissance – en conformité avec les principes de la communauté, ces changements devront avoir lieu tout au long du processus politique. Des changements s'imposent à tous les paliers du pouvoir exécutif. Ils s'imposent au Congrès, comme dans le pouvoir judiciaire. Ils s'imposent dans le gouvernement des états américains. Ils s'imposent dans chaque comté et dans chaque ville des États-Unis. Mais la présidence, mieux que n'importe quel autre élément du continuum politique, a le pouvoir de donner le ton au gouvernement. C'est la solution la plus facile si l'on veut changer le climat d'un gouvernement. Mais le changement aura lieu à d'autres endroits. Il peut même avoir lieu à l'encontre d'une présidence qui n'est plus au fait des réalités du jour. Ce dont il faut se souvenir, ultimement, c'est que tout le climat qui règne au sein du gouvernement des États-Unis doit changer, quelle que soit la manière de provoquer ces changements.

Gouverner est difficile. Sur le plan domestique, les intérêts propres à chaque groupe ne vont pas disparaître. Il faudra toujours prendre certaines décisions difficiles quant aux intérêts qui ont une valeur véritable et ceux auxquels il faut courageusement s'opposer, même s'il doit en résulter un tollé public. L'URSS doit composer avec une tradition culturelle qui n'est pas facile. Sur le plan international, pour en venir à former un gouvernement mondial efficace, le gouvernement américain devra prendre de vraies initiatives vulnérables, qui auront toute l'apparence de faiblesses, et cela même si le fait heurte le nationalisme de ses diverses composantes. Simultanément, les dirigeants des États-Unis doivent être capables d'opposer un « non » vigoureux aux atrocités commises par les autres nations. Ils doivent vraiment être aussi rusés que le serpent et aussi innocents que la colombe. Ils doivent être suffisamment forts pour créer et recréer encore cet équilibre paradoxal.

On ne peut exiger d'un individu qu'il montre une aussi grande force, à la fois spirituelle et politique. La force exigée par un leadership véritablement au service d'un pays ne peut s'acquérir que lorsque les gens travaillent ensemble dans l'amour et dans l'engagement. Elle ne peut exister que dans une atmosphère où les dirigeants sont alimentés par la communauté. Elle ne peut exister dans un climat d'isolement et de compétition, qui broient les idéaux et tout sentiment d'humanité des gens. Ce n'est qu'au sein de la communauté que les représentants des États-Unis trouveront la force nécessaire pour devenir de vrais dirigeants et travailler véritablement à l'avènement de la paix.

Un climat de cette sorte est si différent de celui qui règne traditionnellement à Washington qu'il exige de procéder à un changement d'esprit radical. Mais le gouvernement américain, tout comme l'Église chrétienne, a précisément besoin de ce changement radical s'il veut rendre possible la révolution exigée par le pacifisme authentique, révolution nécessaire si nous voulons sauver notre peau. Il y a un gouffre tellement grand entre ce qui est et ce dont nous aurions besoin qu'une proposition comme celle-ci aura l'air d'un rêve. Les soi-disant réalistes diront qu'elle est « naïve ». Les prophètes aux cerveaux anciens [7] crieront à l'« impossible ». « Vision purement absurde », diront-ils. À vrai dire, le mot « visionnaire » est l'épithète injurieuse qu'ils ont toujours utilisée pour discréditer les vrais prophètes. Mais eux, les prophètes aux cerveaux anciens, sont les prophètes de la mort. Car, comme nous l'ont appris nos ancêtres juifs : « Quand il n'aura plus de révélation, le peuple se dissipera [8] ».

---

7. Richard Bolles, *The Land of Seven Tomorrows*, Ten Speed Press, P.O. Box 7123, Berkeley, CA 94707 ; l'auteur offre son livre au prix coûtant d'un dollar.

8. Proverbes, 29,18.

CHAPITRE XVII

LE POUVOIR D'AGIR

Nous savons que la communication efficace obéit à des règles. Ces règles fonctionnent. On les enseigne rarement, et on les met en pratique tout aussi rarement. Par conséquent, la plupart des gens, y compris les gouvernements, les entreprises et les dirigeants religieux, ne savent pas comment établir des rapports entre eux. Et il est peu probable que les Américains soient capables d'avoir des relations correctes avec les Russes ou avec les gens appartenant à n'importe quelle autre culture si, généralement parlant, ils n'arrivent pas à communiquer entre eux.

La meilleure façon d'enseigner ou d'apprendre les règles de la communauté passe par la formation de la communauté. Les règles de la communication sont fondamentalement les règles de la formation de la communauté, et les règles de la formation de la communauté sont les règles du pacifisme.

Le comportement de nos dirigeants chargés des relations internationales va constamment - presque systématiquement - à l'encontre des règles de la formation de la communauté. Leur comportement garantit les désaccords internationaux, les

guerres et la menace permanente de la guerre. Les règles auxquelles ils ont l'habitude de se soumettre sont les règles de
l'anti-communauté. Nous ne connaîtrons jamais la paix tant que
ces règles ne seront pas changées.

Il ne sera pas facile de procéder aux changements qui, au
sein de nos églises et de nos gouvernements, provoqueront
cette nécessaire révolution dans les relations internationales.
Mais les dirigeants de notre Église et de nos gouvernements
sont issus du peuple, ils le représentent dans une très grande
mesure et sont le reflet de ses normes culturelles. Dès lors, les
règles qui régissent les gouvernements ne pourront être modi-
fiées en profondeur que lorsque les règles qui régissent les
rapports des êtres humains entre eux le seront aussi. L'instauration de la paix – la formation de la communauté – commence
donc au bas de l'échelle. Elle commence avec vous.

QUE FAIRE MAINTENANT ?

Formez des communautés.

Formez-en-une dans votre Église. Formez-en-une dans
votre école. Formez-en-une dans votre quartier.

Pour le moment, ne vous inquiétez pas de ce qu'il faudra
faire ensuite. Ne vous inquiétez pas de savoir à quel groupe de
militants pour la paix vous devrez vous joindre. Ne vous
demandez pas s'il vaut mieux refuser de payer vos impôts,
vous opposer à l'implantation d'une usine d'armements, organiser une marche de protestation ou écrire une lettre à votre
représentant au Congrès. Ne vous préoccupez pas trop de nourrir les pauvres, de donner un toit aux sans-abri, de protéger
ceux qui sont maltraités. Ce n'est pas que ce genre d'actions
soient mauvaises ou inutiles. Simplement, elles ne sont pas
fondamentales. Elles ne peuvent donner de résultats que si elles
sont ancrées, d'une façon ou d'une autre, dans la communauté.
Formez d'abord une communauté.

Vous ne pourrez être en mesure de contribuer à l'avènement de la paix que si vous devenez vous-même un pacifiste

convaincu. Et vous ne pourrez entreprendre une action concertée au nom de la paix sans une communauté qui vous en donne le pouvoir.

Formez votre propre communauté.

Ce ne sera pas facile. Vous aurez peur. Vous aurez souvent l'impression de ne pas savoir ce que vous faites. Vous aurez de la difficulté à persuader les gens de se joindre à vous. Au départ, plusieurs refuseront de s'engager, et ceux qui seront prêts à le faire seront aussi effrayés que vous. Quand vous aurez commencé, les frustrations suivront. Et le chaos. La plupart auront envie d'abandonner, et certains le feront vraisemblablement. Mais tenez bon. Faites davantage le vide. Ce sera douloureux. Il en résultera de la colère, de l'anxiété, de la dépression, et même du désespoir. Mais continuez d'avancer dans la nuit. Ne vous arrêtez pas à mi-chemin. Vous croirez qu'il n'y a plus rien, mais continuez d'avancer. Et puis, soudain, vous trouverez l'air pur des sommets, et vous rirez, et vous pleurerez, et vous vous sentirez plus vivant que vous ne l'avez été au cours des dernières années – peut-être même au cours de toute votre vie.

Ce ne sera qu'un début. Après un certain temps, le brouillard reviendra et vous aurez perdu le sentiment de la beauté. Le chaos règnera de nouveau. Ne vous découragez pas. Faites face. Demandez-vous ce qu'il faut changer, ce à quoi il faut renoncer. Et de nouveau le brouillard se dissipera et encore plus rapidement qu'auparavant. Après un certain temps, votre communauté se sentira solide. Et, en tant que communauté, vous aurez peut-être envie de vous tourner vers l'extérieur. Vous pourrez vous demander comment faire en sorte que les talents de votre communauté profitent à l'ensemble de la société. C'est alors le temps de songer à une action sociale.

Mais n'allez pas penser qu'il vous faudra faire quelque chose. Rappelez-vous que l'être a préséance sur l'action. Il suffira de vous appliquer à rendre merveilleuse votre communauté pour que sa beauté rayonne sans que vous ayez quoi que ce soit à faire – pourvu que vous ne mettiez pas sa lumière sous le boisseau. Si votre communauté fait partie d'un organisme religieux, réunissez-vous à l'église. Si elle appartient à une entreprise, réunissez-vous dans les bureaux de l'entreprise. Si vous êtes des dirigeants municipaux, réunissez-vous à la mairie. La publicité n'est pas nécessaire. Mais laissez la porte ouverte. Laissez-la ouverte pour que les passants puissent entendre vos rires, vos pleurs, puissent entrevoir vos visages et la façon que vous avez de vous toucher. Laissez-la ouverte pour qu'ils puissent entrer et se joindre à vous.

Vers qui devez-vous vous tourner pour former une communauté? Je l'ignore. Il n'y a pas de recette. Certaines personnes auxquelles vous aurez pensé auront peur et évoqueront le manque de temps. Dans les yeux d'autres personnes, dont vous doutiez qu'elles auraient pu avoir de l'intérêt pour la chose, une lueur s'allumera tout à coup, comme si elles avaient la vision lointaine d'une réalité que vous étiez loin de leur prêter et qu'elles-mêmes croyaient avoir oubliée. Les surprises seront nombreuses. Elles dépendent d'une certaine « grâce » imprévisible.

Pourtant, quand vous chercherez des gens prêts à se joindre à vous, deux choses peuvent vous guider. D'abord, méfiez-vous des gens qui tiennent énormément à défendre certaines choses. Nous avons tous nos petits intérêts à défendre, et il est juste d'avoir des causes ou des projets qui nous tiennent à cœur. Nous n'avons pas besoin d'y renoncer pour former une communauté, mais nous devons être capables de les mettre de côté, de les « mettre entre parenthèses » ou de les transcender, s'il le faut, dans l'intérêt de la communauté. Quiconque n'a pas la maturité nécessaire pour mettre ainsi entre parenthèses ses intérêts ou les transcender, ne fera pas un bon candidat. Cependant, il s'agit là d'une indication qui n'a qu'une très faible valeur, car il est difficile de savoir à l'avance, quand les cartes ne sont pas encore abattues, qui a cette maturité ou en est dépourvu. Vous découvrirez que certaines personnes qui avaient cette faculté ne l'ont plus lorsqu'elles évoluent à l'intérieur d'une communauté. Et que d'autres, qui semblaient incapables de faire preuve d'une telle maturité, ont appris à le faire au sein de la communauté. C'est donc une indication qui ne sert qu'à une sélection grossière.

Une autre indication consiste à aller vers des gens différents de vous. Si vous êtes un Blanc, cherchez la compagnie des Noirs. Si vous êtes un Noir, cherchez celle d'un Blanc. Si vous êtes une colombe, efforcez-vous de trouver au moins un faucon pour se joindre à votre communauté. Vous aurez besoin de faucons. Si vous êtes un Démocrate, vous aurez besoin d'un Républicain ; si vous êtes chrétien, vous aurez besoin d'un Juif; si vous êtes épiscopalien, d'un Baptiste ; si vous êtes riche, de quelqu'un qui ne l'est pas. Comme les oiseaux d'une même famille ont tendance à voler ensemble, il ne sera pas facile de trouver des hommes et des femmes différents de vous. Vous n'arriverez pas à la variété parfaite. Mais rappelez-vous seulement que la véritable communauté fait preuve d'ouverture, et que, si vous êtes un riche démocrate Blanc, vous aurez tout à apprendre des pauvres, des Noirs, des Chicanos et des Républicains. Vous avez besoin de leurs talents pour être complet.

Une fois que vous aurez créé votre communauté, vous pourrez encore vous guider sur autre chose : faites toujours preuve d'ouverture. Soyez vigilant pour ne pas vous créer des ennemis qui ne serviront qu'à stimuler votre ardeur. Méfiez-vous de vos tendances à l'élitisme – à penser en termes de « eux » et « nous » ou, pire encore, en termes de « eux contre nous ». Consacrez votre énergie et votre être à ce que vous défendez (la paix, l'amour et la communauté) plutôt qu'à ce contre quoi vous luttez (les fabricants d'armes, les bourreaux d'enfants, le crime organisé). Il ne s'agit pas d'afficher un optimisme béat. Loin de là. Le mal existe dans le monde, et la communauté est son ennemi naturel. Votre communauté ne doit pas ignorer le mal, mais elle doit s'efforcer de ne pas être contaminée par lui. Laissez la porte ouverte à tout le monde, y compris aux autres organismes et aux autres communautés. Ne soyez pas exclusifs. Mettez-vous en rapport avec d'autres groupes plutôt que de vous tenir à l'écart.

Donc, formez une communauté. N'ayez pas peur de l'échec. Je sais que cette perspective risque de vous effrayer. Souvenez-vous que tout ce que je sais de la communauté, je l'ai appris chaque fois en devant faire appel à toute la présence d'esprit dont j'étais capable. Une grande partie de mon excitation vient précisément de là. La véritable communauté est toujours, entre autres choses, une aventure. Vous serez toujours en train d'aller vers l'inconnu, et souvent vous aurez peur, en particulier au début.

Mais vous ne serez pas seul. Vous entrerez dans cette aventure en compagnie d'autres personnes aussi effrayées que vous, et vous serez en mesure de partager non seulement vos craintes, mais aussi vos talents et vos ressources. Fort des ressources de votre communauté, vous serez capable de faire des choses auxquelles vous n'auriez jamais pensé.

Cependant, rappelez-vous que nous sommes *tous* appelés. Nous sommes tous appelés à œuvrer pour la paix, que nous le voulions ou non. Et, en tant que pacifistes, nous sommes tous appelés à former une communauté. Finalement, forts des ressources offertes par la communauté, nous sommes tous appelés à être des individus complets.

Être des individus complets, cela signifie notamment que nous sommes appelés à parler franchement et à ce qu'on nous parle franchement. Nous sommes appelés à surmonter la psychologie du désespoir et celle de la réticence. Quand nous voyons un mensonge, nous sommes appelés à dire que c'est un mensonge. Quand nous voyons quelque chose d'insensé, nous sommes appelés à dire que c'est insensé. Si vous êtes un prédicateur, vous êtes appelés à prêcher l'Évangile, aussi peu attrayant qu'il semble aux fidèles de votre congrégation. N'évitez pas d'aborder le sujet de la course aux armements dans une soirée sous prétexte qu'il ne fait pas l'unanimité. C'est vrai, certains le trouveront sans doute bouleversant, mais peut-être que ces gens ont besoin d'être bouleversés. D'autres vous seront reconnaissants de votre franchise, car votre initiative leur aura donné le courage de dire à leur tour ce qu'ils pensent.

Lutter contre nos réticences n'est pas chose simple ou facile. Il n'y a aucun plaisir à tenir tête à un faucon réputé pour son intransigeance. D'un autre côté, il y a un plaisir à s'efforcer d'entrer en communauté avec cette personne en particulier. Car la communauté est le seul catalyseur capable d'atténuer l'intransigeance. Cela dit, il ne faut pas fuir pour autant toute forme de résistance. Comme dit l'adage : on ne fait pas d'omelette sans casser des œufs. Vous devrez apprendre à mesurer le degré de résistance nécessaire pour qu'elle demeure constructive et à mesurer jusqu'à quel point vous êtes prêts à être blessés au cours du processus. Vous aurez également besoin de retourner dans votre communauté pour y soigner vos blessures, pour que des êtres chers refassent vos bandages et prennent soin de vous avant que vous ne retourniez dehors pour y être de nouveau blessé. Votre franchise devra adopter une certaine stratégie.

Tous ces mots – stratégie, blessures, résistance – ne donnent-ils pas l'impression qu'une guerre est en train de se dérouler ? Oui. Nous parlons d'une guerre, d'un combat qui commence seulement à faire rage. Comme la course aux armements est une institution qu'il s'agit très concrètement de démanteler, le pacifisme est un appel à l'action. Souvenez-vous que, dans ce combat, vous marchez au son d'un autre tambour. C'est un combat pour changer les règles de la communication entre les humains. Il est impossible de changer les règles en jouant selon les anciennes. Quand je parle de stratégie, je parle aussi de tactiques révolutionnaires. C'est vrai, les faucons, les marchands de la mort, les blasphémateurs sont tous des cibles, mais ils ne sont pas nos ennemis ; ce sont des êtres que nous aimons. Il ne s'agit pas de les séduire. La clef de voûte de la stratégie nécessaire pour gagner cette guerre est la communauté, et les armes ne peuvent être que celles de l'amour.

POSTFACE

Au mois de décembre 1984, neuf de mes collègues et moi-même nous sommes réunis pour mettre sur pied la Fondation pour l'Encouragement de la Communauté (FEC). Le but de cette fondation publique exonérée d'impôts est d'« encourager le développement de la communauté là où elle n'existe pas et de venir en aide aux communautés déjà existantes, qu'elles soient laïques ou religieuses, afin qu'elles se raffermissent et raffermissent leurs liens avec les autres communautés, et qu'elles favorisent ainsi, ultimement, une meilleure entente dans le monde ».

La communauté étant par essence ouverte, la FEC a délibérément choisi de n'être ni spécifiquement chrétienne, ni même religieuse. Cependant, comme toute communauté est nécessairement spirituelle, il est juste de dire que la FEC est bel et bien dotée d'une dimension spirituelle. Elle ne se conforme à aucune idéologie particulière au sens habituel du terme. Mais tous les membres du comité de direction partagent le même engagement pour la paix – le même engagement envers la communauté à tous les niveaux.

La FEC ne cherche à remplacer aucun organisme existant. Au contraire, elle existe pour venir en aide à toutes les autres communautés véritables et pour encourager celles qui commencent. La FEC est unique en ce qu'elle est peut-être le seul organisme qui met l'accent sur la communauté en soi. D'autres organismes ont vu le jour dans le but de créer un sentiment de communauté dans une ville, entre alcooliques ou entre Russes et Américains. La FEC existe pour raffermir ce genre d'organismes. Mais elle existe aussi pour aider les gens à faire l'expérience de la communauté sans être alcooliques pour autant, sans appartenir à une Église en particulier, sans se donner un but précis, ou avoir de crise à résoudre, et cela, où qu'ils soient.

La FEC travaille à plusieurs niveaux. D'abord auprès des individus qui ont besoin d'une forme quelconque d'aide personnelle. Ce besoin est habituellement une conséquence de l'absence de communauté et donne, du coup, l'occasion d'en former une. Chaque fois que c'est possible, la FEC peut, de façon confidentielle et sans frais, mettre toute personne qui le désire en rapport avec une communauté près de chez elle – une Église quelconque, un chapitre des AA, un groupe d'Expérience Nouvelle, ou quelque autre ressource appropriée. Ce faisant, la FEC s'efforce également d'agir avec une efficacité accrue à titre de banque de données sur les organismes communautaires existants. Ce réseau de communications représente une partie importante de la mission que s'est donnée la FEC.

La FEC est également en train de se constituer un bassin important de chefs d'ateliers en formation de la communauté, triés sur le volet et rigoureusement formés. Ces hommes et ces femmes, qui ont des contrats avec la FEC, aident à leur tour des congrégations religieuses, des collèges et d'autres organismes à aller plus avant dans la communauté. Ils se rendent là où on a besoin d'eux.

De plus, ces dirigeants organisent des ateliers ouverts au grand public. Ces ateliers ont lieu à Knoxville, au Tennessee, où la FEC a établi son quartier-général, ou dans une série de retraites de choix dans tous les États-Unis. Certains ateliers durent deux jours et sont conçus pour donner aux individus intéressés un aperçu de la communauté et du processus de formation de la communauté. D'autres durent plus longtemps et sont conçus pour assurer le perfectionnement de certains individus dans le processus de formation de la communauté –

même si cette formation est moins poussée que celle qu'ont reçue eux-mêmes les dirigeants d'ateliers de la FEC.

Entre autres projets, la FEC a l'intention de mettre sur pied un centre de recherche scientifique sur l'armement, dans le but d'améliorer directement les activités de la FEC, mais aussi d'accroître l'ensemble des connaissances scientifiques sur les communautés et sur leur développement.

Au moment de répondre à mon appel vous enjoignant de former des communautés, certains d'entre vous auront découvert qu'ils peuvent y arriver sans aide. Par ailleurs, si quelques-uns d'entre vous cherchent à former une communauté, mais se sentent incompétents sur ce chapitre, ou encore si vous avez déjà mis sur pied une communauté, mais vous êtes embourbés dans une situation d'où vous ne pouvez vous tirer tout seuls, écrivez-nous ou téléphonez-nous :

The Foundation for Community Encouragement Inc.
P.O. Box 50518
Knoxville, Tennessee 37950-0518
(615) 690-4334

Vous pouvez aussi nous téléphoner si vous voulez vous mettre en rapport avec d'autres communautés. Ou plus simplement si vous voulez en savoir davantage sur la FEC. Ou encore si nous pouvons vous aider de quelque autre façon que ce soit.

Nous voulons vous aider de toutes les manières à former une communauté – si vous avez besoin de notre aide. La Fondation a été mise sur pied pour vous aider, mais le but de cette aide n'est pas de vous rendre dépendant. D'une part, cette dépendance vous causerait du tort. Il ne nous appartient pas de vous lancer dans l'aventure ; vous devez vous aventurer par vous-mêmes. Tout au plus, nous pouvons vous servir de guide quand c'est nécessaire. Par ailleurs, nous ne sommes pas une « riche » fondation. Il vous faudra payer pour nos services s'ils devaient se prolonger. Le mécénat fait en sorte que ces frais sont très raisonnables, mais nous aurons besoin d'un mécénat en permanence si nous voulons que les choses continuent ainsi. La FEC a autant besoin de vous que vous pouvez avoir besoin de nous. Nous sommes interdépendants.

La FEC n'est pas une « riche » fondation, parce que le mécénat est difficile à trouver. Jusqu'à présent, ses quelques donateurs ont été des pionniers, et nous avons désespérément besoin d'accroître leur nombre. Il est pratiquement impossible de décrire notre travail à un éventuel donateur qui n'a pas fait personnellement l'expérience de la communauté – qui n'y a pas goûté. Les riches et les puissants sont en général les moins susceptibles d'avoir fait ce genre d'expériences et les premiers à nous claquer la porte au nez quand on essaie de leur expliquer. En général, les organismes traditionnels, les institutions et les individus répondent que les programmes de la FEC sont trop « doux ». Certains, qui veulent nous aider, suggèrent que le mot « encouragement » est en soi un mot « doux » et que nous devrions changer notre appellation – comme si la planète n'avait pas besoin d'encore plus de douceur.

Une anecdote suffira à résumer la situation. Récemment, un homme, éventuellement un futur mécène, assistait à une conférence de perfectionnement donnée par la FEC sur la formation de la communauté. À la fin de la réunion, l'homme dit avec une angoisse visible : « Je me sens déchiré. D'un côté, j'ai vécu ici une expérience des plus bouleversantes. J'en ai tiré un bienfait qui va au-delà de mes espérances. Je suis très content d'être venu et, curieusement, très triste à l'idée de devoir partir. Mais si je m'arrête à penser à ce qui s'est passé ici, à la nature profonde de cette expérience et à ce que vous essayez de faire, ma seule conclusion est que tout cela ne se rapporte qu'à l'amour. Et comment diable pourrais-je retourner devant mon comité de direction et leur vendre de l'amour ? »

Le problème de cet homme est le nôtre, et aussi le vôtre. C'est notre tâche, et aussi la vôtre, de vendre au monde de l'amour.